남북한 유엔 가입

북한 유엔 가입
신청 및 대응 2

남북한 유엔 가입

북한 유엔 가입 신청 및 대응 2

| 머리말

유엔 가입은 대한민국 정부 수립 이후 중요한 숙제 중 하나였다. 한국은 1949년을 시작으로 여러 차례 유엔 가입을 시도했으나, 상임이사국인 소련의 거부권 행사에 번번이 부결되고 말았다. 북한도 마찬가지로, 1949년부터 유엔 가입을 시도했으나 상임이사국들의 반대에 매번 가로막혔다. 서로가 한반도의 유일한 합법 정부라 주장하는 당시 남북한은 어디까지나 상대측을 배제하고 단독으로 유엔에 가입하려 했으며, 이는 국제적인 냉전 체제와 맞물려 어느 쪽도 원하는 바를 성취하지 못하게 만들었다. 하지만 1980년대를 지나며 냉전 체제가 이완되면서 변화가 생긴다. 한국은 북방 정책을 통해 국제적 여건을 조성하고, 남북한 고위급 회담 등에서 남북한 유엔 동시 가입 등을 강력히 설득한다. 이런 외교적 노력이 1991년 열매를 맺어, 제46차 유엔총회를 통해 한국과 북한은 유엔 회원국이 될 수 있었다.

본 총서는 외교부에서 작성하여 30여 년간 유지한 남북한 유엔 가입 관련 자료를 담고 있다. 한국의 유엔 가입 촉구를 위한 총회결의한 추진 검토, 세계 각국을 대상으로 한 지지 교섭 과정, 국내외 실무 절차 진행, 채택 과정 및 향후 대응, 관련 홍보 및 언론 보도까지 총 16권으로 구성되었다. 전체 분량은 약 8천 쪽에 이른다.

2024년 3월
한국학술정보(주)

| 일러두기

· 본 총서에 실린 자료는 2022년 4월과 2023년 4월에 각각 공개한 외교문서 4,827권, 76만
여 쪽 가운데 일부를 발췌한 것이다.

· 각 권의 제목과 순서는 공개된 원본을 최대한 반영하였으나, 주제에 따라 일부는 적절히
변경하였다.

· 원본 자료는 A4 판형에 맞게 축소하거나 원본 비율을 유지한 채 A4 페이지 안에 삽입
하였다. 또한 현재 시점에선 공개되지 않아 '공란'이란 표기만 있는 페이지 역시 그대로
실었다.

· 외교부가 공개한 문서 각 권의 첫 페이지에는 '정리 보존 문서 목록'이란 이름으로 기록물
종류, 일자, 명칭, 간단한 내용 등의 정보가 수록되어 있으며, 이를 기준으로 0001번부터
번호가 매겨져 있다. 이는 삭제하지 않고 총서에 그대로 수록하였다.

· 보고서 내용에 관한 더 자세한 정보가 필요하다면, 외교부가 온라인상에 제공하는 『대한
민국 외교사료요약집』 1991년과 1992년 자료를 참조할 수 있다.

| 차례

정 리 보 존 문 서 목 록

기록물종류	일반공문서철		등록번호	2020070019	등록일자	2020-07-10
분류번호	731.12		국가코드		보존기간	영구
명 칭	남북한 유엔가입, 1991.9.17. 전41권					
생 산 과	국제연합1과		생산년도	1990~1991'	담당그룹	.
권 차 명	V.26 북한의 유엔가입신청 결정 발표(5.27) Ⅱ : 각국 반응					
내용목차	1. 미국 2. 중국 3. 소련 4. 기타국가 ★ 각국의 남북한 유엔가입 지지 표명					

.0001

1. 미국

공   란

공　　　　란

공   란

공　　　란

12　남북한 유엔 가입 북한 유엔 가입 신청 및 대응 2

외 무 부

종 별 :

번 호 : USW-2617   일 시 : 91 0528 1955

수 신 : 장관(미북,국연,정이,해신,기정)

발 신 : 주 미 대사

제 목 : 북한의 유엔 가입

대:WUS-2344

AM-0112

1. 당관 유명환 참사관은 5.27. 저녁 및 5.28. 오전국무부 RICHARDSON 한국과장과 DOUGLAS PAAL NSC 선임 보좌관을 각각 접촉, 북한 외교부 성명과 이에 대한 아측 성명 및 입장을 설명하였음.

특히 그간 BUSH 대통령 이하 미국 정부가 아국의 유엔가입 추진을 적극 지지해준데 대한 아국정부의 심심한 사의를 전달하였음.

2. 이에 대해 PAAL 보좌관은 금번 북한의 정책변화를 노 대통령의 꾸준한 북방, 북한 정책 추진의 결과이며, 또하나의 획기적 외교상의 승리라고 평가하고, 자신으로서는 한국정부의 성명을 특히 환영하며, 관련 사항을 BUSH 대통령에게 보고할 예정이라고 언급 하였음.

또한 동 보좌관은 BUSH 대통령이 동 보고에 매우 기뻐할것으로 예상한다고 부언함.

3. RICHARDSON 한국과장은, 북한이 유엔가입 결정을 발표한것은 긍정적 사태발전이며, 이는 한국정부의 끈기 잇는 노력의 결과로 본다고 하고, 국무부로서는 보편성의 원칙에 따라 남. 북한의 유엔 가입을 환영하며, BUSH 대통령의 작년유엔 총회에서의 연설 내용을 상기 시키는 일반론적인 보도 지침을 작성하겠다고 말하였음.

4. 국무부 대변인의 발표 내용은 별전 팩스 보고함.

(대사 현홍주- 국장)

검토필(1991.6.30.)

남북한 유엔가입, 1991.9.17. 전41권 (V.26 북한의 유엔가입신청 결정 발표(5.27) II : 각국 반응) 13

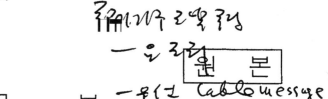

관리	9/
번호	-3/16

외 무 부

종 별 :

번 호 : USW-2638

일 시 : 91 0529 1515

수 신 : 장 관(친전) 사본:외교안보 보좌관

발 신 : 주미대사

제 목 : 유엔관련 친서

1. 금번 유엔가입 문제에 대한 북한의 태도 변경과 관련 백악관 및 국무부의 평가는 아국의 적극적인 북방외교의 결실로서 앞으로 한반도의 안정과 평화 정착을 위해서도 중요한 전기가 마련될것으로 판단하고 이를 환영하고 있음.

2. 또한 미측은 이와같은 북한의 태도 변화를 가져온 배경으로서 물론 아국의 외교적 노력에 기인한것이라고 말하면서도 작년 BUSH 대통령의 유엔총회 연설이 이러한 한. 미 양국의 적극적인 외교적 노력의 결정적 촉매제가 되었다고 생각하여 스스로 만족하는 분위기인 것으로 감측되고 있음.

3. 이와같은 상황을 감안할때 아국의 유엔가입 실현을 위해 협조하여준 여타 우방국과는 별도로 간단한 감사 멧세지를 BUSH 대통령께 타전하는것도 시의적절하고 또한 곧있을 STATE VISIT 를 앞두고 분위기 조성을 위해서도 바람직하다고 사료되는바, 검토후 회시 바람.끝.

(대사 현홍주-장관)

예고:1991.12.31. 일반
의거 일반문서로 재분류

검토필(91.6.30)

장관   청와대

May 31, 1991

Dear Mr. President,

Regarding North Korea's recent decision to apply for United Nations membership, I wish to fully share my great pleasure with you. I am sure that Pyongyang's turnabout was the direct result of our unswerving joint efforts to prevail up· Nor rea to take a reasonable and realistic stance on the que ·on of mbership.

We greatly appreciate the unreserved supp· and cooperation that your Government has rendered us on this matter all along. In particular, I believe that your great speech at the United Nations General Assembly last year served as a decisive catalyst for advancing our all-out diplomatic campaign for UN membership.

Looking forward to seeing you in Washington soon, I wish to extend to you my warmest personal regards.

Sincerely,

Roh Tae Woo

His Excellency
  George Bush
    President of the United States of America

0009

1991년 5월 31일

각   하,

　유엔가입을 신청하겠다는 북한의 최근 결정과 관련, 각하와 함께 기쁨을 나누고자 합니다.

　본인은 북한의 태도변화가 유엔가입 문제에 대하여 합리적이고 현실적인 입장을 취하도록 북한을 설득해온 우리 양국의 꾸준한 공동노력의 결과라고 확신합니다.

　본인은 미국 정부가 이 문제와 관련하여 한국을 적극지지하고 협조해 준데 대해 깊은 사의를 표합니다. 특히 지난해 각하의 유엔총회 연설은 한국의 유엔 가입을 위한 총력 외교전개시 결정적인 촉매역할을 한 것으로 믿습니다.

　워싱톤에서 곧 뵙게 되기를 고대하면서 각하께 따뜻한 인사를 전해드립니다.

노   태   우

미합중국

죠지 부시 대통령 각하

0010

Your Excellency,

In connection with North Korea's recent ~~announcement~~ *decision* to apply for United Nations membership, I wish to share my great pleasure fully with Your Excellency. I am sure that Pyongyang's rather surprising turnabout was the direct result of our joint efforts to ~~induce~~ *prevail upon* North Korea to take a reasonable and realistic stance on the question of UN membership.

The unreserved support and cooperation that your Government has rendered us on this matter thus far is most highly appreciated. In particular, I ~~must say~~ *believe* that Your Excellency's great speech at the United Nations *General Assembly* last year served as a decisive catalyst for our all-out diplomatic campaign for UN membership.

Looking forward to seeing Your Excellency in Washington soon, I wish to extend to Your Excellency my warmest personal regards.

Yours sincerely,

/s/ Roh Tae Woo

H.E. Mr. George Bush
President
of the United States of America

0011

Your Excellency,

In connection with North Korea's recent dicision to apply for United Nations membership, I wish to share my great pleasure fully with Your Excellency. I am sure that Pyongyang's rather surprising turnabout was the direct result of our joint efforts to prevail upon North Korea to take a reasonable and realistic stance on the question of UN membership.

The unreserved support and cooperation that your Government has rendered us on this matter thus far is most highly appreciated. In particular, I believe that Your Excellency's great speech at the United Nations General Assembly last year served as a decisive catalyst for our all-out diplomatic campaign for UN membership.

Looking forward to seeing Your Excellency in Washington soon, I wish to extend to Your Excellency my warmest personal regards.

Yours sincerely,

/s/ Roh Tae Woo

H.E. Mr. George Bush
President
of the United States of America

0012

관리	91		분류번호	보존기간
번호	-3683			

발 신 전 보

번 호 : WUS-2418   910531 1913 FN 종별 : _____

수 신 : 주 미   대사. 총영사 (친전) (사본 WJN주유엔대사)

발 신 : 장 관 (국연)

제 목 : 친 서

_____

대 : UNSW-2638

1. 대호 감사 메세지를 타전하니 적의 전달하고 결과 보고바람.

2. 본건, 타국과의 관계를 고려 보도치 않기로 하였음을 참고바람.

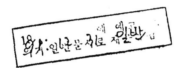

검토필(1:91.6.30) [인]

/ 계속 /

				보 안 통 제		

앙고재	년월일	과	기안자 성명	과 장	국 장	차 관	장 관		외신과통제

0013

May 31, 1991

Dear Mr. President,

Regarding North Korea's recent decision to apply for United Nations membership, I wish to fully share my great pleasure with you. I am sure that Pyongyang's turnabout was the direct result of our unswerving joint efforts to prevail upon North Korea to take a reasonable and realistic stance on the question of UN membership.

We greatly appreciate the unreserved support and cooperation that your Government has rendered us on this matter all along. In particular, I believe that your great speech at the United Nations General Assembly last year served as a decisive catalyst for advancing our all-out diplomatic campaign for UN membership.

Looking forward to seeing you in Washington soon, I wish to extend to you my warmest personal regards.

Sincerely,

Roh Tae Woo

His Excellency
 George Bush
  President of the United States of America

- 끝 -

예고 : 1991.12.31.일반

(장   관)

0014

면 담 요 록

1. 일   시 : 91.5.31(금) 10:50-11:00

2. 장   소 : 국장실

3. 면 담 자 : 문동석 국기국장 - Mr. E.M. Herdrickson 주한 미국대사관
              정무담당 참사관

    (기록 : 국제연합과 김성진 사무관)

4. 면담내용(요지)

o Herdrickson 참사관

   - 금번 유엔가입관련 한국이 거둔 성공을 축하함. 양국간의 긴밀한
     협조로 좋은 결과가 있게 되었음을 기쁘게 생각함.

   - 5.27자 북한외교부 성명발표내용에 남북한 관계개선에 다소
     부정적인 측면도 포함되어 있는 바, 북한의 전반적인 정책변화를
     기대하기는 어려운 것으로 봄.

   - 금번 북한의 입장변화는 유엔가입 추진에 있어서 한국정부의 단호한
     의지와 전략(firmness and strategy)에 주로 기인한 것으로 봄.

   - 금후 주한대사관으로서도 금추 유엔총회시 한국의 유엔가입 실현을
     위해 계속 적극 협조할 것임.

   - 북한입장 변화배경, 남북한간 동시가입관련 세부협의 진행상황,
     「데마르코」 몰타외상 북한방문 결과, 대통령의 제46차 유엔총회
     참석계획등을 문의함.

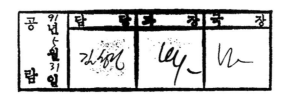

0015

○ 국 장

  - 한.미간, 특히 뉴욕에서 양국 대표부간의 긴밀한 협조로 유엔
    가입을 위한 공동전략하에 좋은 성과가 있게 되었음을 기쁘게
    생각하며, 그간 우리의 유엔가입관련 미국정부의 협조에 감사함.

  - 북한외교부 성명발표시 다소 부정적인 내용이 있었음에도 불구,
    우리는 즉각적으로 이에대한 환영성명을 발표하였음.
    남북한이 유엔에 가입하면 뉴욕에서 협의체제를 구성하여 남북간
    문제를 협의, 상호신뢰를 구축함으로써 보다 의미있는 남북대화가
    가능할 것으로 기대함.

  - 금번 북한의 입장변화는 그동안 우리의 가입을 저지 또는 지연
    시키려는 전술을 펴온 북한이 아국정부의 확고한 유엔가입 실현의지
    (4.5자 각서, 특사파견등)와 또한 우방국의 전폭적인 지원을
    하게 됨으로써 이루어진 것으로 봄. 특히 대통령각하께서 유엔가입
    실현 의지를 여러 계기에 천명하셨고, 년내 유엔가입추진에 대해
    전폭적인 이해와 지원해 주신 것이 큰 도움이 되었음.

  - 지난 5.27. 유엔대사를 통하여 박길연 북한대사에게 동시가입에
    관한 세부절차와 관련 아측의 입장을 전달했고, 현재 북한측의
    회답을 기다리고 있음. 이와관련, 어제 있은 우리 유엔대사와
    안보리의장인 주유엔 중국대사간의 면담시 동시가입문제등 아측
    입장을 솔직하게 전달했고, 이에대해 중국대사는 호의적인 반응을
    보이면서, 아측과 계속 협의하자는 반응을 보인 바 있음.

  - 몰타외상은 오늘오후 개최될 외상회의에서 북한 및 중국방문
    결과에 대해 설명이 있을 것으로 봄. 동 외상은 어제 홍콩체류시 방북기간중
    유엔가입문제와 관련 김일성과 약 1시간정도 논의하였고, 동면담시
    김일성이 국제정세를 잘 알고있는 것으로 느꼈다고 언급한 바
    있음.

  - 대통령의 금추 유엔총회 참석문제는 적극적으로 검토중임.   끝.

0016

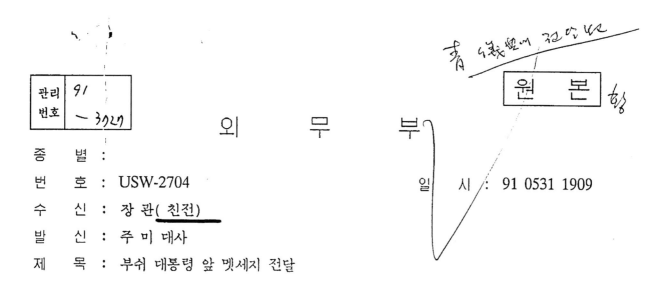

외 무 부

관리 91
번호 ～3727

종 별 :

번 호 : USW-2704

수 신 : 장 관(친전)

발 신 : 주 미 대사

제 목 : 부쉬 대통령 앞 멧세지 전달

일 시 : 91 0531 1909

대 WUS-2418

1. 대호 , 당관 유명환 참사관은 5.31(금)대호 BUSH 대통령 앞 멧세지를 국무부 RICHARDSON 한국과장에게 전달한후 동 사본을 백악관 NSC 의 아시아 담당 PAAL 보좌관에게도 전달하였음.

2. 이에 대해 미측은 금년 가을 한국의 유엔 가입의 실현은 북방정책의 성공을 입증하는 것으로서 미국도 한국과 더불어 만족하고 있으며 대호, 아측의 사려깊은 멧세지전달에 감사 한다고 말함.끝.

(대사 현홍주- 장관)

예고:1091.12.31. 일반
의거 일반문서로 재분

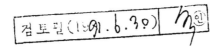
검토필(1991.6.30)

장관

공   란

남북한 유엔 가입 북한 유엔 가입 신청 및 대응 2

공 란

공 란

공 란

공 란

공   란

공   란

공   란

공 란

공 란

공　　　란

공   란

공   란

공   란

공　　　란

공   란

외 무 부

원 본

종 별 : 지급

번 호 : USW-2904

수 신 : 장관(국연,미일)

발 신 : 주미대사

제 목 : 유엔 가입 관련 미의회 결의안

일 시 : 91 0612 1149

연 USW-2834

1. DAVID LONIE 하원 규칙소위 전문위원은 금 6.12 오전 당관 임성준 참사관에게 전화, 금일 개최 예정인 FY 92/93 대외 원조 수권 법안(HR 2508)에 관한 하원 본회의시 SOLOMON 의원(R-뉴욕, 규칙위 간사)이 아국의 유엔 가입 지지 결의안을 제출할 예정임을 알려오면서(결의안 FAX 별송), 동 결의안은 한국의 연내 유엔 가입 실현 방침을 잘 알고 있는 SOLOMON 의원이 이를 지원하기 위해 자발적으로 제출하는것이라고 말함.

2. 임 참사관은 이에 대해 먼저 사의를 표명한후, 동 결의안 제출관련 아. 태 소위측과 협의한바 있느냐고 문의한바, 동인은 아. 태소위측과는 협의하지 않았다고 답변하고, 동 결의안 내용이 별다른 논란의 소지가 없고(NON-CONTROVERSIAL), 법적 구속력도 없는것이므로 상기 법안과 함께 일괄 통과(EN BLOC PACKAGE)될 것으로 본다고 말함.

3. 관찰

0 SOLOMON 의원은 평소 아국관련 문제에 대해 적극적인 지원과 협조를 제공해온 친한 의원으로서 금번 결의안 제출도 동의원의 이러한 충정에서 이루어진것으로 판단됨.

0 동 결의안이 당관 과 사전 협의없이 제출된것이나, 아국의 유엔 가입 문제에 대한 미의회 차원에서의 지지 입장을 표명하는데 의의가 있다고 판단되므로 그대로 추진코자함.

0 금일 본회의 토의 결과 추보 하겠음.

첨부 USW(F)-2315

(대사 현홍주-국장)

국기국	장관	차관	1차보	2차보	미주국	청와대	안기부

검토필(1:91.6.30) 인

0035

AMENDMENT TO H.R. 2508
OFFERED BY MR. SOLOMON

Page 645, after line 15:

Insert the following new section:

"SEC. 911. MEMBERSHIP OF THE REPUBLIC OF KOREA IN THE UNITED NATIONS.

　(a) FINDINGS. -- The Congress finds that --

　　(1) the Republic of Korea has applied for admission as a member state of the United Nations;

　　(2) the goals of the United Nations, which include the peaceful resolution of conflicts, will be enhanced if the Republic of Korea is admitted as a member state;

2315 - 1

0036

(3) the United States has a special interest in supporting the Republic of Korea, a faithful and valued ally, in this endeavor, owing to the fact that more than 50,000 Americans died in the defense of the Republic of Korea's liberty and independence during the Korean conflict of 1950 to 1953; and

(4) the issue of peace on the Korean peninsula has a particular relevance to the United Nations because a United Nations Command is still in place to assist in the defense of the Republic of Korea against aggression.

(b) SENSE OF CONGRESS. -- It is the sense of Congress that the President should actively support the application of the Republic of Korea for admission as a member state of the United Nations."

2315- 2

0037

원 본

외 무 부

종 별 : 지 급

번 호 : USW-2917

일 시 : 91 0612 2032

수 신 : 장 관(국연,미일,기정)

발 신 : 주 미 대사

제 목 : 유엔가입 관련 미 의회 결의안

연:USW-2904

1. FY92/93 대외원조 법안에 대한 본회의 심의는 금 6.12. 저녁까지 계속 되었으나, 제출된 수정안이 과다하여 (약 200 개), 연호 수정안은 토의되지 못하였음.

2. 하원은 명일 오후 동 법안심의를 위한 본회의를 속개할 예정이나, 시간 제약으로 동 수정안에 대한 심의는 내주로 넘어갈 가능성도 있음., 동 수정안 토의결과는 파악되는대로 추보 하겠음.끝.

(대사 현홍주- 국장)

예규:91.12.31. 일반
의거 일반문서로 재분류

검토필(91.6.30)

국기국 안기부	장관	차관	1차보	2차보	미주국	분석관	정와대	안기부

91.06.13   10:16

외신 2과 통제관 BS

0038

외 무 부

종 별 :

번 호 : UNW-1583   일 시 : 91 0619 1830

수 신 : 장 관(국연,기정)

발 신 : 주 유엔 대사

제 목 : 유엔가입

　　6.18 본직관저만찬에 참석한 미대표부 WATSON 대사는 무기금수등 협의를 위하여 방중중인 미국무부 BARTHOLOMEW 차관에 대하여 중국측은 북한의 유엔가입결정에 언급, 남북한의 동시가입이 최대한으로 원만하고 아무런 논쟁없이 이루어져야함을 강조하면서 미측의 협조를 요청하였다고 본직에게 전해옴.(B 차관은 소관업무외 사항이라 듣기만 했다함)

　　WATSON 대사는 미대표부에서 보기에 북한의 유엔가입 결정을 유도하는데 중국이 결정적인 작용을 하였음으로 (이붕 총리방북) 이 문제에 관한한 중국은 북한에 대하여 아무런 차질이 없도록할 책임을 느끼고 일종의 후견자적인 입장에서적극 개입하는 것으로 관찰된다고 하였음. 끝

　　　　(대사 노창희-국장)

일반문서로 재분류(91.12.31. 일반   .)

검 토 필 (1991. 6.30.)

검 토 필 (1992. 6.30.)

국기국	장관	차관	1차보	2차보	외정실	분석관	정와대	안기부

91.06.20　07:40
외신 2과　롱제관 BS
0039

외 무 부

종 별 : 긴 급

번 호 : USW-3079

일 시 : 91 0619 1957

수 신 : 장 관(국연,미일,기정)

발 신 : 주 미 대사

제 목 : 유엔가입관련 미의회 결의안

연:USW-2914

1. 연호 SOLOMON 수정안은 금 6.19 속개된 하원 본회의에서 표결없이 여타관련
수정안과 함께 일괄 통과 (EN BLOC PACKAGE)됨으로써 FY 92/93 대외원조 수권법안
(TITLE 9) 의 일부로 포함, 확정되었음.

2. 동법안의 하원통과는 명일 속개되는 본회의에서 잔여 수정안에 대한 토의
종료후 확정됨.끝.

(대사 현홍주-국장)

예고:91.12.31 까지
의거 일반문서로 재분류

검토필(1991.6.30)

국기국   차관   1차보   미주국   안기부

2. 중국

공　　　란

공   란

발 신 전 보

분류번호 | 보존기간

번 호 : AM-0117   910528 2019 FO 종별 : 긴급

수 신 : 주   AM   대사. 송영식
          (국연)

발 신 : 장 관

제 목 : 중국외교부 대변인 성명

　　　　　　　　　연: AM-0112

　　중국외교부 대변인은 5.28. 북한외교부 성명에 대하여 하기와 같이
논평한 바 참고바람.

　　　"북한측 결정을 환영함. 중국은 일관되게 남북 쌍방간의 합의를
통한 문제해결을 희망해 왔는 바 금번 북한의 결정은 여기에 부합되는
것임. 동 조치가 한반도 평화안전유지에 도움이 될 것임."　　끝.

　　　　　　　　　　　　　　　(국제기구조약국장　문동석)

보안통제 |

앙고재	91년 5월 28일	기안자 성명 유엔 과	과 장	국 장 전경화	차 관	장 관

외신과통제

0044

외 무 부

종 별 :

번 호 : UNW-1393

수 신 : 장 관(국연,기정)

발 신 : 주 유엔 대사

제 목 : 유엔가입

일 시 : 91 0528 2100

대:WUN-1518

1. 당관 서참사관은 대호에따라 금 5.28 중국대표부 왕광아 참사관과 면담한바 동인언급 주요내용 아래보고함.

가. 중국으로서는 그간 대북한 접촉을 통해 북한이 가입문제관련 모종의 결정을 할것이라는 강한 인상을 받고있었는바, 금번 결정발표에 따라 앞으로 문제가 잘 해결될수 있게되었음. (금번 북한측 발표를 미리예상하고 있었느냐는 질문에 대해 동인은 개인적으로 제반 상황에 비추어 6 월까지는 북한측이 결정을 지을것으로 확신하고 있었으나 이렇게 빨리 된것은 다소 의외라함.)

나. 금번 결정관련 북한측은 주평양 중국대사관을 통해 정식으로 가입신청서 제출시 사전에 중국측과 협의하겠다고 알려왔음.

다. 북한측이 단일의석 가입안을 포기하고 남북한의 유엔가입이라는 기본 FORMULA 에 합의한 이상 이제 MODALITY 등 기술적 문제만 남게되었는바 북한측으로서는 동시가입에 응하는데 어려움이 없을 것이며 아측의 유엔대사간 회담 제의에도 긍정적으로 대응할것으로 봄.

2. 대호관련 본직이 금주중 안보리의장 LI 대사와 재차 면담코자 하는데 대한 본부의견 회시바람. 끝

(대사 노창희-장관)

예고:91.12.31. 일반

검 토 필 (1991. 6. 30.)

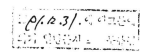

국기국　　장관　　차관　　1차보　　2차보　　미주국　　정와대　　안기부

외 무 부

종 별 : 지 급

번 호 : CPW-1026

일 시 : 91 0529 1100

수 신 : 장 관(국연,아이)

발 신 : 주 북경 대표

제 목 : 북한 유엔 가입 결정

　　주재국 <u>외교부</u> 대변인은 북한의 유엔 가입결정에 대한 기자 질문에 대하여 5.28 다음과 같이답변함.(동내용은 팩스 기 송부함)

　　0 중국은 유엔가입 문제가 조갑선의 북남쌍방간 협상에 의해 해결되어야 한다고 일관되게 주장해왔음.

　　0 현재 조선 민주주의 인민공화국이 유엔가입 신청을 결정하였는바 이 결정은 매우 적극적의의가 있으며 장차 조선 북남 대화와 조선반도의 평화와 안정에 도움이 될것 임.

　　(DPRK'S DECISION TOAPPLY FOR ADMISSION TO THE UN IS OF POSITIVE SIGNIFICANCEAND IS BENEFICIAL TO PROMOTING DIALOGUES BETWEEN THE NORTHAND THE SOUTH KOREA.)

　　(대사 노재원-국장)

국기국　　1차보　　아주국　　정문국　　안기부

PAGE 1

91.05.29　　11:41 WG

외신 1과 통제관

0046

공 란

공　　　란

공 란

공 란

원 본

외 무 부

종 별 : 긴 급

번 호 : CPW-1036

일 시 : 91 0530 1030

수 신 : 장 관(국연,아이,정이)

발 신 : 주 북경 대표

제 목 : 북한의 유엔가입 결정

1. 본직은 5.29(수) RANGANATHAN 당지 인도대사 이임 고별 리셉션에 참석하였는바, 동인은 이임인사차 중국 외교부장 예방시 전기침 외교부장이 "금번 북한의 UN 가입 결정은 북한 스스로가 자주적으로 결정한것"이라 하고 잠시후 "물론 중국이 북한을 설득한 것이 사실" 이라고 말하였다고 본직에게 알려주었음.

2. 관찰 및 평가

가. UN 문제와 관련, 중국은 그동안 수면하에서의 조용한 대북한 설득 필요성을 강조해왔는바, 통상 신중한 언동을 하는것으로 알려진 전기침 외교부장이 제3 국 대사에게 중국의 대북한 영향력 행사 사실을 언급한 것은 매우 이례적인 일이며, 이는 동 언급 내용이 인도대사를 통해서 아측에 전달될 것이라는 점을 염두에 두고 한것이라고 일단은 추측할 수 있음.

나. 상기 언급 내용은 또한 북한이 중국의 영향권 내에 있다는 사실을 은근히 과시하려는 의도가 내포되어 있는 것으로도 볼수 있음. 끝.

(대사 노재원-국장)

예고: 91.12.31. 일반

검 토 필 (1991 6.30)

국기국	장관	차관	1차보	2차보	아주국	정문국	정와대	안기부

PAGE 1

91.05.30 10:53

외신 2과 통제관 BS

0051

공   란

공   란

공   란

외 무 부

종 별 :

번 호 : CPW-1085　　　　　　　　　　　일 시 : 91 0601 1300

수 신 : 장관(아이,정홍,국연,기정)

발 신 : 주 북경 대표

제 목 : 인민일보 기자 면담

　　정상기 서기관은 5.31(금) XU BAO-KANG 인민일보 국제부 아. 태조 기자(한반도
담당 데스크 기자)와 접촉한바 동인 주요 언급 내용 다음 보고함.

　　1. 중국의 대북한 유엔 가입 설득 이유

　　가. 동인은(유엔에서의 투표시 중국 자신이 매우 난처한 입장에 처하게 될것을
우려한 측면이외에도) 중국으로서는 한반도 긴장완화와 전쟁재발 방지가 대한반도
정책중 제일 우선 순위인바 아국의 유엔가입 목표가 확고부동한 상황에서 유엔가입
좌절시 남북한간 대결 고조로 한반도 정세가 오히려 악화될 것을 우려한것도 주요
이유라고 언급함.

　　나. 동인은 중국도 대한관계를 중시하고 있지만 유엔가입 좌절시 예상되는 한.중
관계의 일시 냉각은 중국측의 중요 고려사항은 아니라는 입장을 표명함.

　　2. 한반도 문제에 관한 인민일보 보도 태도

　　가. 인민일보의 편향된 보도태도 시정요청 및 보도지침 유무등 문의에 관해, 동인은
남북한 문제에 관한 보도지침은 없다고 언급하고, 북한을 많이 보도하고 아국을 적게
보도하는 것은 인민일보가 당 기관지로서 정치성이 짙으며, 오랫동안의 관습 및
외교관계 부재에서 오는 아국 관련 정보 부족, 북파원 부재(북한에는 상주 특파원이
파견되어 매일 기사 송고)등이 주이유라고 설명함.

　　나. 보도지침이 없음에도 불구하고 금번 국제상회 서울박람회 등 대규모 행사를
전혀 보도하지 않는 이유에 관한 질문에 대해, 신화사의 보도가 없어 사실 그런일이
있었는지도 몰랐다고 언급하고 보통 전람회 관련 기사를 폐막후 보도를 많이 하기
때문에 사실 파악후 종합적인 관련 기사를 게재해보겠다고 약속함.

　　3. 기타

　　0 동인은 1979-83, 1986-90 간 주평양 특파원을 역임하였으며 인민일보내에서

"한국통"으로 알려져 있음.

  0 금 3 회째 접촉인바 향후 접촉을 강화하겠음. 끝.

  (대사 노재원-국장)

  예고: 91.12.31. 일반

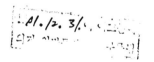

외 무 부

관리 91
번호 ─3783

종 별 : 지 급
번 호 : CPW-1142   일   시 : 91 0606 1100
수 신 : 장관(국연,아이) 사본:주유엔대사 (중계필)
발 신 : 주 북경 대표
제 목 : 유엔 가입

　　대: WCP-0674

　　연: CPW-1141

　　1. 당관 윤해중참사관은 6.5 중국의 APEC 참가 문제 관련 주재국 외교부 국제기구국 CHEN JIAN 부국장과 접촉 기회에 대호 남북한 유엔가입에 관한 중국측의 관심과 이해에 대해 아국이이를 평가한다는 점을 전달함과 아울러 아국 외무부 대변인 논평 내용을 설명함.

　　2. CHEN 부국장은 수일전 유엔 주재대사로 부터 같은 내용의 보고를 받았다고 하면서, 남북한이 유엔에 동시 가입하게 되면 남북한 관계 개선, 동북아 지역의 평화와 안전 유지에 긍정적인 영향을 미치게 될것이라고 말하였음.(한. 중 관계에 대한 영향에 대해서는 언급 없었음)

　　3. 윤참사관은 전기침 외교부장이 곧 북한을 방문할 것이라는 말이 있는데 사실 여부와 사실일 경우 방문 목적이 무엇인지 문의한바, CHEN 부국장은 "확인도 부인도 하지 않겠다"는 대답으로 동 방문 사실을 간접 시인함과 아울러 북한이 일단 유엔에 가입키로 결정한 이상 핵심적인 문제는 해결되었다고 보며 이제는 가입 절차만이 남아 있다고 말하면서 중국으로서는 남북한 유엔 가입이 단일 결의안으로서 처리되기를 희망하고 있다고 하였음.

　　4. CHEN 부국장에 의하면 금번 북한의 유엔가입 결정 발표에 앞서 중국측은상당한 시일전에 사전통보를 받았다고 함. 끝.

　　(대사 노재원-국장)

　　예고: 91.12.31. 일반

검 토 필 (1991. 6. 30.)

국기국　　장관　　차관　　1차보　　아주국　　청와대　　안기부

외 무 부

관리번호 91-3807

종 별 :

번 호 : PAW-0635   일 시 : 91 0609 1600

수 신 : 장관(아서,국연,아이)

발 신 : 주 파 대사

제 목 : 아국 유엔가입과 한.중관계

대 WPA-391

1. 본직은 6.6(목)스웨덴 국경일 리셉션에서 ZHOU GANG 신임중국대사와 환담하는 기회를 가졌음(현 중국대사와는 2-3 차 인사를 나누었음)

2. 북한이 유엔에 가입하기로 결정한데 대하여 한국사람들은 기쁘게 생각한다고 본직이 말하자, 동대사는 북한의 동결정을 높이 평가한다고 말하고 북한은 앞으로 보다 적극적인 태도를 보일것이라고 전망하였음. 본직이 북한이 중국의 ADVICE 를 받아드린것으로 안다고 부언하였는바, 동 대사는 북한이 스스로 내린 결정이라고 강조해 말하는듯 하였음.(다른 대사의 참견으로 대화 중단됨)

3. 이와 관련 당관이 접촉한 다른 중국외교관도 중국이 북한에 대해 ADVICE 하였다는 설에 대해서는 답변을 의뢰하였음.

4. 평가

주재국 고위외교관은 북한의 유엔가입 결정은 중국이 한국의 유엔가입에 대해 거부권을 행사할수 없다는 입장을 명백히 함으로서 이루어진것이라고 관측하고 있는바, 중국외교관들이 중국 영향설을 부인또는 답변을 회피하는것은 북한의체면을 손상시키지 않겠다는 배려에서 나온것으로 보임.따라서 한국과의 공식관계는 계속 소극적일 가능성이 있음(이점 계속 접촉 보고위계임)끝.

(대사 전순규-국장)

예고 91.12.31 일반

검 토 필 (1991 6.30.)

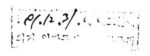

아주국
안기부

장관	차관	1차보	2차보	아주국	국기국	분석관	정와대

PAGE 1   91.06.09   21:40

외신 2과 통제관 FE

0058

외 무 부

종 별 :

번 호 : THW-1256   일 시 : 91 0612 1900

수 신 : 장 관(아이,국연)

발 신 : 주 태국 대사

제 목 : 유엔가입과 한.중관계(자료응신 41호)

대 : WASN-0033

　　본직은 6.11(화) 저녁 ANAND 주재국수상이 방태중인 양상곤 중국국가 주석을 위해 베푼 리셉션에 참석한 기회에 MR.YANG GUANQUN 당지 중국대사관참사관을 접촉, 대호 타진한바, 동인은 순수한 사견이라고 전제하면서 아래와 같이 조심스럽게 언급하였음

　　1. 북한의 유엔가입 발표에 대한 평가

　　0 북한의 유엔가입 결정은 북한외교가 국제관계의 현실을 수용하는 방향으로 나아가고 있는 조짐으로 볼수있음

　　0 북한의 태도변화는 한반도 긴장완화에도 도움이 될것으로 생각됨

　　0 (북한의 태도변화가 중국의 설득 결과로 보느냐라는 질문에 대해) 중국은 북한이 국제관계에 있어서 실용적 정책을 추구해야 된다는 입장을 견지하여 왔으며 최근 이를 강조하여 왔음. 중국으로서는 이렇게 함으로써 북한의 대외정책이 중국의 실용적 대외정책과 같은 방향으로 나가기를 기대하고 있음

　　2. 금후 한.중관계에 미칠영향

　　0 이러한 북한의 태도변화가 한.중관계 개선을 위한 국제적 여건조성에 큰 기여를 한것은 부인할수 없을것임

　　0 그러나 한.중관계의 정상화는 북한의 여사한 개방 움직임과 병행하여 남.북한 관계의 실질적 진전이 어느정도로 이루어지느냐에 따라 영향을 받을것으로 보며 정상화 시기를 예측키는 어렵다고 봄

　　(대사 정주년-국장)

　　예고 : 91.12.31. 일반

검 토 필 (1991. 6. 30.)

아주국	장관	차관	1차보	2차보	국기국	외정실	분석관	청와대
안기부								

PAGE 1

관리	91
번호	-3854

외 무 부

종   별 :

번   호 : THW-1257 　　　　　　　　　　 일   시 : 91 0612 1900

수   신 : 장 관(국연, 아이, 아동)

발   신 : 주 태 국 대사

제   목 : 태-중국 외무장관 회담시 남.북한 유엔가입 거론

1. 양상곤 중국 국가주석을 수행하여 방태중인 전기침 중국 외무장관과 ARSA SARASIN 주재국 외무장관은 6.11(화) 양국 외무장관 회담을 갖고 캄보디아 사태 및 동북아 정세등에 관한 의견을 교환하였음

2. 상기관련, MRS. CHOLCHINEEPAN 외무성 동아과장은 6.12(화) 오전 정참사관에게 태-중 외무장관 회담시, 남. 북한 유엔가입 관련 거론된 사항 요지를 아래와 같이 알려왔음

　가. ARSA 태국외무장관 언급내용

　0 최근의 한반도 정세동향에 관심표명

　0 금년도 남. 북한의 유엔가입 신청시 좋은 결과가 나오기를 기대한다고 언급

　나. 전기침 중국 외무장관 언급내용

　0 북한의 유엔가입 발표는 좋은소식임

　0 이러한 북한의 태도변화는 한반도의 긴장완화 및 평화정착에 도움이 될것으로 생각함

　0 중국으로서는 금년도 남. 북한의 유엔동시 가입을 반대하지 않을것임

3. 본직은 6.12(수) 당지 필리핀 대사관 국경일 행사에 참석한 기회에 ARSA 외무장관을 접촉, 전기침 중국외무장관에게 아국의 유엔가입 문제를 재차 거론하여준데 대해 사의를 표명하였음. 이에대해 동 외무장관은 나름대로 한반도 문제에 지속적인 관심을 갖고서 한국입장을 대변하려고 노력하고 있다고 말했는바, 태-중 외무장관 회담시 아국관련 거론된 더 상세한 사항이 있으면 추보 하겠음

4. 한편, 본직은 북한의 유엔가입발표 이후에도(WTH-0863 접수이전까지)수차례에 걸쳐 ARSA 외무장관 및 SAROJ 외무성 정무국장등 외무성 요로에 양상곤 중국 국가주석 방태시등의 자연스러운 태-중국 접촉기회에 유엔가입과 관련한 아국의 입장을

국기국	장관	차관	1차보	2차보	아주국	아주국	외정실	분석관
정와대	안기부							

91.06.12　　22:24

외신 2과 통제관 CF

0060

중국측에 잘 설명하여 주도록 협조를 요망해둔바 있음을 첨언함

5. 6.12(수)자 BANGKOK POST 지는 상기 태-중 외무장관 회담시 태국과 중국은 남.북한이 동시에 유엔가입 신청서를 제출하고 또한 동시에 가입되는것이 바람직하다는데 합의하였다고 보도하였음

(대사 정주년-국장)

예고 : 91.12.31. 일반

검 토 필(1991.6.30.)

91.12.31. 일반문서로 재분류

PAGE 2

0061

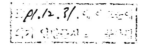

외　무　부

종　별 :

번　호 : DJW-1094　　　　　　　　　　　일　시 : 91 0613 1535

수　신 : 장관(아이,아동,국연,정특,기정)

발　신 : 주 인니 대사

제　목 : 유엔가입 관련 중국대사 접촉

대:WASN-0031

　　본직은 6.12. 비율빈 국경일 행사에서 당지 중국대사 QIAN YONGNIAN 와 만나 북한의 유엔가입 문제와 관련 의견교환을 하였는바, 아래 보고함.

　　(참고로 동 대사는 주유엔 및 주미 공사를 역임한바 있음)

　　1. 한국 정부가 금년들어 남북한의 유엔동시 가입이 어려울 경우 우선 한국만이라도 선가입을 하겠다는 확고한 입장을 표명한 이후 북한은 여러경로를 통해중국이 한국 단독가입을 저지하기 위해 거부권을 행사해 줄것을 요청해 온것으로 알고 있음.

　　그러나 중국은 북한에 대해 냉전체제 종결후의 모든 국제정세 변화와 한, 중국간의 관계개선 진전등에 비추어 거부권 행사는 적절하지 못함을 북한 당국자들에게 설득해 왔는데, 이를 위한 결정적인 시기는 역시 이 붕 총리의 5 월 북한방문때였었던 것으로 알고 있다고 말함.

　　2. 동 대사는 중국 자체도 대만 문제를 안고 있어 남의 말을 할 입장은 아니라고 전제한 다음, 중국은 남북한 관계에 관하여 통일문제를 포함하여 앞으로 여하한 경우에도 상호 무력행사를 배제하고, 평화적인 방법에 의하여 대화로써 해결의 길을 모색해야 할 것이라고 말하고, 또 이러한 노력은 시간이 걸리더라도끈기있게 계속되어야 할 것으로 본다고 말함.

　　3. 한편 동 대사는 본직에게 당지 북한대사 한봉화 와는 가끔 접촉이 있느냐고 묻기에 별다른 접촉은 없으나 리셉션등에서 만나면 자연스럽게 인사를 서로나누는 정도라고 답하였음. 끝.

　　(대사 김재춘-국장)

예고:91.12.31. 일반　　　검 토 필 (1991.6 .30.)

| 아주국 | 장관 | 차관 | 1차보 | 아주국 | 국기국 | 외정실 | 정와대 | 안기부 |

외 무 부

종 별 : 지 급

번 호 : CPW-1287   일   시 : 91 0615 1030

수 신 : 장관(아이,아일,국연,정북,정보,기정)

발 신 : 주 북경 대표

제 목 : 이붕총리 한반도 관계 언급

　　　연: CPW(F)-010(6.15)

　　1. 금 6.15 자 인민일보는 이붕총리와 5.30 멕시코 EL SOL DE MEXICO 신문사장과의 회견내용을 게재한바 한반도 관계 이총리의 언급 사항 다음 보고함.

　　0 북한은 중국의 인근국으로서 중국은 한반도의 정세에 관해 매우 큰 관심을 갖고 있음. 우리는 한반도의 정세가 안정되기를 희망하며 최근 본인은 북한을 방문한바 있음.

　　0 김일성 주석은 "1 민족,1 국가, 2 제도, 2 정부" 를 제안하여 연방제의 기초하에서 국가통일을 실현하자는 주장을 제안하였음.

　　0 중국은 이러한 북한측 주장이 한반도의 실제상황에 부합된다고 보며 한반도의 정세 안정에 기여한다고 생각함.

　　0 북한은 통일 이전의 과도적 조치로서 유엔에 가입하겠다고 이미 선포하였는바, 이 결정은 국제적으로 모두 환영을 받고 있으며 중국도 이를 환영함.

　　2. 이붕 총리는 중국의 지도체제, 개혁개방정책, MFN 문제, 대일무역관계, 대쏘관계, 홍콩문제, 신국제질서등에 관하여 언급하였는바 별전 보고하겠음. 끝.

　　(공사 허세린-국장)

아주국 분석관	장관 청와대	차관 안기부	1차보	2차보	아주국	국기국	외정실	외정실

외 무 부

종 별 :

번 호 : CPW-1295   일 시 : 91 0615 1130

수 신 : 장관(아이,국연,정특,정보)

발 신 : 주 북경 대표

제 목 : 외교부 국제문제연구소 TAO 주임 면담

당관 운해중 참사관은 6.14(금) 외교부 국제문제 연구소 아.태 연구실 TAOBING WEI 주임을 방문한바 동인 주요 언급 요지 다음 보고함.

1. 북한의 유엔가입 결정

가. 북한의 대남태도 변화 가능성 전망

(1) 북한의 유엔가입 결정을 단순히 전술적 변화라고만 단정하는 것은 잘못임. 어느나라건 대외적인 주요결정을 행할때 스스로 정책변화라고 밝히는 것은 드물며 많은 나라에 의하여 객관적으로 정책변화라고 인식되는 예가 대부분임.

(2) 최근 한국내 언론이 북한의유엔가입 결정을 중.소 및 다수 서방 국가들의 압력에 굴복한 것이며 남북 외교전에서 한국이 압도적으로 승리한 결과라고 "선전"하는 인상을 받고 있는바, 이것은 북한의 패배감만 증대시켜 주고 결과적으로 북한이 화해 보다는 대결 자세로 나오게할 우려가 큰것으로 봄.

(3) 북한은 유엔가입 결정과 동시 핵안전 협정 서명에도 응할 자세를 보인바 있으나 시간이지나감에 따라 대한 강경 발언으로 전환하고 있다고 보이는바 이와같은 한국의 태도에 영향을 다소 받지 않았는가 생각됨.

나. 한.중 관계에 미칠 영향

(1) 금년 9 월 남북한이 유엔에 가입한후 상호간의 화해 진전 여하에 따라 한.중 관계 발전에도 영향을 미칠것임.

(2) 또한 한.중 수교의 관건적 요인은 미.북한 수교인바, 미국이 좀더 적극적인 대북한 관계 개선 조치를 취하지 않는한 중국만이 대한관계 개선을 추진할 수 없다봄.

2. 전기침 외교부장 방북

가. (이붕 수상의 방북이 있은지 얼마되지 않은 시기에 전기침 외교부장이 방북하는 것이 다소 이례적이지 않는가라는 아측 코멘트에 대해)

아주국	장관	차관	1차보	2차보	국기국	외연원	외정실	외정실
정와대	안기부							

중국.북한간에는 우호협력관계 유지를 위해 수시 고위인사의 상호방문이 있어 왔는바, 금번 전기침 외상의 방북도 특이한 것이 아님(90 년 강택민 총서기 방북시 수행, 91.5 이붕총리 방북시는 수행치 않은 사실 지적)

나. 토의 의제 관련, 중.북한간에 긴급하고 미묘한 문제가 있어 해결을 시도한다면 공개적인 방문 보다는 비밀 방문을 택할것이나(실제 그렇게 해왔다함) 금번 처럼 사전 발표하고 방문하는것은 봉상적인 방문이외의 의미를 갖지 않음.

다. 방문기간이 봉상보다 길다는 점에 대해, 전기침 외교부장이 금년 들어 방문외교를 적극적으로 전개해 왔음에 비추어 금번 방북일정은 휴식을 겸해 느슨하게 잡았을 가능성이 많음.

3. 당관 관찰

가. 중국측은 아측이 북한의 유엔가입 결정을 단순한 전술적 변화가 아닌 실제 정책변화로 받아들이기를 바라고 있으며 아측이 좀더 관대하고 호의적인 대북한정책을 취하기를 바라고 있는것이 엿보임.

나. 금후 북한의 대남 태도는 아국이 북한에 대해 화해 조치를 취하면 호전가능하다는 견해와 한. 중 관계 개선은 남북한 화해 진전 여하에 좌우된다고 한것은 기존 중국의 대한정책과 기본적으로 동일함.

다. TAO 주임은 금번 전기침 외교부장의 북한 방문을 단순히 의례적인 성격의 방문이라고 규정 그 의미를 애써 축소하려고 하였음. 끝.

(대사 노재원-국장)

예고: 91.12.31. 일반

검 토 필(1991 6.30.)

공   란

공 란

외 무 부

종   별 :

번   호 : UNW-1583   일   시 : 91 0619 1830

수   신 : 장 관(국연,기정)

발   신 : 주 유엔 대사

제   목 : 유엔가입

　　6.18 본직관저만찬에 참석한 미대표부 WATSON 대사는 무기금수등 협의를 위하여
방중중인 미국무부 BARTHOLOMEW 차관에 대하여 중국측은 북한의 유엔가입결정에 언급,
남북한의 동시가입이 최대한으로 원만하고 아무런 논쟁없이 이루어져야함을
강조하면서 미측의 협조를 요청하였다고 본직에게 전해옴.(B 차관은 소관업무외
사항이라 듣기만 했다함)

　　WATSON 대사는 미대표부에서 보기에 북한의 유엔가입 결정을 유도하는데 중국이
결정적인 작용을 하였음으로 (이붕 총리방북) 이 문제에 관한한 중국은 북한에 대하여
아무런 차질이 없도록할 책임을 느끼고 일종의 후견자적인 입장에서적극 개입하는
것으로 관찰된다고 하였음. 끝

　　(대사 노창희-국장)

　　예고:91.12.31. 일반

검 토 필 (1991. 6. 30)

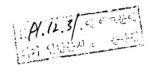

국기국	장관	차관	1차보	2차보	외정실	분석관	청와대	안기부

외 무 부

관리 91
번호 ─3955

종 별 :

번 호 : CPW-1433　　　　　　　　　　　　일 시 : 91 0625 1700

수 신 : 장관(아이,국연,아동)

발 신 : 주 북경 대표

제 목 : 중국의 대북한 UN 가입 설득

1. 본직은 6.25(화) DATO NOOR ADLAN 당지 말연 대사를 예방하였는바 (이기범 서기관 배석), ADLAN 대사는 이붕총리 방북시 수행한 외교부 관리로 부터 전해들었다며, 이붕 수상이 김일성 부자와 대면시 김부자가 남. 북한 단일 의석에 의한 UN 가입을 주장하자 이붕 수상은 "매우 좋은 IDEA"라고 전제하고 "많은 나라들이 이를 지지할 경우에는 문제가 없겠으나 그렇지 않다면 생각을 바꾸는 것이 바람직할 것"이라고 말하였다 함.

2. ADLAN 대사는 북한 대사를 겸임하고 있으며 90 년에 신임장 제정차 북한에 방문한 바 있다 함. 끝.

(대사 노재원-국장)

예고: 91.12.31. 일반

검 토 필 (1991.6.30)

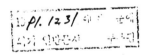

아주국　　장관　　　차관　　　1차보　　　2차보　　　아주국　　국기국　　외정실　　　분석관
청와대　　안기부

PAGE 1　　　　　　　　　　　　　　　　　　　　　　　　91.06.25　　17:36

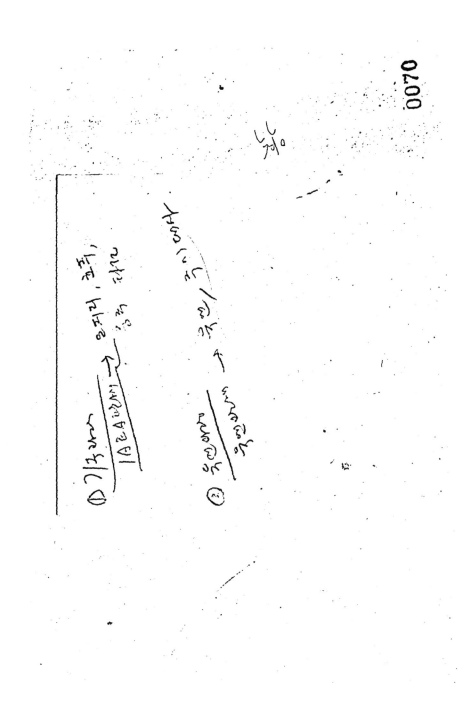

공   란

공   란

공 란

공   란

공   란

공   란

외 무 부

암 호 수 신

종   별 :

번   호 : CPW-1493   일   시 : 91 0629 1100

수   신 : 장 관(아이,국연,정특,정보,기정)

발   신 : 주 북경 대표

제   목 : 이붕총리, 북한 유엔가입 언급(6.29 인민일보)

　　1. 이붕총리는 6.29 당지 호주, 이디오피아, 우간다, 요르단대사의 이임 예방 및 영국대사의 신임 예방을 동시에 받았는바 동 예방시 SADLEIR 호주대사 및 MCLAREN 영국대사는 한반도 및 캄보디아 문제와 같은 지역분쟁 해결을 위한 중국의 역할을 평가한다고 언급하였음.

　　2. 이에 이붕 총리는 남북한의 각각 유엔가입 신청 결정은 남북한 자신들이 결정한 것으로(CHINA DAILY 는 이붕 총리가 "북한의 유엔가입 결정은 북한 자신이 결정한 것으로..."라고 언급한 것으로 보도함) 중국은 이를 환영한다고 언급하고 남북한의 동시 유엔가입은 한반도의 안정에 기여할 것이라고 언급함. 끝.

　　(대사대리 허세린-국장)

아주국	장관	차관	1차보	국기국	외정실	외정실	분석관	청와대
안기부								

PAGE 1

91.06.29   11:39
외신 2과 통제관 BS

0077

남북한 유엔가입, 1991.9.17. 전41권 (V.26 북한의 유엔가입신청 결정 발표(5.27) Ⅱ : 각국 반응)　　83

6. 29
CHINA DAILY

Premier meets with foreign diplomats

by our staff reporter
Zhang Ping

Premier Li Peng met with four departing ambassadors and the newly arrived British ambassador yesterday in Beijing.

Li expressed his appreciation to the ambassadors of Ethiopia, Uganda, Jordan and Australia for their efforts in enhancing the relations between their home countries and China during their tenure in Beijing.

He welcomed the new British ambassador, Sir Robin Mclaren, to China and assured him that the Chinese Government will provide him all necessary assistance.

The Australian and British ambassadors expressed their appreciation for the role China has played in the settlement of some regional conflicts such as the Cambodian and Korean issues.

Referring to the Korean issue, Li said that China, being a member of the international community, appreciated the decision made by the Democratic People's Republic of Korea (DPRK) to apply for UN membership.

He said that the decision was made by the DPRK itself, adding that this would be conducive to the stability of the Korean Peninsula.

Li also told the ambassadors that China will take a positive attitude at the Middle East Arms Control conference to be held in Paris next month.

0078

駐北京代表部

CPW(F)- 019　　　日時：0629 0930 (PAGE －)

受信：長官（아이.주연）

發信：駐北京代表

題目：이붕총리, 북한 유엔 가입결정 지지발언　　보안통제

李鹏会见五国离到任大使

说朝鲜北南双方同时加入联合国对稳定有好处

据新华社北京6月28日电（记者周慈朴）李鹏总理今天在这里说，朝鲜北南双方同时加入联合国"将对朝鲜半岛的稳定有好处"。他还称赞诺罗敦·西哈努克亲王为成功召开帕塔亚会议所作出的"卓越贡献"。

李鹏总理是今天下午在人民大会堂会见四位即将离任的驻华大使和一位新到任的驻华大使时说这番话的。这四位将离任的大使是：埃塞俄比亚大使沃尔德一马里亚姆，乌干达大使鲁韦齐巴，约旦大使萨阿德和澳大利亚大使沙德伟。一位新任大使是英国大使麦若彬。

李鹏总理先同这五位大使分别进行了简短的谈话，然后又同他们一起无拘束地就共同关心的国际问题进行交谈。

李鹏说，朝鲜北南双方分别申请加入联合国是它们自己作出的决定。中国对此表示欢迎。中国认为，朝鲜北南双方同时加入联合国对于朝鲜半岛的稳定是有好处的。在谈到柬埔寨四方不久前在泰国帕塔亚所召开的会议时，李鹏说，同国际社会的其它成员一样，中国欢迎帕塔亚会议所达成的协议。中国认为，这是在政治解决柬埔寨问题的进程中向前迈出的重要一步。他说，"我特别要提到西哈努克亲王为会议的成功召开作出了卓越的贡献。"

当大使们问及中东军控会

6.29.

（人民日報）

议问题对，李鹏回答说："我们对会议持积极的态度。"

在交谈中，李鹏感谢四位即将离任的大使为增进中国同他们的国家之间的友好合作关系所作的努力和贡献。他说："你们在中国时是我们的朋友，离开中国后仍是我们的朋友。"

英国新任大使麦若彬能说一口流利的中国话。李鹏欢迎他来中国任职，并希望他为中英关系的根本好转和进入一个新的阶段而努力工作。

李鹏对五国大使说，中国政府坚持独立自主的和平外交政策，中国愿意在和平共处五项原则的基础上发展同世界上所有国家的友好合作关系。

0073

외 무 부

종 별 :

번 호 : BMW-0400　　　　　　　　　　　일 시 : 91 0702 1400

수 신 : 장 관(아이,아서,문홍)

발 신 : 주 미얀마 대사

제 목 : 한국관계기사(이붕수상 한국관계 발언)

　　당지 ' WORKING PEOPLE'S DAILY' 지는 7.1(월)자에서 이붕 중국수상이 북경주재 대사 5명 (이임대사 4명 및 신임 영국대사)을 접견한 자리에서 한반도문제를 언급, 남북한의 유엔동시가입은 한반도 안정에 기여할것으로 본다고 말하고, 남북한의 유엔가입신청 결정은 남한과 북한이 각자 독자적으로 내린 결정으로 안다고 말하였다고 6.30일 북경발 신화사 통신을 인용보도함.끝.

아주국　1차보　아주국　문협국　외정실　안기부　국기국

외 무 부

종   별 :

번   호 : MAW-1001   일   시 : 91 0719 1300

수   신 : 장관(아동,국연,정총,봉기,기정)

발   신 : 주 말련 대사

제   목 : 말련.중국 외무장관 회담

　　본직은 금 7.19 주재국 외무부 CHOO 아주국장으로부터 작 7.18 개최된 전기침 외교부장 및 압둘라 외무장관간 표제회담 아국관련 부분을 아래와 같이 파악 보고함.

　　1. 유엔 가입

　　중국은 금번 남.북한 유엔 가입을 크게 환영하며, 한반도 긴장완화와 화해에 기여하게 될것으로 판단함. 남.북한 유엔 가입을 지지한다는 의사를 이미 유엔에 표명한바 있으며, 가입 절차는 아무런 문제없이 SMOOTH 하게 진행될 것으로봄.

　　2. APEC 가입문제

　　3 개 중국의 APEC 가입관련 4 차에 걸쳐 고위 실무협의를 가진바 있음. 중국은 대만이 REGIONAL ECONOMIC ENTITY 로서 APEC 에 가입하는데 반대하지 않으나, 호칭은 TAIPEI, CHINA 로하고 외교부장이 각료회의에 참석하는 데는 반대함.

　　3. EAEG

　　중국은 EAEG 에 대해 상당히 긍정적인 입장을 가지고 있는 것으로 보임.끝

　　(대사 홍순영-국장)

　　91.12.31 까지

아주국	장관	차관	1차보	2차보	국기국	통상국	외정실	분석관
청와대	안기부							

PAGE 1   91.07.19   15:46

외신 2과 통제관 BA
0081

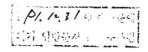

```
관리 │ 91
번호 │ ~~4413~~ 9334
```

외 무 부

종   별 :

번   호 : MXW-0841   일   시 : 91 0725 1230

수   신 : 장관(미중,국연,정보)

발   신 : 주 멕시코 대사

제   목 : SOLANA 외상방한 후속조치

연:MXW-0699

1. 본직은 작 7.24 오전, 지난 5 월말 SOLANA 외상방한후 북경방문에 외상을 수행한 SANDRA FUENTES 아태국장 면담시, SOLANA 외상이 방한중 약속한 아국의 유. 엔 가입협력 문제의 실시여부와 <u>중국측 반응</u>에 관해 문의함.

2. 외상회담에 배석한 동 국장은 SOLANA 외상이 동 문제를 제기 멕정부의 남. 북한 동시가입이 바람직하나 남한의 단독가입 신청시에도 이를 지지할 것임을 분명히 전달하자 전기침 중국 외상은 남북한의 유엔가입은 원칙적으로 당사자간의 타협을 통하여 이루어짐이 바람직하나 한국의 유엔가입 시기가 성숙되었다고 생각한다하면서 북한 입장에 대하여는 언급이 없었다고 말함. 동 국장은 또한중국이 한국에대하여 의외로 좋은 반응을 보인데 대해 유의한바 있다고 부언함.

(대사이복형-국장)

예고:1991.12.31. 일반

미주국	장관	차관	1차보	2차보	국기국	외정실	청와대	안기부

PAGE 1   Ⅲ 급 비 밀   CONFIDENTIAL   91.07.26   04:50

외신 2과 통제관 CE

0082

3. 소련

0083

외 무 부

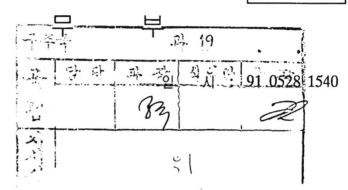

원 본

종 별 : 지급

번 호 : SVW-1839

수 신 : 장 관(동구일,국연)

발 신 : 주소대사

제 목 : 남.북한 유엔가입

1. 5.28(화) TASS(평양주재 VLADIVIR NADASHKEVICH 기자보도)는 북한 외무성이 5.27(월) 북한 정부가 유엔에 가입키로 하였다(NORTH KOREA DECIDED TO JOIN THE UNITED NATIONS)는 내용의 성명을 발표하였다고 보도함. 동 성명서는 한국 정부에 의해 야기된 일시적 난관을 극복하기 위해 이러한 조치를 취하지 않을 수 없었다(---WAS FORCED TO TAKE THIS STEP TO OVERCOME TEMPORARY DIFFICULTIES CREATED BY SOUTH KOREAN AUTHORITIES)고 언급하였다고 함.

2. 한편 소련 국영 TV 방송도 12:00 뉴스를 통해 상기 내용을 보도하였음. 끝

(대사 공로명-국장)

91.12.31 까지

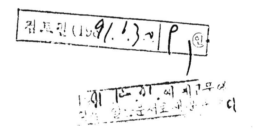

구주국   장관   차관   1차보   2차보   국기국   정와대   안기부

PAGE 1   91.05.28   23:03

외신 2과 통제관 BW

0084

원 본

외 무 부

종 별 :

번 호 : SVW-1854

일 시 : 91 0528 2030

수 신 : 장 관(국연,동구일, 사본:주유엔대사-중계필)

발 신 : 주 쏘 대사

제 목 : 유엔가입

대 : WSV-1631

1. 당관 서현섭참사관은 5.28(화) 외무성 극인국 파데에프 국장대리 면담 기회에 북한의 유엔가입 신청서 제출 관련, 그간 남북한 유엔가입 문제에 있어 아측 입장에대한 쏘측의 지지와 이해를 아측이 평가하고 있다고 언급하였음.

2. 이에 동인은 북한의 유엔가입 결정을 금 5.28 평양주재 쏘련 대사관을 통해 알았다고 하면서 북한의 여사한 결정은 한국 정부의 외교적 성과로 평가한다고 하고 축하의 뜻을 표명함. 또한 동인은 남북한의 유엔가입이 한반도 긴장완화에 도움이 될 것으로 믿는다고 하면서 금번의 외교적 성공을 계기로 한국측이 북한에 대해 좀더 대국적인 제스쳐를 보여주기 기대한다고 함.

3. 또한 동인은 쏘련측이 유엔가입문제 표결시 한국을 지지하겠다는 쏘련측의 입장을 북한측에 솔직히 전달하였으며 중국에 대해서도 쏘측 입장을 설명하고 중국측 태도 결정에 영향을 미치려고 노력해왔다고 밝히고 중국측 태도관련 가득찬 물그릇으로부터 물을 넘치게 한 최후의 한방울의 역할을 했다고 평함.

4. 당지 북한 대사관으로부터의 통보 여부를 문의한데대해 아무런 연락이 없었다고 함. 끝.

(대사공로명-장관) 예고 : 91.12.31 일반

검 토 필 (1991.6.30)

국기국	장관	차관	1차보	2차보	구주국	정와대	안기부

91.05.29 08:11

외신 2과 통제관 BS

0085

외 무 부

종 별 :

번 호 : SVW-1856

수 신 : 장 관(동구일,국연)

발 신 : 주 쏘 대사

제 목 : 유엔가입

　　5.28(화)　이그나텐코　대통령실　대변인은　정례브리핑시　북한의　유엔가입　결정문제관련,　TASS기자의　질문에대해　'소련정부는　북한정부의　이러한　결정을　환영하지 않을 수없으며 이를 계기로 남.북 대화가 성공적으로진행되기를 바란다'라고 언급하였음. 끝

　　(대사공로명-국장)

구주국　　1차보　　국기국　　정문국　　안기부　　장관　차관

PAGE 1

외 무 부

관리
번호 : 91 -36/1

종 별 :

번 호 : SVW-1874   일 시 : 91 0529 1850

수 신 : 장 관(국연,동구일, 사본:주유엔대사-중계필)

발 신 : 주 쏘련 대사

제 목 : 유엔가입

대 : WSV-1631

대호관련, 당관 이원영공사는 금 5.29(수) LAVROV 외무성 국제기국장과 면담한바, 동 요지 아래 보고함.

1. 이공사는 아국 정부는 그간 쏘련 정부가 남북한 유엔가입 문제와 관련 유엔의 보편성 원칙에 입각, 대북한 설득등 건설적인 역할을 해온 점을 평가하고있다고 말하고 북한의 유엔가입신청 결정에관한 아국 외무부 대변인 발표 내용을 설명하였음.

2. 이에 동 국장은 쏘련 정부도 북한의 그와같은 결정을 환영한다고 전제하고, 지난 4.20 제주도 정상회담에서 고르바쵸프 대통령이 유엔가입 문제와 관련한 쏘련의 입장을 명확히 밝힌 점과 또 그간 쏘측이 모스크바와 평양에서 북한이 현실적인 입장을 취하도록 권고, 설득하는 노력을 해온 사실을 상기시키면서 유엔가입 문제가 모두에게 만족을 줄 수 있도록 해결을 보게된 것을 다행으로 생각한다고 말하였음.

3. 또한 동인은 앞으로 남북한 유엔가입 문제가 안보리와 총회에서 콘센서스에 의해 처리될 수 있게 되기 바란다고 말하고, 남북한이 유엔 회원국이 되어서 세계 평화와 안전에 기여하게 되기 바란다고 말하였음.

4. 상기관련 동 국장은 북한은 금번 결정을 함에 있어서 <u>쏘측과 사전 협의를 가진바가 없었으며</u> 발표 2-3 시간전 북한 외교부가 주평양 소련대사를 초치, 발표문 내용을 통고해오면서 북한은 남북한 별도 유엔가입이 옳지 않다고 보는 입장에는 변함이 없으나 제반 상황때문에 불가피하게 이러한 결정을 하게 되었다고 설명 하였다 함.

5. 또한 동인은 금일 외무성 대변인이 정레브리핑시 북한의 유엔가입 결정을 환영하고, 남북한의 유엔가입이 한반도 안정과 통일에 기여하게되기를 바란다는 내용의 공식 발표를 하게 될 것이라고 말하였음. 끝

국기국	장관	차관	1차보	2차보	구주국	청와대	안기부

PAGE 1

91.05.30   07:33
외신 2과 통제관 BS

0087

(대사공로명-차관)

예고:91.12.31 일반

검 토 필(1991.6.30.)

PAGE 2

0088

외 무 부

종 별 :

번 호 : SVW-1880

수 신 : 장 관(동구일,국연)

발 신 : 주 쏘 대사

제 목 : 유엔가입

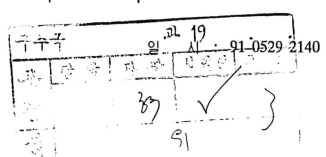

　　5.29(수) 추르킨 외무성 대변인은 정례 브리핑을 통해 북한의 유엔가입 신청결정 관련 하기와 같이 논평하였음.(당관 백주현 2등서기관참석)

　　0 북한 외교부는 5.27(월) 성명을 통해 유엔에 가입키로 결정했다고 발표한바, 쏘련 정부는 이를 환영함.

　　0 이러한 북한의 결정은 작년 3차례에 걸쳐 개최된바 있는 남. 북 총리회담의 재개를 가능케하여 남.북한간의 상호 이해르 증대시키고 한반도의 긴장 완화에 이바지할 것이며 궁극적으로는 한국의 통일에 기여할 것으로 봄.

　　0 또한 쏘련은 남.북한이 장래에 유엔내 단일의석을 갖게되기를 희망하면서 유엔헌장의 보편성 원칙에따라 남북한의 유엔가입을 지지함.끝

　　(대사공로명-국장)

구주국　　1차보　　국기국　　정문국　　안기부　　장관　차관　청와대

PAGE 1

91.05.30　　09:21 WG

외신 1과 통제관

0089

외 무 부

관리
번호 : 91-3615

종 별 : 지 급

번 호 : UNW-1415

일 시 : 91 0530 1830

수 신 : 장 관(국연,기정)

발 신 : 주 유엔 대사

제 목 : 소련측 반응

대:WUN-1517

연:UNW-1408,1414

1. 본직은 금 5.30 VORONTSOV 소련대사와 유엔에서 접촉, 대호에따라 사의를표하고 특히 고르바쵸프 대통령의 방한시 아국의 유엔가입지지 표명이 결정적으로 도움이 된것으로 본다고 한바, 동대사는 고르바쵸프 대통령이 가입문제에 대해 개인적으로 관심을 가져온것으로 알고 있다고하고 본직에게 축하인사를 하였으며 남은 문제도 순조롭게 해결될것으로 본다고함.

2. 한편, 일본대표부 KAWAKAMI 아주담당관은 금 5.30 윤참사관에게 전화, 동인이 어제 소련대표부 아주담당 참사관 (ILITCHEV 참사관임을 시사)과 접촉한 기회에 향후 남북한의 유엔가입 신청서 제출시 안보리에서의 처리방식에 대한 의견을 물은데 대하여 소련참사관은 남북한의 신청서를 동시에 심의(단일 결의안으로)처리하는 것이 좋지 않겠는가 라고 하면서 만약 남한 또는북한의 가입권고 결의안을 각각 표결로 채택하게 될경우 안보리 이사국들의 대남북한 관계에 따라 반대는 아니라도 찬성 또는 기권등의 의사표명을 해야 되는바, 이는 다소 부자연스러울 것 (A LITTLE AWKWARD) 이라는 개인적 의견을 표명하였다고 알려옴.끝

(대사 노창희-국장)

국기국   장관   차관   1차보   2차보   구주국   청와대   안기부   안기부

PAGE 1

91.05.31   08:56
외신 2과   통제관 BS

0090

외 무 부

종 별 :

번 호 : SVW-1896   일 시 : 91 0530 2130

수 신 : 장 관(국연,동구일)

발 신 : 주 쏘 대사

제 목 : 유엔가입

연 : SVW-1839

주재국 5.30자 프라우다지는 북한의 유엔가입결정관련 TIKHOMIROV평양 특파원의 논평기사를 게재한바 요지 아래 보고함.

- 유엔가입 신청을 공표한 평양 당국의 발표는 불시에 터진 폭탄과같은 효과를 지닌 것으로서 주요국가및 한국 정부와 야당으로 부터 긍정적인 평가를 받았음.

- 남북한 동시 가입은 분단 영구화라고 반대하면서 단일의석하 유엔가입을 주장해온 북한이 '일반적 조건' (GENERAL CONDITIONS)에 따라 즉 남북한의 별도 강비을 결정한 것은 특기할만함.

- 금번 북한의 결정은 남한을 주권 국가로 승인하는 것을 의미하는 것 (어제까지만 하여도 이같은 견해는 매국 역도의 행위로 인정되었음)으로서 한반도 및 동북아의 긴장 완화에 도움이 될 것임.

- 북한의 금번 조치는 종래의 고립화 정책으로부터 탈피, 국제사회에 있어서의 자신의 위치를 찾고자 하는 의도임.

- 북한 지도부의 입장 변화가 어떤 계기로 또한 누구에 의해 구체적으로 이루어졌는가가는 말하기 어려우나 일설에는 이붕 중국총리가 방북시 남북한 동시 유엔가입을 설득시켰다고 함.

- 북한이 유엔가입 관련 한국 FORMULA를 사실상수락함으로써 자신의 채면을 손상시켰다는 일부지적도 있음. 그러나 독일, 예멘의 별도 유엔 MEMBERSHIP이 통일에는 아무런 장애가 안된점을 상기하면, 이것은 중요한 것이 아님.

- 평양의 금번 조치는 북한이 변화하고 있는 국제적 현실을 점차 인식 (RECOGNITION)하고있다는 것을 보여주는 것으로써 주목할만 함.끝

(대사공로명-국장)

국기국	장관	차관	1차보	구주국	외정실	정와대	안기부

외 무 부

종 별 :

번 호 : SVW-1940   일 시 : 91 0603 1810

수 신 : 장 관(국기,동구일)

발 신 : 주 쏘 대사

제 목 : 북한의 유엔가입

  91.6.1자 이즈베스치야지는 '북한이 왜 UN에 가입키로 결정했는가' 제하의
단신기사를 게재한바 동내용(전역) 하기 보고함.

  - 아래 -

  데마르코 유엔총회 의장은 많은 사람들을 놀라게 한 북한의 유엔가입 신청 결정의
강한 압력으로 인한 것이라고 언급하였다. 데마르코 의장은 '나는 김일성 주석 자신이
이러한 결정을 했다고 확신하지 못한다'고 말하였다. '개인적으로 나는 중국이
북한으로 하여금 과거의 입장을 바꾸도록 강한 영향력을 행사했다고 생각한다.'
이러한북한의 결정은 이미 전년도에 개별적인 유엔가입을 결정한바 있는 남한의
커다란 외교적 승리가 될 것이다.끝

  (대사공로명-국장)

국기국   1차보   구주국   외정실   안기부

외 무 부

종 별 :

번 호 : SVW-1993   일 시 : 91 0606 2100

수 신 : 장 관(동구일,국연)

발 신 : 주 쏘 대사

제 목 : 유엔가입

1. 본직은 91.6.5(수) 덴마크 제헌절 기념 리셉션에서 <u>손성필 당지주재 북한대사</u>와 조우하였는바, 본직이 금번에 남, 북한이 함께 유엔에 가입하게 된 것을 축하한다고 인사말을 건네자 손대사는 북한은 <u>유엔 가입을 원치 않았지만 한국이 원하기 때문에 할수없이 가입하게 된 것이라</u> 하면서 국제사회에서 조국의 분단된 모습을 보이는게 무엇이 좋으냐는 반응을 보였음. 이에 본직은 남북한이 별개의 국가인것은 다아는 사실이며, 유엔가입을 갖고 대결하지 않게된 것은 통일을 원한다는 북한 입장에서 축하해야 할 것이라고 하였음.

2. 그외에, 손대사가 임수경을 조속히 석방해야 할 것이라고 언급한데 대해본직은 국법을 어긴 사람을 처벌하는 것은 당연하며 시간이 지나면 이 문제도 해결될 것이라고 하고 유엔에도 다같이 들어간 마당에 이산가족의 서신왕래부터라도 문을 열라고 하였음. 끝

(대사공로명-국장)

91.12.31 까지
19 의거 일반문서로 재분류

검토필(1)91. 6. 30.)

구주국   1차보   국기국   안기부

기 안 용 지

분류기호 문서번호	국연 2031-686	(전화:)	시 행 상 특별취급	
보존기간	영구·준영구· 10. 5. 3. 1	장	관	
수 신 처 보존기간				
시행일자	1991. 6. 17.		/v	

보조 기관	국 장	전결	협 조 기 관		문서통제 1991. 6. 18
	과 장	₩			
기안책임자		이수택			발 송
경 유			발 신 명 의		발송 송 1991. 6. 18 외무부
수 신		주유엔대사			
참 조					
제 목		전문사본 송부			

주소대사 보고전문(대북관련 동향) 사본 별첨 송부하니

업무에 참고하시기 바랍니다.

첨부 : 동 전문사본 1부. 끝.

19. . . 재 고문에
예 위거 인발문서 로 분류됨
91. 12. 31 임박

0094

외   무   부

종   별 :

번   호 : SVW-2084   일   시 : 91 0614 1500

수   신 : 장 관(동구일,북일,정특,정안,국기,국연,사본:주미대사)-중계필

발   신 : 주 쏘 대사

제   목 : 대북 관련 동향

    연 : SVW-1993,SVW-2082

    본직은 6.13 로가쵸프 차관 면담시 대북한 동향 관련 의견을 교환한바, 동 내용
하기 보고함.(쏘측: 라조프 극인국장리샤코프 한국과장 대리, 미나예프 서기관, 아측:
서현섭참사관, 김성환서기관배석)

    1. 북한의 유엔가입 결정

    가. 본직이 북한의 유엔가입 결정을 어떻게 평가하느냐고 문의한데 대해, 로차관은
북한이 상식을 발휘한 것으로 옳바른 방향(RIGHT DIRECTION)으로의 변화이며 한반도
긴장완화에 도움이 될 것으로 본다고 하고 북한의 금번 결정을 다른 여타국과
마찬가지로 환영하고 있다고 하였음.

    나. 본직이 (연호) 손성필 북한대사와의 대화내용을 소개한 데 대해
동차관은웃으면서 경청하였음.

    2. 북한의 IAEA 핵안전 협정 서명 의사 표명

    가. 북한의 IAEA 와의 핵안전 협정 서명 의사 표명관련, 본직이 아측은 이를
신중하게 평가하고 있으며 북한이 진정한 의사를 가지고 IAEA 와의 핵안전 협정에
서명할 수 있게 되기를 기대한다고 한후 6.13 일자 연합통신에 보도된 북한이 IAEA
와의 협정에 서명한면 미국은 북한에대해 핵무기 불사용 보장을 문서로 통보할
것이라는 리챠드슨 국무성 한국과장의 발언 내용을 설명하면서 솔로몬 차관보와의
회담시 이러한 내용을 들은바 있느냐고 문의하였음.

    나. 로차관은 자신이 솔로몬 차관보와의 면담시 미국이 강국이니 북한에대해
무언가를 해야되지 않겠느냐고 충고했다 하면서 리챠드슨 과장의 발언은 이러한
자신의 충고가 반영된 것으로 본다고 답한후 아측이 혹시 이에대해 우려하는 것은
아니냐고 문의하였음.

구주국 분석관	장관 청와대	차관 안기부	1차보	2차보	국기국	국기국	외정실	외정실

PAGE 1   91.06.15   00:09
                                            외신 2과 통제관 FK
                                               0095

이에 본직은 아측도 이를고무적인 것으로 판단하고 있으며 미측은 전부터 북한이 IAEA 와의 핵안전 협정에 서명하면 대북한 관계를 개선하겠다는 의사를 표명해 왔다고 답하였음.

3. 김정일 권력 승계

가. 본직이 김정일 권력 승계 관련 쏘측이 특별한 정보를 가지고 있는지 문의한데 대해, 로차관은 지난번 김일성 주석이 내년에 80 세가 되면 권력을 김정일에게 이양하고 은퇴할 것이라고 들은 이외에 특별한 것은 없다하며 김정일의 권력 승계에대해서는 소문이 하도 무성하여 쏘측도 추측만하고 있을뿐이라고 답하였음.

나. 이어 본직이 김정일이 순조롭게 권력을 계승할 수 있을 것인지와 김정일의 지도자로서의 역량에관해 문의하자, 로차관은 김정일이 이미 1973 년 이래 당중앙위 서기로 재직하고 있어 부친인 김일성 주석으로로부터 많은 것을 배웠을 것이며 당분간은 급격한 변화가 있을 것으로 예상치 않는다고 답하였음.

다. 이에 본직이 중국은 김정일의 권력 승계를 낙관적으로만 보지 않는 것 같다고 하자, 로차관은 김정일이 김일성에 비해 지도력이나 권위에서 차이가 나고 특히 군에대해 권위를 확립하지 못한 것은 사실이라고 하면서 김정일이 집권하면 무엇인가 변화는 있지 않겠느냐고 언급하였음.

(라조프 국장은 쏘측의 최근의 유엔가입 결정, IAEA 와의 대화 의사 표명등을 김일성 자신의 결정으로 보고 있다고 언급)

4. 남. 북대화

가. 본직이 쏘측은 남북한의 유엔가입과 관련, 한반도 문제 해결에관해 어떠한 새로운 국제적 접근을 고려하고 있는가고 물었던바, 로차관은 남. 북한간의대화가 빨리 재개될수록 좋을 것이라고 한후 쏘측은 평양에대해 항상 대화를종용하고 있으며 대화를 하면 긍정적인 발전이 있을 것임을 에기하고 있다 하면서 중공, 미국도 우리와같은 입장인바, 북한의 유엔가입 결정도 이러한 공동 노력의결과로 본다고 답하였음.

나. 로차관이 본직에게 최근 남. 북 대화와 관련 새로운 진전이 있느냐고 묻기에 아직 아무런 징후가 없는바, 북한은 항상 한국 국내가 정치적을 소란스러운 시기에는 대화를 중단해 왔던 만큼 진전을 기대할 수 없었다고 함. 그러나 향후 2-3 개월내에 북한측이 접근해올 가능성은 있다고 함. 쏘련을 위시한 중국, 일본, 카나다등 최근 북한과 접촉한 국가들이 북에대해 계속 남북대화의 재개를 촉구한만큼 북한의 변화를

기대하고져 한다 하였음.

5. 남. 북불가침선언

로차관은 남북대화의 재개와 관련, 특히 북한의 유엔가입 결정과 관련지어 아측이 남. 북한 불가침 선언 체결을 어떻게 생각하느냐고 묻고 있었음. 본직은 남. 북 불가침 선언은 선전이나 정치적 목적으로 체결될 성질에 것은 아니며,그것을 뒷받침할 인프라(INFRA-STRUCTURE)가 있어야 한다는 것이 우리 입장이라고 하고, 그러나 남. 북이 유엔 가입한 후 남북관계의 진전에 따라서는 새로운각도에서 검토될 수도 있을 것이라고 하였음. 끝

(대사공로명-차관)
10
외채고;ਹ1문142로31; 일찬

검 토 필 (1991. 6. 30)

외 무 부

종 별 : 지 급

번 호 : USW-3495   일 시 : 91 07 1819

수 신 : 장 관(미일,미이,국연,기정) 사본유엔대사-직송필

발 신 : 주 미국 대사

제 목 : 북한 유엔 가입

　　1. 당지 주재 소련 대사관 AFANASYEV 정무 참사관은 7.11(목)당관 유참사관에게 최근 북한의 동향및 미.북한 관계등에 대해 다음과같이 언급한바, 참고로 보고함.

　　가. 북한은 최근 소련측에 대해 미국이 최종 단계에 가서 북한의 유엔 가입관련 IAEA 등 핵문제를 거론하여 거부권을 행사할 가능성이 크다고 하면서 그 경우 소련도 한국의 유엔 가입에 대해 거부권을 행사하여 주도록 요청하여온바 있음.

　　나. 소련은 이와관련, 북한측의 여사한 우려를 해소시켜 주기 위하여 남북한 유엔 가입을 일괄 처리하는 방안을 생각한바 있음.

　　다. 북한은 최근의 국제 정세 변화에 무척 고립감과 당혹감을 느끼고 있으므로 북한이 IAEA 안전 협정에 서명할 경우 미국도 이에 부응하여 북한의 입장을고려해 주는 조치가 필요하다고 봄.

　　라. 북한의태도가 비합리적이라는 한국측의 주장이나 미측의 완고한 태도도이해되나 현상의 타파를 위해서는 강한쪽에서 아량을 베풀어야 될것으로 봄.

　　마. 한.소 관계 수립이 한반도 안정과 평화 유지에 도움이 되는 방향으로 이끌어 가기위해서는 북한을 더이상 외교적 고립상태로 놔두는것은 바람직하지 않다고봄. 이러한 차원에서 주한 미군 핵무기 문제도 전향적으로 검토할수 있기를기대하며, 금추 유엔에 남북한이 동시 가입하는것을 계기로 하여, 기회를 놓치지 말고, 한국측이 좀더 적극적인 자세를 취할수 있기 바람.

　　2. 상기에 대해 유참사관은 북한의 국제적 고립은 북한 스스로가 자처한것이며, 잘못하고 있는 일에 보상을 할수는 없는 일이므로 북한이 우선 남북 대화를 성실히 하고 국제적 의무를 조건없이 이행하도록 소련도 적극 북한에게 촉구하는것이 필요하다고 설명하였음.끝.

　　(대사 현홍주-국장)

미주국	장관	차관	1차보	미주국	국기국	정와대	안기부

91.07.12　10:59
외신 2과 통제관 BS
0098

K. 기타 중가

0100

분류번호	보존기간

발 신 전 보

번 호 : WUS-2344   910528 1830   ED 종별 지급

수 신 : 주   수신처참조   대사♣♣총♣영사

발 신 : 장 관   (국연)

제 목 : 유엔가입

WUK -1004	WJA -2459
WFR -1111	WCN -0543
WBB -0259	WUN -1514

연 : AM-0112

1. 연호, 귀주재국 고위층을 접촉하여 외무부 대변인 논평을 설명하고
북한의 유엔가입 결정은 귀주재국을 포함한 핵심우방국의 아국입장에
대한 확고한 지지 대중국 설득등 적극적인 지원과 협조를
제공한데 힘입은 것으로, 이에대한 정부의 깊은 사의를 전달하고

2. 아국은 앞으로도 귀주재국등 핵심우방국과의 긴밀한 협조하에 유엔
가입문제를 매듭지을 것임을 밝히기 바람. 끝.

(장   관)

예 고 : 91.12.31.일반   검 토 필 (1991.6.30.)

수신처 : 주미, 영, 일, 불란서, 카나다, 벨기에 대사
(사본 : 주유엔대사)

1991.12.31. 예고문에
의거 일반문서로 분류됨

	보 안 통 제	lly

앙고재	년월일 과	기안자성명	과 장	국 장	차관	차 관	장 관	
								외신과통제

0101

관리	9/
번호	-539

외 무 부

원 본

종   별 : 지 급

번   호 : FRW-1342

일   시 : 91 0528 1200

수   신 : 장관(국연,구일,정이)

발   신 : 주 불 대사

제   목 : 유엔가입

대:AM-115,114

1. 북한의 남북한 유엔 동시가입 수락관련, 주재국 외무성 DANIEL BERNARD 외무성 대변인은 하기내용의 성명으로 금 5.28 오후 발표 예정이라 함.

　가. 불정부는 북한의 결정을 환영하며, 이는 긴장완화와 평화정착을 위한 한국의 노력과도 합치되므로, 한반도 문제 해결을 위한 획기적인 계기로 평가됨.

　나. 또한 이는 불란서가 부단히 경주한 대북설득을 위한 국제적 분위기 조성 노력에도 부합하는 것임.

2. 한편 외무성 MEUNIER 극동부국장은 사견임을 전제, 북한의 동시가입 수락은 표면적으로는 한국외교의 승리와 북한의 굴복이란 면이 있으나, 이보다는 북한도 유엔가입으로 자격있고 정당한 국제사회의 일원으로 등장, 외교적 고립을탈피하는 한편 미, 일, EC 등 대서방 관계개선을 위한 전기를 마련한다는 실리적인 계산이 있는 것으로 보고 있다고 말함. 끝.

　(대사 노영찬-국장)

　예고:91.12.31. 일반

검 토 필 (1991. 6. 30)

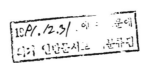

국기국	장관	차관	1차보	2차보	구주국	정문국	정와대	안기부

PAGE 1

91.05.28   23:12

외신 2과 통제관 BW

0102

외 무 부

종 별 : 지급

번 호 : UKW-1148   일 시 : 91 0528 1500

수 신 : 장관(국연,구일),사본: 주유엔대사-본부중계필

발 신 : 주 영 대사

제 목 : 유엔가입

대: WUK-1003

1. 당관 조참사관은 5.28(화) HUGH DAVIES 극동과장을 접촉, 북한의 유엔 가입신청 의사표명 사실을 봉보하고, 외무부 대변인 논평을 전달하면서 그간 영국 정부의 협조에 대한 아국정부의 깊은 사의를 전함.

2. 동 과장은 이에대해 하기와 같은 반응을 보임.

가. 북한의 결정은 아주 반가운 소식으로서 한국과 그 우방을 위해 매우 좋은 징조인 것으로 받아들여지며, 금후 남북한의 유엔 회원국으로서의 활동을 기대함.

나. 그간 한국은 물론 우방국들의 노력이 결실을 맺은 것으로 평가함.

다. 북한의 가입시기에 관한 언급이 없으나 동시가입 또는 비슷한 시기의 가입등 구체적인 사항이 마련될 수 있을 것으로 전망함.

라. 금번 북한 결정의 배후에는 이붕 중국수상의 방북시 설득이 크게 영향을 미친 것으로 분석하며, 금번을 계기로하여 북한이 국제사회에서 정상적으로 행동하는 것이 중요하다는 인식을 가지게 될 것을 기대함. 끝

(대사 이홍구-국장)

예고: 91.12.31 일반

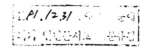

검 토 필(1991.6.30)

국기국	장관	차관	1차보	2차보	구주국	정와대	안기부

외 무 부

원 본

종 별 :

번 호 : JMW-0287

일 시 : 91 0528 1600

수 신 : 장관(국연,미중)

발 신 : 주 자메이카 대사

제 목 : 유엔가입

대:AM-0115

1. 대호 북한의 유엔가입신청 결정 관련, 금 5.28 주재국 외무부 RICHARD PIERCE 차관보는 당관에 전화를 걸어 동 북한의 결정이 아국의 대유엔 가입정책의 승리로서 평화적 남북통일의 큰전기가 될것이라고 축하의 말을 전하여 왔으며주재국 주요 일간지 GLEANER 지의 STOKES 사장도 남북한의 동시 유엔 가입이 동북아의 평화와 안정에 크게 기여할 것이라고 말함.

2. 당관은 대호 아국 외무부 논평을 금 5.28 대사관 NEWSLETTER 로 주재국 외무부, 외교단, 언론기관에 배포함. 끝

(대사 김석현-국장)

예고 91.6.30 까지 예고
의거 일반문서로 재분류

국기국   장관   차관   1차보   2차보   미주국   청와대   안기부

관리 91
번호 —3631

원 본

외 무 부

종 별 :

번 호 : CNW-0664

일 시 : 91 0528 1715

수 신 : 장 관(국연,미북)

발 신 : 주 카나다 대사

제 목 : 유엔가입

대:WCN-0543, AM-112

1. 조공사는 5.28.(화) 오후 외무부 테넌트 북아. 태 국장을 방문, 외무부 대변인 논평을 설명하고 대호 지시에 따라 아측의 사의를 표명함.(WESTDAL 국제기국 국장에게도 통보)

2. 동 국장은 북한이 유엔 가입문제에 관해 경기(GAME)가 끝난것을 알고 현실적인 판단을 하게 된것과 곧 남. 북한이 유엔에 가입할수 있게 된데 대하여 매우 기쁘게 생각하며, 그것은 소련. 중국과의 관계 개선등 한국정부의 꾸준한 외교적 노력의 결실이자 상식(COMMON SENSE)의 승리로 본다고 함.

3. 동인은 또 카나다의 유엔에 대한 관심(STAKE)이 지대한 만큼 유엔의 역할 증대에 실질적으로 기여할수 있는 아국의 유엔 가입을 특히 환영하며 가입실현후에도 한. 카 양국이 유엔 무대에서 계속 긴밀하게 협조하기를 희망한다고 했음. 끝

(대사 박건우 -장관)

예고문 : 91.12.31. 일반

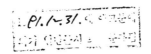
검 토 필 (1991.6.30.)

국기국   장관   차관   1차보   2차보   미주국   청와대   안기부

PAGE 1

91.05.29   08:43

외신 2과 통제관 CA

0105

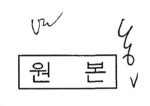

원 본

외 무 부

종 별 :

번 호 : UNW-1382   일 시 : 91 0528 1800

수 신 : 장관(국연, 아프일)

발 신 : 주 유엔 대사

제 목 : 유엔가입

　　　당관 강참사관은 5.28(화) 주유엔 각국대표부 관계관들과 접촉, 북한의 유엔가입신청 결정 사실 및 배경등 설명하고 아국에 대한 지속적인 협조와 지지를 요청한바, 동반응 아래보고함.

　　1. 앙골라 대표부 CORREIA 대사대리

　　-북한의 여사한 결정은 급변한 국제정세를 감안, 어쩔수없이 취한 조치인것으로 아나 현명한 결정이었으며 한반도 통일문제도 유엔의 테두리내에서 보다 유리한 상황속에서 해결점을 찾을수 있을것으로 믿음. 한.앙 간이 아직 미수교상태이기는 하나 한반도 내에서의 화해.협조를 통한 통일분위기 조성에 최대한의 협조를 하겠음. 본국정부로 부터 남.북한 동시가입을 지지한다는 훈령을 받고있는 상태임.

　　-한.앙 간 공식외교관계 설정도 "시간의 문제"로서 금명간 앙골라 휴전조치가 끝나 앙골라 내정이 안정을 찾는대로 양국간 공식관계 설정에 대한 본격적 검토가 있을것으로 보고있음. 앙골라 입장에서도 한국과갑이 성공적인 경제기적을 이룬 국가들과의 협력이 어느때보다 긴요한 상황으로서 금일 접촉내용을 본국에보고, 빠른 시일내에 한.앙 외교관계 설정문제에 대한 양측 입장을 알려주겠음.

　　2. COMOROS 대표부 MOUMIN 대사(오찬)

　　-북한의 유엔가입 결정은 한국외교의 승리이며 북한으로서는 피할수 없는 최후의 선택카드였다고 생각함. 한국은 유엔에 가입하므로써 경제적 측면에서 성공에 이어 국제정치 측면에서도 중요한 위치를 점하게되는 단계를 밟기 시작했음.

　　-코모로 정부의 한국입장 지지는 확고부동하며 향후 계속적인 협조와 지지를 약속함.

　　3. 아이보리 코스트 대표부 관계관(KABA 참사관, KONAM 참사관)

　　-북한의 여사한 결정은 당연한 귀결인바, 한국외교의 승리를 축하함. 남.북한

국기국　　장관　　차관　　1차보　　2차보　　미주국　　중아국　　정와대　　안기부

양측이 공히 유엔회원국으로서 국제사회에 크게 기여하기를 기대하며 유엔의 협조아래 봉일분위기는 한층 성숙될것을 믿음. 양측의 유엔가입으로 많은 국가들의 대한반도 정책상 부담을 경감케 되었으며 한반도내의 새로운 화해와 협조의 시대를 여는 계기가 될것임.

　　-아이보리 정부는 계속하여 한국정부 입장을 지지할것임.끝

　　(대사 노창희-국장)

　　예고:91.12.31. 일반

검 토 필(19916.30.)

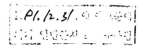

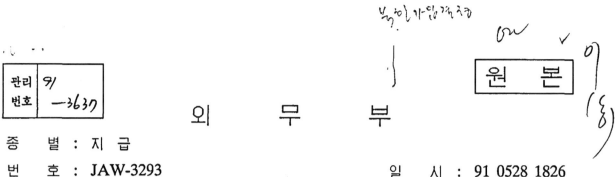

관리
번호 91 -3637

외 무 부

종 별 : 지 급

번 호 : JAW-3293   일 시 : 91 0528 1826

수 신 : 장관(국연,아일,정이)

발 신 : 주 일 대사(일정)

제 목 : 외무차관 정례오찬(북한 유엔가입 성명)

대:AM-0114, WJA-2397

연:JAW-2862

1. 본직은 금 5.28(화) 쿠리야마 차관과 정례업무 오찬을 가진바, 쿠리야마차관은 대호 북한 외교부의 유엔 가입신청 성명발표와 관련, 한국 외교에 좋은결과가 나왔다고 이를 환영하면서 일측으로서는 5.20-22 간 북경개최 제 3 차 일. 북수교 교섭 본회담시 유엔문제에 대한 북측의 종래 입장이 다소 유연해졌다고 느낀바는 있으나, 북측의 여사한 조치는 예상치 못했었다고 말하였음. 동 차관은 이어 북측의 금번 조치 배경에 대해 중국 이붕 수상의 최근 방북시 북측이 중국의 협력을 기대할수 없다는 전망이 서게됨에 따라 입장을 전환한 것이 아닌가 생각되나, 확신할수는 없다고 설명함.

2. 상기 일측 설명에 대해 본직은 금일자 외무부 대변인 논평내용을 알려주고, 아측으로서는 북측의 성명은 환영하나, 그 성명만 가지고는 어떤 FACTOR 에서 가입 하겠다는 것인지 좀더 확인해 볼 필요가 있다고 말하고, 금후 북한의 진의파악을 위해서는 중.쏘등을 통한 타진등 노력이 필요하며, 또한 금번 조치가 유엔문제에 국한된 것인지 또는 북한의 대남정책등 대외관계 전반에 걸친 정책변화인지를 계속 파악할 필요가 있는 만큼, 이를 위한 한. 일간 협조를 요망한바, 쿠리야마 차관은 중국의 전기침 외상이 6 월 하순 방일할 예정이므로, 그 기회에북측의 유엔가입 신청을 발표하게된 경위등을 파악토록 노력하겠다고 언급함.

3. 한편, 상기 협의과정에서 본직은 이붕수상 방북내용 특히 유엔가입문제 관련 협의내용에 대해 일측이 파악한바가 있는지를 문의한바, 배석한 다니노 국장은 일측으로서는 중국측으로 부터 탐문 청취한 내용이 별로 없다고 말하였기 참고로 첨언함. 또한 본직은 금번 북측의 태도변화가 있기까지 일측이 지난 4.25. 한. 일

국기국	장관	차관	1차보	2차보	아주국	정문국	청와대	안기부

           91.05.28   19:15

외신 2과 통제관 BW

0108

외무장관 회담시 아국의 선가입 공개적 지지표명등 분위기 조성에 협조해 준데 대해
사의를 표하였음. 끝.

　　(대사 오재희-장관)

　　예고:91.12.31. 일반

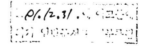

검 토 필(1991.6.30)

원 본

외 무 부

종 별 :

번 호 : UNW-1388

일 시 : 91 0528 1845

수 신 : 장 관(국연,아동,기정)

발 신 : 주 유엔 대사

제 목 : 유엔가입교섭(솔로몬 아일랜드)

연:UNW-0982

연호관련, 솔로몬 아일랜드 대표부의 B.JINO 서기관은 5.28 당관 오윤경공사에게 동국대사가 동일자 안보리의장앞 공한을 통하여 동국은 <u>한국의 유엔가입을 지지하며,</u> 이를 안보리 문서로 배포하여 줄것을 요청하였다고 알려왔음을 보고함.

첨부:상기 공한 사본:UNW(F)-230

끝

(대사 노창희-국장)

예고:91.12.31. 일반

검 토 필 (1996.6.30.)

국기국   장관   차관   1차보   2차보   아주국   정와대   안기부

UNW(?) -230 1058 1845 이
(국연.아중.기?) 총104 (?)

SOLOMON ISLANDS MISSION TO THE UNITED NATIONS
Suite 800B, 820 Second Avenue, New York, N.Y. 10017

SIM 06/2/5

Excellency,

　　On instructions from my Government I have the honour to
transmit to you the text of a communique concerning the application
of the Republic of Korea to become a member of the United Nations:

　　　　"The Government of Solomon Islands fully supports the
　　　　desire of the Republic of Korea as indicated in its
　　　　memorandum circulated as document S/22455 dated 5 April
　　　　1991.　The Republic of Korea has over the years
　　　　demonstrated its effective and significant contribution
　　　　to the international community in the social and economic
　　　　fields.

　　　　The Government of Solomon Islands firmly believes that
　　　　the admission of the Republic of Korea would further
　　　　enhance its role and contributions to the international
　　　　community and to the universal principles enshrined in
　　　　the Charter of the United Nations."

　　I should be grateful if you could have the text of the letter
circulated as a document of the Security Council.

　　　　　　　　　　　　　　　　　　　　　Francis Bugotu
　　　　　　　　　　　　　　　　　　　　　Ambassador
　　　　　　　　　　　　　　　　　　　　　Permanent Representative

The President
Security Council
United Nations Secretariat
New York, N.Y. 10017

28 May 1991

0111

외 무 부

종   별 : 지급
번   호 : GEW-1136   일   시 : 91 0528 1900
수   신 : 장관(국연,구일,정일) 사본:주유엔대사(본부중계필)
발   신 : 주 독 대사
제   목 : 유엔가입추진

대:AM-112, 114, 115

대호 관련, 5.28. 안공사는(전부관 참사관 동행) 외무부 동아국
ZIMMERMANN국장대리(국장 공석)를 면담한바 아래 보고함

1. 안공사는 대호 외무부 대변인 논평을 수교하고, 우선 그간 주재국 외무부
실무선의 적극적인 지원에 사의를 표한바, 동국장대리는 좋은 소식을 축하하며,
만족할 만한 성과가 생각보다 빨리 달성된데 대해 대단히 기쁘게 생각한다고말함

2. 안공사는 본건 관련, 독일의 재외공관(주중 대사관, 주 평양
이익대표부등)으로부터 보고가 있었는지 문의한바, 아직 접수치 못하였다고 하며,
접수하는대로 알려주겠다고 말함

3. 안공사는 북한의 이러한 태도변경에 대한 견해를 문의한바, 동 국장대리는
사견임을 전제, 북한으로서는 국제사회에서 북한입장에 대한 동조세력을 얻을수가
없었을뿐 아니라, 우방인 중국 또한 북한에 대해 남. 북한 유엔 동시가입을설득해
왔으며, 한국의 유엔 단독 선가입 신청에 대해서도 중국의 거부권 행사는 기대할수가
없게되자, 다른 방도가 없음에 따라 취해진 것으로 본다는 반응을보임.

4. 안공사는 아울러 앞으로 예상되는 북한의 태도에 관해 견해를 문의한바,동
국장대리는 사견임을 전제, 이는 더두고 보아야 할것이나, 북한을 앞으로도국제문제에
있어 이번 경우와 같이 다른방안이 없는 최종순간에야 결정적인 태도표시를 할것으로
보며, 독일로서는 북한이 국제사회의 여론을 감안해야 하고, 국제사회에서 신뢰를
구축할수 있는 행동을 해 나가야 함을 계속 촉구할 것이라고 말함

5. 한편, 백림주재 북한 이익대표부 대표 신태인이 주재국 외무부를 금일 오후
내방예정이라는바, 그내용은 추보 하겠음. 끝

(대사-장관)

국기국	장관	차관	1차보	2차보	구주국	정문국	정와대	안기부

예고:91.12.31. 일반

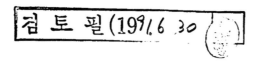

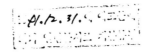

관리 9/
번호 ─362 9

외 무 부

종 별 :

번 호 : FRW-1352　　　　　　　　　　일 시 : 91 0528 1900

수 신 : 장관(국연,구일)

발 신 : 주 불 대사

제 목 : 유엔가입

　　대:WFR-1110,1111

　　1. 본직은 금 5.28 오후 LEVITTE 외무성 아주국장에 대호관련, 심심한 사의를 표명함.

　　2. 동 국장은 주재국도 이를 경하하며, 더욱이 지난 4 월말 DUMAS 외상의 방중시 중국지도자를 설득한 것도 북한입장 변경에 일조가 된것으로 평가한다고 말하고, 앞으로도 계속 핵심우방국과 협조, 한국의 유엔가입문제 종결시까지 필요한 지원을 계속할 것이라고 말함. 끝.

　　(대사 노영찬-국장)

　　예고:91.12.31. 일반

검 토 필 (1991.6.30.)

국기국　　장관　　차관　　1차보　　2차보　　구주국　　청와대　　안기부

관리 번호 91 -3654

외 무 부

종 별 :

번 호 : UNW-1392

일 시 : 91 0528 2100

수 신 : 장 관 (국연,기정)

발 신 : 주 유엔 대사

제 목 : 유엔가입

대:WUN-1513

1. 본직은 금 5.28 일, 영, 벨지움 대사 및 미, 불, 카나다 차석대사와 접촉하여 대호에 따라 조치한바 주요반응은 아래와같음. (이와는 별도로 CG 국가에 대하여는 실무차원에서 각기 별도 조치함.)

가. 동 대사들은 모두 금번 북한측 발표에 환영을 표하면서 그간 아국의 유엔가입노력이 드디어 결실을 맺게 된데 대하여 축하의 뜻과함께 계속 필요한 지원과 협조를 다짐함.

나. 특히 아국이 언제 가입신청을 할것인지 또한 북한과 행동을 같이 할것인지 여부에 대하여 문의함.

다. 벨지움대사는 북한측 발표에도 불구 아측으로서는 국제적 지지 확보노력을 계속하는 것이 필요할 것이라는 의견을 표명함.

2. 실무 접촉시 미대표부 RUSSEL 담당관은 아래와같이 언급하였음.

가. 금번 북한의 유엔가입 결정관련, 남북한의 유엔가입이 실현되게 된것을축하하며 미측의 공식입장은 금일중 국무부 성명으로 발표될것임.

나. 동성명은 금번 북한의 결정을 환영하고 미국으로서는 북한의 유엔가입에 대해 어려움을 주지 않을 것이라는 것을 재확인하는 내용이 될것임.

다. 한국측으로서는 5 월중 안보리의장 LI 대사와 다시만나 그간의 중국측의 이해와 협조에 적절히 사의를표하고 앞으로 중국측과 계속 협조 북한측과 동시가입 MODALITY 에 대해 적극 협의코자함을 재차 표명해두는것이 좋을것임.

3. 또한 일대표부 KAWAKAMI 담당관은 일본정부 대변인 성명(별첨)을 아측에전달하면서, 금번 북측의 태도변화에 있어 일.북한 수교회담이 미친 영향및 향후 남북대화 재개전망에 대하여 관심을 표명함. 끝

국기국	장관	차관	1차보	2차보	미주국	구주국	청와대	안기부

91.05.29 10:58

외신 2과 통제관 BS

0115

(대사 노창희-국장)

예고:91.12.31. 일반

검 토 필(1991.6 .30)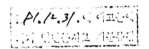

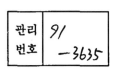

외　무　부

종　별 : 지　급

번　호 : JAW-3299

일　시 : 91 0528 2328

수　신 : 장관(국연,아일)

발　신 : 주 일 대사(일정)

제　목 : 유엔가입

　　당관 유병우 참사관은 금 5.28. 하오 외무성 아주국 "다께나까"심의관과 접촉한 기회에 북한 외교부의 유엔가입 신청 발표에 대한 평가등을 탐문한바, 동 심의관은 사견임을 전제로, 현 단계에서의 분석을 다음과 같이 설명 하였음.(이하 일측 설명요지)

　　1. 배경

　　ㅇ 북한이 금년가을 한국의 유엔가입 신청을 전후하여 결국 가입을 추진하지않을까 짐작해 왔으나, 예상보다 빠른 결정에 외무성으로서도 놀라고 있음.

　　ㅇ 북한과 같은 독재정권의 경우, 국내 정치나 경제정책 보다 대외정책이 훨씬 바꾸기 쉽다는 사실을 새삼 실감하였으며, 따라서 앞으로 IAEA 핵사찰등 다른대외 문제에 대해서도 정책전환 가능성을 시사하는 것이 아닌가 생각됨.

　　ㅇ 금번 북측조치의 배경에 대해서는 좀더 정보를 수집, 분석해 보아야 하겠으나, 우선 북한으로서는 1) 이붕수상 방북시 중국측 반응등으로 한국의 단독가입이 저지할수 없는 추세임을 인식, 북한도 결국 유엔가입 신청을 할수 밖에 없다고 판단하게 된 것으로 보이며, 2) 그경우, 유엔가입 신청을 한국보다 뒤늦게 하여, 유엔이 한국 가입문제와 시차를 두고 북한가입 문제를 다루게 될 경우, 서방측의 북한가입 반대등으로 한국만이 가입되는 상황을 우려, 결국 남.북한 가입문제를 동시 진행시키는 것이 유리하다고 판단하여 미리 가입의사를 발표한 것으로 보이며, 3) 발표시기 선택에 있어서는 유엔총회의장의 북한방문 시기, 이은혜 문제로 결렬된 일.북 수교교섭에의 영향 및 대미관계 개선에의 효과등을 종합고려했을 것으로 생각됨.

　　2. 일.북 수교교섭에의 영향

　　ㅇ 일본은 제 3 차 일.북 수교교섭시 1) IAEA 핵사찰 문제, 2) 남.북대화 진전 및

국기국	장관	차관	1차보	2차보	아주국	정문국	청와대	안기부

PAGE 1

91.05.29　00:06

외신 2과　통제관 BW

0117

3) 유엔가입문제를 제기했던바, 금번 북측조치가 결국 남.북대화 재개에좋은 영향을 미칠 것으로 예상되는 만큼, 일.북 수교교섭에도 어느정도 좋은 영향을 미칠 것으로 봄.

0 (북한이 일.북 교섭의 장애가 되고 있는 IAEA 핵사찰 문제나 이은혜 문제로 부터 벗어나기 위해 금번 조치를 내세워 대일 타협을 요구하고 나올 경우의 일측 대응을 질문한바) 북한의 금번 조치로 상기 일측제기 3 개항 가운데 우선 유엔가입문제와 남. 북대화 진전에 호의적으로 응한 결과가 되기는 하겠으나, 그렇다고 하여 IAEA 핵사찰 문제의 비중을 경감시키는 일은 없을 것임. 한국의 유엔 선가입에 대한 일측지지 입장은 이미 분명한바, 북한이 유엔에 가입하건 안하건 일.북 수교교섭과는 직접 관계없는 일이며, 이은혜 문제도 일본이 이를 대북 교섭의 전제조건으로 하고 있는것이 아니라 북한측이 동 문제 제기자체를 거부하고 있는것이 문제가 되고 있는 만큼, 북한의 여사한 입장을 바꾸지 않는한 일.북교섭이 쉽게 진전되기는 어려울 것임.

3. 기타

0 동 심의관은 금일자 일부 당지언론에서 북한의 유엔가입 신청을 한후 안보리 단계에 결국 단일의석 가입을 추진할 가능성이 있음을 지적한데 대해, 북한이 일단 유엔가입 신청의사를 천명한 이상, 여사한 획책은 있을수 없다는 인상을표명 하였음.

0 한편, 당지 쏘련대사관 도브로볼스키 정무참사관은 본건 관련, 유참사관의 탐문에 대해, 자신도 언론보도를 보고 처음 알았다고 밝히고, 관련정보를 나름대로 수집한후 내주중 아측과의 아측과 재회동하자고 제안한바, 관련사항 추보하겠음. 끝.

(대사 오재희-국장)

예고:91.12.31. 일반

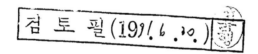

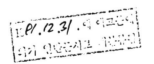

PAGE 2

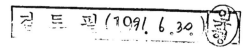

외 무 부

관리 91
번호 — 3628

원 본

종 별 :

번 호 : IDW-0150   일 시 : 91 05290015

수 신 : 장관(국연,구일)

발 신 : 주 아일랜드 대사

제 목 : 북한외교부 성명발표

대:AM-0112

당관은 외무성 아태국및 유엔국장에게 대호내용을 통보했던바 동인들은 그간
우리정부의 노력결실에 진심으로 축하한다고 언급하였음. 끝

(대사민형기-국장)

예고:91.12.31 일반

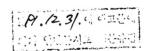

국기국   장관   차관   1차보   2차보   구주국   청와대   안기부

PAGE 1   91.05.29   09:33
                                    외신 2과 통제관 CA
                                              0119

외 무 부

종   별 :

번   호 : DEW-0287

일   시 : 91 0529 0940

수   신 : 장관(국연,구이)

발   신 : 주 덴마크 대사

제   목 : 유엔가입

대:AM-0112,115

연:DEW-0286

1. 본직은 금 5.29. 주재국 외무부 WOHLK 차관, BRUUN 정무총국장 및 MICHAEL STERNBERG 아주국장에게 유엔가입문제 관련 북한측 태도변화 내용과 본부대변인 논평을 설명하고 그간 아국유엔가입 노력에 대한 주재국 정부의 지지와 협조에 사의를 표명함.

2. 이에 대해 WOHLK 차관등은 북한의 태도변화는 북방정책을 비롯한 아국의 꾸준한 외교적 노력의 성과라고 축하하면서 남북한의 유엔가입으로 한반도 평화와 안정이 보장되고 남북한 통일이 촉진되는 계기가 될 것을 희망하였음. 끝.

(대사 김세택-국장)

예고:91.12.31. 일반

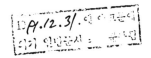

국기국   장관   차관   1차보   2차보   구주국

외 무 부

원 본

종 별 :

번 호 : BHW-0306

일 시 : 91 0529 1130

수 신 : 장관(국연,중동일)

발 신 : 주 바레인 대사

제 목 : 주재국 정부의 북한 유엔가입 결정 논평

1. 주재국 외무부 MAHROOS 정무국장은 금 5.29. 본직에게, 전화를 통해, 북한의 유엔 가입결정 관련, 요지 다음과 같이 주재국 정부 견해를 전달하여 왔음.

   가. 노태우 대통령 각하 영도하의 대한민국(R.O.K.) 외교의 승리를 축하함.

   나. 주재국 정부는, 한반도의 대외정책은 이제 남한이 좌우하게 되었다고 이해함.

   다. 바레인과 대한민국과의 우호관계가 더욱 증진되기를 기대함.

2. 본직은 상기에 대해, 바레인과 같은 우방국 지원의 소산이라고 사의표명하여 두었는바, 주재국등 적극적인 아국 지원국에 대한 적정수준에서의 감사 서한 발송을 건의함. 끝.

   (대사 우문기-국장)

   예고:91.12.31 일반

검 토 필 (1991.6.30)

국기국   장관   차관   1차보   2차보   중아국   청와대   안기부

외 무 부

원 본

암 호 수 신

종   별 :

번   호 : CLW-0325   일   시 : 90 0529 1500

수   신 : 장 관(국연,미남,기정)

발   신 : 주 콜롬비아 대사

제   목 : 유엔가입

대: AM-0112

1. 대호관련 본직은 5,29 일 주재국 외무성 LUIS GUILLERMO GRILLO 국제기구 차관보를 면담, 북한 성명서에 대한 본부 대변인의 논평을 설명하였는바, 콜롬비아 정부는 아국 유엔가입을 지지하는 입장을 재 표명함.

2. 한편 당지 유력일간지 EL TIEMPO 는 국제면에 서울발 AP 통신을 인용, 북한 외교부의 유엔가입 성명발표 사실을 논평없이 보도함.

(대사 안영철-국장)

국기국   차관   1차보   미주국   안기부

PAGE 1   91.05.30   08:49

외신 2과 통제관 CE

0122

원 본

외 무 부

종 별 :

번 호 : LYW-0322

일 시 : 91 0529 1600

수 신 : 장 관(국연,중동이)

발 신 : 주 리비아 대사

제 목 : 유엔 가입

대:AM-0112

본직이 금 5.29. 오전 주재국 외무부 IMDORID 국제기구국장을 방문 대호 성명내용을 설명하고 동문제에 대한 그간 리비아측의 우호적인 태도에 감사를 표하였는바, 이에대하여 동국장은 요지 아래와 같이 축하 인사를 하였음.

- 남북한이 유엔에 가입하게된 것을 충심으로 환영함. 한국 정부가 추진해온대로 남북이 유엔에 가입하므로서 한반도에서 긴장이 완화되고 상호 대화를 통해서 통일을 이룩하는 커다란 계기가 될것으로 기대함. 통일 독일, 통일 예멘 다음은 통일 한국시대가 올것임. 리비아는 아랍의 통일을 염원하는 것과 같이 남북한의 통일 노력에 협조와 지지를 아끼지 않고 있음. 세계 12 대 교역국인 한국이불원 남북이 통일하므로서 통일 한국은 일본을 능가하여 아세아 뿐만 아니라 세계 대국이 될것으로 확신함. 끝.

(대사 최필립-국장)

예고 91 6.30. 까지

국기국   장관   차관   1차보   2차보   중아국   청와대   안기부

PAGE 1

91.05.30   08:15

외신 2과   통제관 BS

0123

남북한 유엔가입, 1991.9.17. 전41권 (V.26 북한의 유엔가입신청 결정 발표(5.27) Ⅱ : 각국 반응)   129

원 본

외 무 부

종   별 :

번   호 : SLW-0453   일   시 : 91 0529 1600

수   신 : 장관(국연, 아프일)

발   신 : 주 (세네갈) 대사

제   목 : 유엔가입

　　1.　　정동일참사관은　　5.28　　외무붐　SECK　　국제기구국장및　　THIAM 아주과장(아주국장대리)에게 5.28 유엔가입에관한 북한 외교부성명, 중국외교부성명및 아국외무부　대변인의성명을　설명하여주고　이처럼　북한이　아국입장을　수락하여 정책전환을　하게된것은　서네갈과　같은　우호국들의　적극적인　지지덕분이라고　사의를 표함.

　　2.　동인들은　유엔가입에　관한　남북한의　입장을　검토한바　남한의　입장이 외교적인면에서　북한보다　합리적이었으며,　북한태도변경은　한국외교적　승리라고 논평하고 축의를 표시했음. 끝.

　　(대사 허승-국장)

　　예고:91.12.31 일반

검 토 필 (1991 6. 30)

1P1. 12. 31. 예 예고문에
의기 인반문서로 재분류됨

국기국　　차관　　1차보　　2차보　　중아국　　정와대

91.05.30   07:03

외신 2과 롱제관 FE

0124

관리	91
번호	-545

외 무 부

종   별 :

번   호 : SLW-0454   일   시 : 91 0529 1600

수   신 : 장관(국연,아프일)

발   신 : 주 세네갈 대사

제   목 : 유엔가입

1. 소직은 5.28 대통령실 외교고문 MBAYE 대사및 외무부 외상비서실장 KANE 에게 전화로, 북한이 유엔가입을 요청할것이라는 외교부대변인의 성명을 알려주고, 이처럼 북한이 유엔가입을 결정하게된것은 서네갈과같은 우호국가가 유엔가입에 관한 아국의 입장을 적극적으로 전달하여줄것을 요청하였음.

2. 이에대하여 동인들은 환영을 표시하고, DIOUF 대통령및 KA 외상(나이제리아 OUA 각료회담 참석중)에게 소직의 사의를 표하는 전화내용을 보고하겠다고 약속하였음. 끝.

(대사 허승-국장)

예고:91.12.31 일반

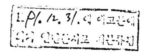

검 토 필(1991.6.30.)

국기국   중아국

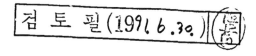

외 무 부

종 별 :

번 호 : POW-0361   일 시 : 91 0529 1700

수 신 : 장관(구이,의전,국연)

발 신 : 주 폴투갈 대사

제 목 : 신임장 제출

     1. 본직은 91.5.29(수) 1100 주재국 BELEM 궁에서 MARIO SOARES 대통령에게 신임장을 제정하고, 약 20 분간 면담하였음. 신임장 제정식과 면담에는 주재국측에서 외무장관대리(PINHEIRO 외상은 브라셀 출장중)와 사무차관 및 의전장이 배석하였음. 신임장 제정식에는 당관 주참사관과 김서기관도 참석하였음

     2. 본직은 노대통령의 문안을 SOARES 대통령에게 전달한바, 동 대통령은 심심한 사의를 표하고, 자신의 문안도 노 대통령께 전달해 줄것을 희망하였음

     3. 본직이 주 폴투갈대사로서 양국 우호관계 강화를 위해 최선 노력을 다짐한바, 동 대통령은 양국관계의 보다 깊은 발전을 기대한다고 말함

     4. 동 대통령은 84 년 자신의 수상 재직당시 방한했던 기억도 언급하며, 한국의 그간의 발전상과 국내 최근 사태에대해 문의해와 설명해줌. 또 남북대화 현황과 북한의 민주화 가능성등에 대해서도 문의한바, 본직이 상세히 설명하자, 동대통령은 최근 IPU 총회 참석차 북한을 방문했던 주재국 의원단으로 부터 북한의 1 인 신격화가 매우 심하다는 방북소감을 들었다고 하면서, 북한에서의 PERESTOROIKA 는 아직도 먼것으로 생각한다고 말함

     5. 본직은 또 북한의 유엔가입관련 정책 변경에 대해서 간략히 언급한바, 동석한 사무차관도 추가 설명하였으며, 동 대통령은 이해를 표명하였음. 끝

     (대사조광제-장관)

     예고:91.12.31 일반

검 토 필 (1991. 6. 30.)

91.12.31. 예고삭제
~~~~~~~~~~~~~~~~

구주국   의전장   국기국   정와대

PAGE 1   91.05.30   07:00

                                           외신 2과   통제관 FE

                                                     0126

```
관리 9/
번호 -3658
```

02 ㄴ

외 무 부

종   별 :

번   호 : FJW-0138   일   시 : 91 0529 1700

수   신 : 장관(국연,아동,사본:주유엔대사-중계필)

발   신 : 주 휘지 대사

제   목 : 아국유엔가입

대:WFJ-0080, AM-0112

1. 대호관련 당관은 최근 외무성 NADO 국장과접촉, THOMSON 대사의 발언과 동인이 7 월말 마이크로네시아에서 개최되는 FORUM 정상회의 에서의 아국지지의 뜻을 본부(휘지)에 보고 하겠다는 내용을 전달하면서 동대사의 공한발송및 건의유무를 타진한바, 상금 아무런 보고도 받지 못하였다고 언급하면서 현재 SPC 회의참석차 뉴카레도니아에 출장중인 차관이 도착하는대로 동대사의 건의유무를 재확인한후 동문제를 검토해 보겠다고 언급하였음.

2. 또한 당관은 금년 FORUM 회의가 FSM 에서 개최됨을 감안, 주최국인 당지마이크로네시아 대사를 방문, 아국의 유엔가입 문제와관련 FORUM 회의 동정을 살펴보았던바, 동 FSM 과 마샬아일랜드도 현재 금년 유엔가입을 위해 FORUM 회의에서 유엔가입 지지결의를 추진하고 있는것으로 나타나고 있으며 이와관련 아국문제 취급을 부탁하는것은 사건의 중복성등으로 다소 어려운 상황임을 감지한바 있음.

3. 대호 북한의 유엔가입 신청과 관련, 아국의 대 유엔가입에따를 여건과 상황이 DRASTIC 하게 변화하고 있는 상황에서도 상기문제를 계속 추진할 필요성이있다고 고려될시는 봄슨대사의 대본부건의를 통한 보다 적극적인 협조가 요망되고있으며, 당관은 차관이 귀임하는대로 접촉, 방도를 강구코저 하고있음.

단, 휘지국이 여의치 않을시는 TONGA 를 비롯 보다 아국에 협조적인 국가를택하여 교섭을 시도코자 하고 있으니 이에대한 의견 회시바람. 끝

(대사 백영기-국장)

예고:91.12.31 일반

검 토 필(1991.6.30.)

[P1.12.31. 예 어크론다
여기 인문제로 ㅡ 본무님]

국기국	장관	차관	1차보	2차보	아주국	정와대	안기부

외 무 부

종 별 :

번 호 : GAW-0076

일 시 : 91 0529 1900

수 신 : 장 관(아프일,국연)

발 신 : 주 가봉 대사

제 목 : 북한의 유엔 가입 신청

5.29자 주재국 일간지 L'UNION은 해외 단신란에서 북한이 종전의 입장을 극적으로 변경하여 유엔가입을 신청할 것이라고 발표하였는 바, 이는 남북한의 유엔 동시가입을 가능케 할 것이라고 보도함.끝.(대사 박창일-국장)

중아국   1차보   국기국   정문국   안기부

PAGE 1

91.05.30   09:24 WH

외신 1과 통제관

0128

	분류번호	보존기간

발 신 전 보

번 호 : WDJ-0558 외 별지참조   종별 :

수 신 : 주   수신처참조   대사♣♣총♣♣사

발 신 : 장 관   (국연)

제 목 : 유엔가입 (사의표명)

연 : AM-0118

　　　귀주재국 고위당국자와 접촉, 금번 북한의 유엔가입신청 결정은

귀주재국을 포함한 우리 우방국들의 아국입장에 대한 확고한 지지표명

및 대중국 설득노력등 적극적인 지원과 협조에 힘입은 것으로, 이에대한

정부의 깊은 사의를 전달하고, 아국은 앞으로도 귀주재국등 우리의

우방국들과 긴밀한 협조하에 유엔가입문제를 매듭짓고자 함을 밝히기

바람. 끝.

(국제기구조약국장 문동석)

예 고 : 91.12.31.일반.

검 토 필 (1991. 6. 30)

수신처 : (아 주) 인니, 말련, 호주, 태국, 인도

　　　　 (구 주) 아일랜드, 독일, 포루갈, 이태리, 오지리, 폴란드,

　　　　　　　　　 헝가리, 책코

　　　　 (아중동) 아이보리, 자이르, 예멘

　　　　 (중남미) 멕시코, 알센틴

　　　　 (사본 : 주유엔대사)

	보 안 통 제	

앙 고 재	91 년 5 월 30 일	유 엔 과	기안자 성명		과 장		국 장		차 관	장 관
			홍							

외신과통제

WDJ-0558   910530 2003 FL

WMA -0481 WAU -0379 WTH -0866 WND -0520 WID -0136
WGE -0822 WPO -0212 WIT -0595 WAV -0521 WPD -0513
WHG -0469 WCZ -0427 WIV -0175 WZR -0170 WYM -0207
WMX -0315 WAR -0243 WJUN-1560

분류번호	보존기간

발 신 전 보

번 호 : WPM-0123   910530 2001 FL   종별 :

WCO-0107   WTT-0068
WUN-1559

수 신 : 주   수신처참조   대사♣♣총♣영사

발 신 : 장 관   (국연)

제 목 : 유엔가입 (사의표명)

연 : AM-0118

귀주재국 고위당국자와 접촉, 금번 북한의 유엔가입신청 결정은
귀주재국을 포함한 우리 우방국들의 아국입장에 대한 확고한 지지표명등이
주효한 것으로 판단된다는 점을 강조하고, 특히 귀주재국이 유엔안보리
문서 회람을 통해 지지입장을 분명히 밝혀준데 대해 정부의 깊은 사의를
전달하기 바람. 끝.

(국제기구조약국장 문동석)

예 고 : 91.12.31.일반   검 토 필 (1991.6.30.)

수신처 : 주파나마, 코스타리카, 트리니다드토바고 대사
    (세인트빈센트, 세인트루시아, 그레나다 해당)

    (사본 : 주유엔대사)

1991.12.7 외 문에
의거 일반문서로 분류됨

				보 안 통 제	Uy.

앙고재	91년 5월 30일	기안자 성명 유엔과 尹		과 장 Uy.	국 장	차 관	장 관	외신과통제

0131

외　무　부

관리
번호 91
－5ᅡ4

종　별 : 지급

번　호 : NDW-0905　　　　　　　　　　　일　시 : 91 0530 1210

수　신 : 장관(국연,아서)

발　신 : 주 인도 대사

제　목 : 북한 유엔가입 태도

　　1. 당관 이석조 참사관이 5.29 주재국 외무성 SHARMA 한국담당과장에게 표기관련 반응을 알아본바, 동과장은 유엔가입문제에 관한 북한측의 태도변경은 남북한관계의 진전을 의미하며 북한측은 좀더 현실적인 태도를 갖게 될 것으로 본다 하고 금번 북한의 태도변경은 동문제관련 중.쏘를 비롯 국제사회로부터 북한측에게 가한 압력의 결과인 것으로 생각한다 함.

　　2. 표기관련 5.29 자 주재국 언론보도상황 아래 보고함.(관련기사 파편 송부하겠음)

　　　가.TIMES OF INDIA

　　동지 국제란에 "북한, 유엔회원국 희망" 제하 4 단으로 홍콩발 외신인용 동문제관련 최근 쏘련및 중국 움직임, 한국및 일본의 반응등 상세히 보도함.

　　　나.HINDU 지

　　동지 국제란에 "북한, 별도로 유엔회원국 모색" 제하 북경발 외신인용 3 단으로 사실보도와 함께 한국반응, 미국과 북한 접촉(미국 RUNSFIELD 전국방이 단장이 된 대표단 북한방문 예정등)및 한국 국내정세등 보도함.

　　　다.NATIONAL HERALD(CONGRESS I 당 기관지)

　　동지 해외소식란에 "북한, 별도로 유엔회원국 모색" 제하 북경발 외신인용 1단으로 사실보도함.(동지는 국제란 하단에 "노대봉령 새로운 진압약속" 제하 2 단으로 서울발 외신인용 국내정세 보도)

　　　라.TV

　　5.28 저녁 종합뉴스및 5.29 아침뉴스에 북한의 유엔가입결정 사실보도함.

　　(대사 김태지-국장)

　　예고:91.12.31. 까지　　　검 토 필 (1991. 6. 30)

국기국	장관	차관	1차보	2차보	아주국	정와대	안기부

```
관리   91
번호  -551
```

외 무 부

종 별 :

번 호 : BMW-0320
일 시 : 91 0530 1500

수 신 : 장관(국연,아서,정홍)

발 신 : 주 미얀마 대사

제 목 : 북한 외교부 유엔관계 담화

대:AM-0112,0118

1. 본직은 5.29 주재국 외무부 우바뷴 국제기구 조약국장에게 대호 북한 외교부의 성명과 아국 외무부 대변인 성명 내용을 설명하였으며, 이에대해 동 국장은 북한의 태도 변경으로 남북한의 유엔가입 문제의 난관이 해소된 것은 잘된일로 본다는 견해를 피력하였음. 한편 본직이 접촉한 당지 외교단들도 대체로 북한의 태도변경은 잘된일이며, 그간 한국측의 외교적 노력에의한 국제사회의 압력에북한이 어쩔수 없이 굴복한 것으로 본다는 반응들이었음.

2. 당관은 아국 외무부 대변인 논평내용을 긴급 PRESS RELEASE 로 작성 5.29 주재국 정부 요로및 외교단, 외신기자단에 발송함

(대사 김항경-국장)

예고:91.6.30 까지

국기국   차관   1차보   2차보   아주국   외정실

PAGE 1

91.05.30   18:09
외신 2과 통제관 BA
0133

외 무 부

종 별 :

번 호 : NRW-0364　　　　　　　　　　　일 시 : 91 0530 1620

수 신 : 장 관(국연,구이,기정동문)

발 신 : 주 노르웨이 대사

제 목 : 북한 유엔가입결정 반응

　　1. 주재국 외무부 RAVN 유엔과장은 5.30. 북한측의 유엔가입 결정에 대단히 만족하며 남북한이 금년 유엔총회에 동시 가입함으로서 장차 한반도 통일문제에 긍정적인발전이 있게되기를 바란다고 논평하였음. 동 과장은 한국의 주장이 국제사회에서 광범하게 받아들여져 있는 현실앞에서 북한이 택할 다른 선택이 없었기 때문으로 본다고 덧붙였음

　　2. 5.30. 당지 언론은 얼마전까지만해도 불가능한 것으로 생각된 한국 (북한포함)의 유엔가입은 이제 북한이 마지못해 유엔가입을 결정함으로서 가능하게되었다는 요지의 논평을 게재하였음. 동 논평은 한국통일이 독일과 달리 이루어지지 못하는 이유는 김일성의 화석화된 정권 때문이라고 지적하였음.끝

　　(대사 김병연-국장)

국기국　　1차보　　구주국　　문협국　　안기부

Ζ

외 무 부

종 별 : 긴 급

번 호 : HKW-2079   일 시 : 91 0530 0005

수 신 : 장관(구이, 국연, 아이, 정이, 기정)

발 신 : 주 홍콩 총영사

제 목 : 몰타외무장관 홍콩경유

본직은 금 5.29. 저녁 당지도착한 몰타외무장관을 공항영접하였는바, 몰타외무장관이 방북관련 언급 내용 주요요지를 하기보고함

　1. 유엔가입문제

　0 북한이 유엔에 가입키로 결심하게 된것은 소련측의 무언의 압력과 중국측의 압력도 있지만 국제정세 전반에 비추어 더이상 고립될수 없다는 생각에서 태도를 바꾼것으로 판단되며, 발표시기는 유엔총회의장인 본인의 방북시점에 맞춘것으로 보임

　0 남북한이 유엔가입 신청시 남북한(남. 북한 유엔대표부간)이 협의하여 동시제출하여 일건 처리토록하는 방한을 강구함이 좋겠다는 것이 개인적인 생각임

　2. 김일성과는 금일 오전 1 시간 가량 면담하였는바, 김은 남. 북한 문제뿐만아니라 국제정세 흐름에 관하여도 잘알고 있다는 느낌을 받았음

　3. 북한외무장관과는 2 시간 회담과 만찬, 오찬을 각 1 회가졌음. 끝

　　(총영사 정민길-국장)

검 토 필 (1991. 6. 30.)
검 토 필 (1992. 6. 30.)

구주국 안기부	장관	차관	1차보	2차보	아주국	국기국	정문국	청와대

PAGE 1   91.05.30   06:10

외 무 부

종   별 :

번   호 : MAW-0780   일   시 : 91 0530 1700

수   신 : 장관(국연,아동,아이)

발   신 : 주 말련 대사

제   목 : 남북한 유엔 가입

    대:AM-0118

    연:MAW-0707

    1. 본직은 5.30 CHOO 외무부 아주국장에게 북한의 UN 가입신청 결정을 통보하는 한편 그동안 아국 UN 가입 문제에 대한 말련측의 확고한 지지도 북한의 이러한 정책 변경에 도움이 된것으로 평가한다고 언급, 이에대한 사의를 표명함.

    2. 이에대해 CHOO 국장은 연호와 같이 이붕 총리 방북시 중국이 남북한 유엔가입문제에 대해 북한의 입장을 지지하지 않고 중립적 입장을 표명한것이 북한입장 변화에 기여한 것으로 본다고 언급하는 한편 이러한 중국의 중립적 태도 견지는

    가. 한반도의 현상유지와 안정을 바라는 중국의 기존 정책

    나. 중국이 한국과 경제를 비롯한 제분야에서의 CONTACT 를 계속하고자 하는 희망

    다. 중국이 명분없는 거부권 행사를 희피하여 국제사회의 합리적이고 책임가 있는 구성원임을 보임으로써 아세안을 포함한 지역 공동체에 영입되고자 하는고려등 요인에 기인한것으로 평가함. 끝

    (대사 홍순영-국장)

    예고:91.12.31 일반

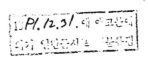

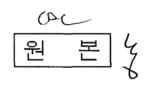

외 무 부

종 별 :

번 호 : AUW-0422

일 시 : 91 0530 1730

수 신 : 장관(국연,아동)

발 신 : 주호주대사

제 목 : 유엔가입

EVANS 외상은 5.29 주재국 상원 질의응답 시간에, 정식으로 유엔가입 신청서를 제출할 것이라는 5.28. 자 북한 외교부 발표에 대한 논평을 요구하는 질문에 대한 응답에서 북한의 발표는 'VERY POSITIVE, VERY IMPORTANT AND VERYWELCOME' 한 소식이라고 이를 환영하면서, 금번 북한의 유엔가입 신청 결정으로 한국의 조속한 유엔가입 가능성이 한층 높아졌으며 남북한 유엔동시가입은 한반도 긴장완화에 기여하게될것이라고 언급하였음을 보고함. 끝.

(대사 이창범-국장)

국기국	장관	차관	1차보	2차보	아주국	청와대	안기부	정책실

PAGE 1

91.05.30 20:29 DF

외신 1과 통제관

0137

관리
번호 : 91
-3694

외 무 부

종 별 :

번 호 : NDW-0909

일 시 : 91 0530 1800

수 신 : 장관(국연, 아서)

발 신 : 주 인도 대사

제 목 : 유엔가입문제관련 북한태도 변경에 대한 주재국정부 반응

주인도 대사

연:NDW-0905

대:AM-0118

1. 본직은 금 5.30 주재국 외무부 RAO 국장과 오찬기회에 대호에 따라 상황을 설명하면서(RAO 국장은 먼저 북한이 돌연히 완강한 종래입장을 후퇴하게 된 배경을 타진했으므로), 북한이 그와같이 후퇴한 것은 직접적으로는 (여러사람들이 이야기하고 있는 바와 같이) 중국이 북한입장을 무조건 지지할수 없다는 것이드러나기 때문인 것으로 보이지만 인도를 포함해서 여러 주요 국가들이 한국측입장을 분명히 지지함으로써 한국의 단독가입전망이 분명해졌기 때문이 아닌가본다고 말하였음. 그에 대하여 RAO 국장은 동감이라고 하면서 인도로서도 지난번 북한 부주석 이종옥이 인도를 방문했을 때 인도로서는 보편성원칙에 따라 유엔에 가입을 희망하는 국가는 받아들여야 한다는 입장을 분명히 강조하였고 이미그때 북한측은 자기들 입장 지지를 인도측에게 강하게 설득해 보려는 자세가 전보다는 훨씬 덜 집요하다는 것으로 느꼈었다고 말하였음.

2. (본직이 인도정부의 공식코멘트 여부에 관하여 물은바) RAO 국장은 인도정부로서는 기자질문에 답변하는 형식으로 인도의 공식입장을 밝히게 될 것이라 하고, 기자들 질문에 대한 답변 참고자료로 이미 다음과 같은 요지의 입장을 주재국 외무부 대변인에게 제출하였다 함.(주재국 외무부 대변인은 매일 오후 4 시부터 약 30 분간 대변인실에서 대기자 브리핑제도가 있으며 이 기회에 질의및 답변기회가 있음)

가. 인도는 보편성원칙에 따라 유엔에서 KOREAN REPRESENTATION 을 지지해 옴.

나. 인도는 이문제 관련 남북한이 가능한한 합의한 상황하에서 유엔가입을 하게 될 것으로 희망하여 왔으며 북한의 유엔가입 표명은 종래 한국의 입장과 일치하는 것으로

국기국   장관   차관   1차보   2차보   아주국   정와대   안기부

91.05.30   22:17
외신 2과 통제관 CH
0138

봐서 반가운 일임.

   (대사 김태지-국장)

   예고:91.12.31. 일반

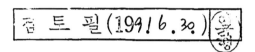

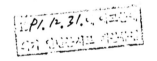

PAGE 2

관리
번호 : 91
      -360

원 본

외 무 부

종 별 : 지급

번 호 : JAW-3353

수 신 : 장관(국연,아일)

발 신 : 주 일 대사(일정)

제 목 : 유엔가입

일 시 : 91 0530 1826

대:WJA-2458

연:JAW-3293

1. 연호 관련 , 금 5.29(목) 오후 당관 남공사는 외무성 "단바"국련국장을 방문, 대호에 따라 그간 일측의 지원과 협조로 북한의 유엔가입 신청서 제출을 결정하게 된데 사의를 전달하고, 아국은 앞으로도 핵심 우방국인 일본과의 긴밀한 협조하에 유엔가입 문제를 매듭지을 것이라고 말하였음.(일측 "오오노"국련과담당관, 아측 박승무 정무과장 배석)

2. 이에대해 "단바"국장은 작 5.29. 관방장관 담화에서도 밝힌바와 같이, 일정부로서는 기본적으로 금번 북한의 유엔가입 신청 결정을 환영한다고 말함. 동국장은 이에 개인적인 의견이라고 전제하고, 북한의 금번 유엔가입 신청결단은북한을 둘러싼 국제정세를 자기 나름대로 판단, 현 상태로는 북한이 점점 고립된다는 인식을 하게된데 있는 것으로 본다고 말하고, 북한이 고려한 중요한 판단재료는 쏘련 및 중국측 태도였으며, 그밖에 일측이 북한에 취한 태도도 영향을 준것으로 생각한다고 언급함. 또한, 동 국장은 금번 북측의 결정은 종래 북측 방침의 대전환인바, 이와같은 결정에 맞추어 핵문제에 대해서도 북측이 같은 결단을 내리도록 기대하고 있다고 말함.

3. "단바"국장은 금후 남. 북한이 유엔가입 신청시 절차상 문제에 대학 일측이 할수있는 협력을 하겠다고 하면서, 한국의 유엔가입은 확실하므로 한국의 가입후 유엔문제에 관해 한국측과 긴밀히 협력해 나겠다고 말함.

4. 한편, 당관 남공사는 금일 오전 다니노 아주국장을 접촉, 유엔문제에 대한 일측의 협력에 사의를 표하였음. 끝.

(대사 오재희-국장)

국기국   장관   차관   1차보   2차보   아주국   정와대   안기부

PAGE 1

91.05.30 19:40

외신 2과 통제관 BA

0140

예고:91.12.31. 일반

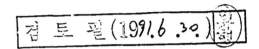

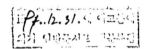

PAGE 2

관리 번호	91 -551

외 무 부

종   별 : 지 급

번   호 : UNW-1418   일   시 : 91 0530 1830

수   신 : 장관(국연,기정)

발   신 : 주 유엔 대사

제   목 : 북한가입 신청결정(CG 국가반응)

   연:UNW-1392,1408

   연호관련, 금 5.30 일본및 불란서 대표부로 부터 입수한 일본정부 대변인 발표문(영문) 과 불란서 외무성 코뮤니케(불문)을 별첨 FAX 송부함.

   첨부:상기 FAX 2 건:UNW(F)-235

   끝

   (대사 노창희-국장)

19 의거 연관문서보존문앰 일반 91.12.31

검 토 필(1991. 6. 30. 3)

국기국	장관	차관	1차보	2차보	미주국	청와대	안기부

COMMENT MADE BY CHIEF CABINET SECRETARY ON

NORTH KOREA'S DECISION TO APPLY FOR MEMBERSHIP OF

THE UNITED NATIONS

1.   THE GOVERNMENT OF JAPAN HAS TAKEN THE POSITION THAT IT

IS DESIRABLE FOR THE REPUBLIC OF KOREA (SOUTH KOREA) AND THE

DEMOCRATIC PEOPLE'S REPUBLIC OF KOREA (NORTH KOREA) TO ENTER

THE UNITED NATIONS SIMULTANEOUSLY AS A TRANSITIONAL MEASURE

TOWARD THE UNIFICAITON OF THE KOREAN PENINSULA, AND FROM THE

STANDPOINT ALSO OF ENHANCING THE U.N.'S PRINCIPLE OF UNIVER-

SALITY.   FROM SUCH A VIEWPOINT, THE GOVERNMENT OF JAPAN

0143

R12132-02

WELCOMES AND HIGHLY VALUES THE FACT THAT NORTH KOREA HAS
DECIDED TO APPLY FOR SIMULTANEOUS ENTRANCE IN THE UNITED
NATIONS, EVEN THOUGH IT IS A TRANSITIONAL POLICY.

THE JAPANESE GOVERNMENT STRONGLY HOPES THAT THE
SIMULTANEOUS U.N. MEMBERSHIP OF THE TWO KOREAS WILL BE
ACHIEVED AND THAT RELAXATION OF TENSION IN THE KOREAN
PENINSULA WILL BE FURTHER PROMOTED.

2.   MEANWHILE, IN CONNECTION WITH THE NEGOTIATIONS ON NOR-
MALIZING RELATIONS BETWEEN JAPAN AND NORTH KOREA, THE
GOVERNMENT OF JAPAN EMPHASIZED TO THE NORTH KOREAN SIDE AT
THEIR RECENT THIRD ROUND OF TALKS THAT IT IS DESIRABLE FOR
NORTH AND SOUTH KOREA TO APPLY FOR U.N. MEMBERSHIP SIMULTA-
NEOUSLY AND THAT JAPAN REGARDS THIS AS ONE OF THE MOST
IMPORTANT ISSUES.

THE GOVERNMENT OF JAPAN REGARDS NORTH KOREA'S AGREEMENT
TO SIMULTANEOUS MEMBERSHIP AS A PLUS FACTOR IN PROMOTING THE
NEGOTIATIONS FOR NORMALIZING THE RELATIONS BETWEEN NORTH
KOREA AND JAPAN. THE GOVERNMENT OF JAPAN HOPES THAT
PROGRESS BE MADE IN THE ISSUE OF NUCLEAR DEVELOPMENT IN
NORTH KOREA (THE CONCLUSION OF IAEA SAFEGUARDS AGREEMENT),
THE SOUTH-NORTH KOREAN DIALOGUE AND OTHER ISSUES, AND ALSO
CREATING AN ENVIRONMENT FOR PROMOTING NEGOTIATIONS TO NOR-
MALIZE DEPLOMATIC RELATIONS BETWEEN NORTH AND SOUTH WILL
MAKE PROGRESS, AND IT INTENDS TO GO ON CONDUCTING NEGOTIATIONS
WITH TENACITY IN THE FUTURE.

4 — 2

0144

Mission Permanente de la France
auprès des Nations Unies
One Dag Hammarskjold Plaza
245 East 47th Street
New York, N.Y. 10017

29 Mai 1991

TELECOPIE N° 101

URGENT

DESTINATAIRE(S) : - MISSION PERMANENTE D'OBSERVATION
                       DE LA REPUBLIQUE DE COREE

TELECOPIEUR NO : 371.8873

A L'ATTENTION DE : M. BYUNG SE YUN

OBJET : FRENCH MINISTRY OF FOREIGN AFFAIRES COMMUNIQUE

ON DPRK'S ANNOUNCEMENT (FRENCH VERSION).

AS AGREED./.

J.P. LACROIX

2   page(s)

4-3

0145

L'ANNONCE D'UNE EVOLUTION DE LA POSITION DE LA RPDC
CONCERNANT LA QUESTION DE L'ADHESION DE LA COREE A L'ONU EST
ACCUEILLIE AVEC SATISFACTION PAR LES AUTORITES FRANCAISES.
L'INTENTION DE LA COREE DU NORD DE PRESENTER OFFICIELLEMENT
SA CANDIDATURE A L'ONU OUVRE LA VOIE A UNE PROCHAINE
REPRESENTATION PLEINE ET ENTIERE DU PEUPLE COREEN AU SEIN DE
L'ORGANISATION. CETTE PERSPECTIVE CONFORME AU PRINCIPE
D'UNIVERSALITE DE L'ONU REPOND NON SEULEMENT A L'ATTENTE DU
PEUPLE COREEN MAIS EGALEMENT AUX VOEUX EXPRIMES PAR LA
FRANCE A LA COMMUNAUTE INTERNATIONALE.

NOUS SOMMES EN EFFET CONVAINCUS QUE LOIN DE
PERPETUER LA DIVISION DE LA PENINSULE, L'ENTREE DES DEUX
COREE A L'ONU CONTRIBUERA A LA DETENTE DANS CETTE REGION DU
MONDE ET, EN FOURNISSANT UN LIEU DE DIALOGUE SUPPLEMENTAIRE
ENTRE LES DEUX ETATS DIVISES, FAVORISERA LEUR RECONCILIATION
ET A TERME LEUR REUNIFICATION. LA FRANCE EXPRIME L'ESPOIR
QUE CETTE DECISION POSITIVE ET REALISTE DE PYONG YANG, QUI
RESULTE LARGEMENT DES EFFORTS DEPLOYES PAR LA REPUBLIQUE DE
COREE AVEC LE SOUTIEN DE LA COMMUNAUTE INTERNATIONALE, SE
TRADUIRA EGALEMENT PAR UNE REPRISE DU DIALOGUE INTERCOREEN.

4-4

0146

官房長官コメント

平成三年五月二十八日

一、日本国政府としては、南北朝鮮の国連加盟問題につき、かねてより、朝鮮半島の統一に至る過渡期の措置として南北が同時加盟することが、国連の普遍性の原則を高めるとの見地からも望ましいとの立場を取ってきたところ、今般、北朝鮮が暫定的措置ながら国連同時加盟の方針を固めたことを、かかる観点から歓迎し、評価する。

今後、南北同時加盟が実現し、それにより、朝鮮半島の緊張緩和が一層促進されることを強く期待する。

二、一方、日朝国交正常化交渉との関係では、先般開催された第三回会談において、我が国が重視する項目の一つとして、北朝鮮側に対し、南北の国連同時加盟が望ましい旨働きかけたところである。

今般、北朝鮮が同時加盟に応じてきたことは、⟨日朝国交正常化交渉⟩を促進する上でもプラスとなるものと考えており、政府としては、今後、更に、北朝鮮の核開発の問題（ＩＡＥＡ保障措置協定の締結）及び南北対話等が進展し、⟨正常化交渉⟩を促進するための環境醸成が一層進むことを期待するとともに、今後とも粘り強く交渉に臨んでいく所存である。

공 란

공   란

공 란

공   란

공   란

공 란

공   란

공   란

공   란

공   란

공 란

공   란

공 란

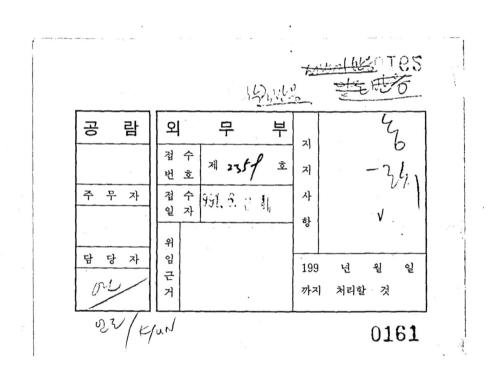

공 람	외 무 부		지지사항	남-24 1 √
주 무 자	접수번호	제 2351 호		
	접수일자	991. 5. 31		
담 당 자	위임근거		199 년 월 일 까지 처리할 것	

0161

배 부 처

기 획 실		미 주 국		국제 경제국		외 연 원	
의 전 실		구 주 국		통 상 국		총 무 과	
특 전 실		중 아 국		정 문 국		감사관실	
아 주 국		국제기구 조 약 국	✓	영 교 국		여 권 과	

0162

EMBASSY OF INDIA
C. P. O. BOX 3466, SEOUL
TEL : 798-4257, 798-4268
TELEX: K24641 INDEMB
FAX : 796-9534

भारतीय एजदूतावास
सिओल

No.SEO/306/1/91   May 31, 1991.

     The Embassy of India in Seoul presents its compliments to the
Ministry of Foreign Affairs of the Republic of Korea and has the honour
to convey the following Statement by the Government of India regarding
the Democratic People's Republic of Korea's decision to apply for U.N.
membership:

QUOTE

     The Government of India have consistently supported the
principle of universality of membership of the United   Nations
and the aspirations of the Korea people to be represented in the
world body. We are happy that both the ROK and D.P.R.K. authorities
have now decided to apply for U.N. membership. We hope that their
entry into the United Nations will further promote the process of
peaceful dialogue and reduction of tensions in the Korean peninsula.

                  · UNQUOTE

     The Embassy of India avails itself of this opportunity to
renew to the Ministry of Foreign Affairs of the Republic of Korea
the assurances of its highest consideration.

Ministry of Foreign Affairs
Republic of Korea,
SEOUL.

0163

외 무 부

관리
번호 91
-371

종 별 :

번 호 : BLW-0406

수 신 : 장관(국연,동구이,기정동문)

발 신 : 주 불가리아 대사대리

제 목 : 유엔가입

일 시 : 91 0531 1540

당관 방참사관은 5.3(금) 주재국 외무부 BAEV 유엔 및 군축국장 방문시, 북한의 유엔가입 신청 관련, 의견을 교환한 바 요지 다음같이 보고함.

1. 최근 북한의 유엔가입 신청의사 표명 배경에 관한 의견을 문의한 바, 동국장은 최근 소련의 아국의 유엔가입에 관한 입장지지와 중국의 아국 입장지지 태도가 동배경이 되었을 것이라고 하고, 아국의 유엔가입에 관한 입장이 합리적이고 논리적이었다는 점에서도 동배경을 찾을 수 있다고 말함., 2. 방참사관은 유엔 가입신청과 관련, 북한의 태도를 변경시키게 된 것은 소.중 양국의 역할외에도 불가리아를 포함한 아국우방국의 아국입장 지지 표명에도 있었을 것으로 본다고 하고 특히, 최근 방한한 VULKOV 외무장관이 아국 외무장관과의 회담에서 아국의 유엔가입에 관한 입장을 적극 지지하겠다고 밝힌 것은 아주 시의 적절하였으며, 북한의 입장 변화에도 중요한 역할을 하였을 것으로 본다고 강조하고, 사의를 표함.

3. 동국장은 작주(5.22-25 간) 방불한 중국외무부 국제기구회의국 TZIN HWA SUNG 국장과 유엔활동에 관한 협의 회의를 가진바 있다고 하고, 동회의에서 한국의 유엔가입문제에 관하여도 논의했는 바, 동석상에서 중국은 한국의 유엔가입 신청에 대하여 거부권을 행사하지 않을 것이라고 밝힌바 있었다고 알려줌.

4. 금년 유엔총회 및 안보리에서 아국과 북한의 유엔가입신청에 관한 예상표결 결과에 관하여 문의한바, 동국장은 남북한 관계의 특수성 때문에 어느 일방이 단독 신청하게 된다면 표결에 부쳐지게 될 것이나, 북한도 한국과 동시에 가입 신청하기로 결정하였기 때문에 유엔헌장의 보편성원칙에 따라 만장일치의 ACCLA MATION 으로 통과될 것으로 예상한다고 말하고, 과거 주권국가의 유엔가입신청시 여사한 방법이 유엔총회 및 안보리에서의 관례였다고 부언함. 끝.

(대사대리 방병채-국장)

국기국	장관	차관	1차보	2차보	구주국	정와대	안기부

PAGE 1

91.06.01   03:18

외신 2과 통제관 CF

0164

예고:91.12.31. 일반

검 토 필 (1991.6.30.) (인)

01.12.31

외 무 부

관리번호 91 ~ 3720

종 별 :

번 호 : JMW-0292   일 시 : 91 0531 1840

수 신 : 장관(국연,정홍,미중)

발 신 : 주 자메이카 대사

제 목 : 유엔가입 반응

연:JMW-0288

대:AM-0115

1. 금 5.31 자 주재국 DAILY GLEANER 지는 대호 당관이 제공한 북한의 유엔가입 결정 관련 아국 외무부 성명을 게재한 기사에서 동 북한 태도 변화의 배경을 자세히 설명하고 이를 한국 외교의 성과로 평가하면서 당지 주재 북한대사관 한인호 참사관의 반응을 동시 게재하였는바, 동 북한대사관 반응 아래와 같음(전문 차파견 송부)

-북한은 한국이 유엔가입을 추진하는 상황에서 스스로의 이익보호를 위해 불가피하게 유엔가입 결정을 하게 되었음

-남. 북한이 별도의 의석으로 유엔에 가입하자는 한국의 주장은 남. 북한의 분단을 영속화하자는 의도를 갖고 있음

-북한은 고려연방제하에 남. 북한 유엔 단일의석 가입을 주장하여 왔으나 한국이 이를 거부하여 왔음

-한민족은 하나의 민족이며 하나의 문화인바, 한국의 별도의석 유엔가입은 큰 실수이며 역사와 후세는 한국의 책략을 용서치 않고 이를 기록할것임

2. 한편 당지 주재 쏘련대사관 SEMENOV 참사관은 작 5.30 본직과 볼리비아 대사환송 리셉션에서 접촉시 북한의 유엔가입 신청결정에 관해 말하면서 제반상황을 감안 한국이 북한을 흡수 통일하게 될 날이 멀지 않았다는 평을 함. 끝

(대사 김석현-국장)

예고:91.12.31.일반

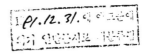

검 토 필 (1991. 6. 30)

국기국   차관   1차보   2차보   미주국   문협국   정와대   안기부

외 무 부

관리 91
번호 -3723

종 별 :

번 호 : SUW-0125　　　　　　　　　일 시 : 91 0531 1530

수 신 : 장관(국연),사본:주유엔대사(중계필)

발 신 : 주 수리남 대사

제 목 : 유엔가입문제

대:AM:-0118,0121

1. 대호 지시에 따라 본직은 외무성 LEEFLANG 국제기국국장과 접촉시 북한의 유엔 가입 신청발표및 남북한 유엔동시가입을 위한 한국정부의 외교적 노력및 배경을 설명하였음.

2. LEEFLANG 국장은 한국정부의 남북한 유엔동시가입을 위한 외교적 노력및 성과에 치하의 뜻을 표하고 남북한의 동시 유엔가입이 한반도에서의 긴장완화의 계기가 되고 한국정부의 계속적인 유엔기구에서의 주요한 역할및 개도국과의 긴밀한 협력관계가 있기를 희망한다고 언급하였음.

3. 주재국은 과도정부로서 5.25. 총선거를 실시하였으며 국회개원, 국회의장 선출, 대통령선출, 내각구성등 정치일정이 계속되고있어 정부 고위층에게 대호 홍보는 당분간 어려우며 주재국은 8 월말 유엔총회 참가 대표단 구성(예년에는 대통령이 유엔총회에 참석하였음)할 예정임에 비추어 신내각 수립되는대로 주재국 고위층및 외무장관에게 대호 내용을 홍보 위게임.주요기관에는 당관 NEWS LETTER 를 작성, 배포하였음.

4. 당관주도하에 교민및 한인단체를 주측으로한 분기별 정책협의회 개최시(6 월말 예정)대호 유엔가입을 위한 외교적노력 성과통보 및 주재국 총선거 관계 해설을 전개할 예정임을 보고함. 끝.

(대사 김교식-장관)

예고:91.12.31. 일반

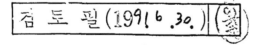

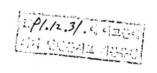

국기국　　장관　　차관　　1차보　　2차보　　미주국　　정와대　　안기부

PAGE 1　　　　　　　　　　　　　　　　　　　91.06.01　　08:01
　　　　　　　　　　　　　　　　　　　　　　외신 2과　통제관 DO
　　　　　　　　　　　　　　　　　　　　　　　　0167

외 무 부

관리번호 71 —3713

종 별 :

번 호 : ITW-0819

일 시 : 91 0531 1030

수 신 : 장관(국연,구일,기정,김석규주이태리대사)

발 신 : 주 이태리 대사대리

제 목 : 유엔가입(사의 표명)

대 WIT-0595

표제건 5.28. 당관 황부홍공사는 우선 주재국 외무성 정무총국 FERRI 아주국장을 접촉, 금번 북한의 유엔가입신청 결정 관련 아국정부의 심심한 사의를 전달하였음.

이에 대해 동국장은 먼저 금번 DE MICHELIS 외상의 좋은 방한 성과에 만족을 표명한 후, 금번 유엔가입결정은 그간 아국과 이태리등 우방국들의 일관된 공동입장이 관철된 것으로서 주재국으로서는 금번 유엔가입 결정에 대해 매우 HAPPY 하다고 언급하고, 이러한 결정이 앞으로 아국의 통일달성을 위한 좋은 계기가될것으로 본다고 하면서 이를 위해 아국과 계속 긴밀히 협조 위게임을 표명함. 끝

(대사대리 황부홍-국장)

예고:91.12.31. 일반

검 토 필 (1991. 6. 30)

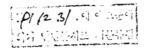

국기국	차관	1차보	2차보	구주국	구주국	정와대	안기부

PAGE 1

91.05.31   18:43

외신 2과 통제관 BA

0168

관리
번호 91 -3112

외 무 부

종 별 : 긴 급

번 호 : GEW-1158   일 시 : 91 0531 1630

수 신 : 장관(국연,구일,정일)

발 신 : 주 독 대사

제 목 : 독일 대통령 면담

대:WGE-0822

연:GEW-1157

연호로 보고한바와 같이 본직은 5.29. 주재국 정부주최 고속전철 ICE 개통기념 행사장 향발 특별열차 내에서 바이체커 대통령을 약 40 분간 면담한바, 그내용을 다음 보고함. (동 면담에는 김종구 고속전철사업 기획 단장이 동석하였으며, 독일측은 GUENTHER KRAUSE 교통장관및 PFAFFENBACH 대통령실 보좌관이 배석함)

1. 본직은(897)먼저 지난 4 월 공관장회의 참석차 귀국시, 노대통령을 뵐 기회가 있었는바, 노 대통령은 바이체커 대통령의 방한성과에 대해 매우 만족해 하셨다고 말함. 이에 바이체커 대통령은 자신도 허심탄회한 정상회담에 매우 만족 하였으며, 노대통령의 극진한 환대에 사의를 표한다고 하고, 이러한 뜻을 노 대통령 각하에게 전달해 줄것을 당부함

2. 이어서 바이체커 대통령은 방한시 판문점을 방문하였을때 중립국 감시위원단의 체코, 폴란드 대표가 자신을 마치 자기나라 대통령을 영접하는 것과 같이 극히 우호적이고도 정중하게 영접한바 있다고 하면서, 이러한 체코, 폴란드 대표의 정중한 태도는 과거 독일의 이들 양국과의 관계에 비추어 볼때, 동구의 민주화 이전의 시기였다면 불가능한 일이었을 것이라고 말함.

동 대통령은 이러한 변화는 바로 동,서간 화해와 협조의 분위기가 이룩되고있는 실례라고 지적하고, 북한도 이러한 동구의 변화를 본받아 진정 개방과 민주화를 추진해 나가야 할것이라 말함

3. 본직은 또한 기회에 아국의 유엔가입 건과 관련, 금번 북한도 유엔에 가입키로 결정하였는바, 이러한 북한의 태도변화는 독일을 포함한 우리의 우방 제국의 아국입장에 대한 확고한 지지표명과 대중국 설득노력등 적극적인 지원과 협조가

국기국   장관   차관   1차보   2차보   구주국   외정실   정와대   안기부

PAGE 1   91.06.01   03:30

외신 2과 통제관 CF

0163

있었기 때문이라고 말함. 특히 독일정부가 EC 국가중에서도 북한및 중국 설득을 위해 주도적이며 적극적인 노력을 기울인 것은 바이체커 대통령이 방한시 정상회담과 외무장관 접견시에 아국의 유엔가입에 대해 공개적이며 강력한 지지를 밝힘으로서 비롯된 것으로 생각하며, 동 대통령에게 깊은 사의를 표한다고 말함

4. 이에 대하여 바이체커 대통령은 북한으로서도 유엔가입에 관한 종래 그들의 입장이 국제사회의 이해와 지지를 받을수 없음을 인식함에 따라 금번과 같은 결정을 내리지 않을수 없었던 것으로 본다고 말하고, 이는 노 대통령이 그간 꾸준히 추진해온 북방정책의 큰 성과이며 큰 외교적 성과를 충심으로 축하한다고말함. 끝

(대사-장관)

예고:91.12.31. 일반

검 토 필 (1991.6.30)

외 무 부

종 별 :

번 호 : COW-0254　　　　　　　　　일 시 : 91 0531 1710

수 신 : 장관(국연,미중)

발 신 : 주 코스타리카 대사

제 목 : 유엔가입 사의표명

대: WCO-0107

1. 당관은 금 31 일 외무성 CONEJO 대외정책국장 및 ALVAREZ 한국과장을 면담, 대호 유엔가입관련 설명하고 사의를 표명하였음(공한전달).

2. 본직은 칠레에서 개최되는 제 21 차 OAS 회의 참석차 출국한 NIEHAUS 외상 귀국후(6.11 일 면담약속), 동건 설명하고 주재국 지지에 사의 표명 위계임.끝.

(대사 김창근-국장)

예고:91.12.31 일반

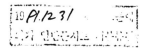

검 토 필(1991.6.30)

국기국　　미주국

관리 91
번호 —3725

외 무 부

종 별 :

번 호 : IDW-0157

수 신 : 장관(국연,구일)

발 신 : 주 아일랜드 대사

제 목 : 유엔가입(사의표명)

일 시 : 91 05311720

대:WID-136

1. 대호관련 우선 JOHN KIRWAN 외무장관 보좌관을통해 COLLINS 외무장관에게 우리정부의 사의표명하였음.

2. 아울러 WHELAN 아태국장및 SWIFT 유엔국장에게도 사의를표하였음. 끝
(대사민형기-국장)

예고:91.12.31 일반

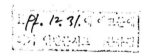

검 토 필(1991.6 30.)

91. 12.31. 예고문에
의거 일반문서로 재분류

─────────────────────────────

국기국   구주국

PAGE 1   91.06.01   08:00
                                         외신 2과 통제관 FE
                                              0172

외 무 부

종 별 :

번 호 : CZW-0461　　　　　　　　일 시 : 91 0531 1840

수 신 : 장 관(국연,동구이)

발 신 : 주 체코 대사

제 목 : 유엔가입

　　대: WCZ-0427

　　본직은 금 5.31 대통령실 ALEXANDER VONDRA 국제관계담당 보좌관을 면담, 북한의 5.28 유엔가입 결정 발표사실을 알리면서(동 보좌관은 이를 언론 보도를 통해 알고 있다하였음), 그간 체코정부가 시종일관 유엔가입문제에 관한 아국입장을 지지해 준데 사의를 표하고, 아울러 이러한 지지가 결국 북한으로 하여금 가입방침을 결정토록 만든 국제적 여건을 조성하는데 기여한 것임을 부언하였음. 끝.

　　(대사 선준영-국장)

　　예고:91.12.31. 일반

접 도 필(1991.6.30.)

1.91.12.31.에 예고문에
의거 일반문서로 재분류

국기국　　　장관　　　차관　　　1차보　　　2차보　　　구주국　　　청와대　　　안기부

외 무 부

관리
번호 91 -3736

종 별 :

번 호 : ZRW-0289

일 시 : 91 0601 1100

수 신 : 장 관(국연,아프이)

발 신 : 주 자이르 대사

제 목 : 외무성 사무차관 면담보고(1)

대:WZR-0170

1. 본직은 금 5.31(금) 11:00 시 외무성으로 MATUNGUL 사무차관을 방문 면담하고 양국 협력관계에 관하여 의견을 교환하였음. 이자리에서 본직은, 금번 한국유엔가입 노력에대하여 전폭적인 지지를 보내준데대하여 사의를표하고, 특히 북한이 우리의 유엔가입 의지에따라, 그들도 가입을 결정하게된것은 주재국의 아국입장에대한 확고한 지지표명 및 대중국 설득 노력등에 힘입은것이라고 설명하고, 앞으로도 계속적인 지원을 당부하였음

2. 동차관은 본직의 설명에 감사하고, 남북한이 함께 유엔에 가입하게된것은 반가운일이라고 언급하고, 현재고 미래고 한국을 지지하는 자이르 정부의 입장은 확고하다고 답변하였음

3. 이와관련, 아국의 무상원조와관련 기술원조를 요청하였는바, 이는 별도 전문으로 보고하겠음

끝.

(대사 홍승호-국장)

예고:91.12.31. 일반

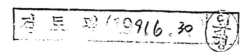

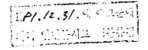

국기국	장관	차관	1차보	2차보	중아국	정와대	안기부

PAGE 1

91.06.03   05:21

외신 2과 통제관 BS

0174

관리 번호	91 —5731	

원 본

외 무 부

종 별 :

번 호 : THW-1202 　　　　　　　　일 시 : 91 0601 1930

수 신 : 장 관(국연, 아동)

발 신 : 주 태 국 대사

제 목 : 유엔가입(사의표명)

　　대 : WTH-0866, AM-0121

　　본직은 5.31 오후 주재국 ANAND 수상의 말련및 싱가폴 방문후 귀국 공항환영 행사에 참석한 기회에 수상, 외무장관대리 및 정무국장을 각각 접촉, 북한의 태도변화를 설명하고 대호 사의를 표명하였는바 이에대한 동인들의 반응요지 아래보고함

　　1. ANAND 수상

　　0 북한이 유엔가입을 신청키로 결정한 소식은 한국외교의 결실이며 아주 잘된 일인것으로 평가됨. 태국은 앞으로도 계속해서 한국과 긴밀한 협조를 해나가겠음

　　0 북한이 대유엔 외교에 있어서 일응 현실적인 방향으로 나가고 있는 것으로 보이는것 같음

　　2. WICHIEN 외무장관대리(외무성부장관)

　　0 아주 잘된일로 높이 평가함

　　3. SAROJ 정무국장

　　0 아주 잘된일로 환영함

　　0 구라파를 방문중인 ARSA 외무장관에게 바로 보고하겠음

　　(대사 정주년-국장)

　　예고 : 91.12.31. 일반

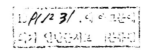

검 토 필 (1991. 6. 30.)

국기국	장관	차관	1차보	2차보	아주국	정와대	안기부

PAGE 1　　　　　　　　　　　　　　　　　　　　　　　91.06.02　　06:12

　　　　　　　　　　　　　　　　　　　　　　　외신 2과 통제관 CA

　　　　　　　　　　　　　　　　　　　　　　　　　　0175

駐스웨덴 北韓大使, 北韓의 對南·對外정책 언급

o 駐스웨덴 北韓大使 전영진(54세)은 6.2 北韓의 對南·對外
   정책 등에 관해 다음과 같이 언급하였음.

   - 北韓의 UN 加入 決定발표는 國內外 狀況변화에 따른 불가
     피한 조치였으나, 北韓은 아직도 UN 에서의 단일의석 共有
     희망을 버리지 않고 있음.

   - 그간 北韓의 對外貿易은 70% 이상을 東歐圈에 의존해 왔는
     데, 최근 蘇聯등 모든나라가 硬貨를 요구하고 있어 外貨難
     이 심각해짐에 따라 불필요한 해외공관은 계속 撤收할 수
     밖에 없음.

   - 특히 아프리카 國家들은 北韓의 많은 援助 (자금, 기술지원
     등)에도 불구하고 政權交替시마다 새로운 요구를 하는 등
     귀찮게 굴었으나, 南北韓 동시 UN 加入시는 동문제가 자동
     해결되어 더이상 미개발국가와의 협력 필요성은 없을 것이
     고 外貨浪費도 없을 것임.

   - 日本은 韓半島 統一을 바라지 않고 있으며, 北韓의 對日本
     修交에는 복잡한 전제 조건들이 많아 빠른 시일내 修交는
     어려울 것으로 보임.

o 南北韓 동시 UN加入시 아프리카 및 제 3세계에 대한 南北韓
   外交경쟁이 해소될 것이라는 北韓大使의 언급은, 향후 北韓의
   外交정책 판단에 좋은 자료가 될 것으로 평가됨.

- 23 -

0176

관리 번호	9/ ~3735	

원 본

외 무 부

종   별 :

번   호 : YMW-0336   일   시 : 91 0602 1400

수   신 : 장 관(국연)

발   신 : 주 예멘 대사

제   목 : 유엔 가입(사의 표명)

대:WYM-0207

　1. 본직은 6.2 SHAY'A MOHSEM 외무차관을 방문, 대호 유엔 가입 신청 결정 배경을 설명한후 주재국 정부의 아국 유엔 가입 입장 지지 표명에 대해 아국정부의 깊은 사의를 전달한다고 말하고 아울러 주재국 정부가 통일 일주년 기념행사 관계로 매우 분주한데도 불구하고 IRIYANI 외상 및 SALEH 대통령과의 특별 면담을 주선, 모든 편의를 베풀어준데 대해 사의를 표명하였음.

　2. 이에 대해 동 차관은 아국 정부의 금번 유엔 가입 신청 결정이 남북한 통일을 위한 전진 STEP 이 되길 바란다고 말하고 예멘 통일 1 주년 기념행사에 고위급 특사를 아국 정부가 파견한데 대해, 그것은 한. 예멘간의 관계가 긴밀해지고 있음을 상징하는것으로서 감사드린다고 덧붙였음. 끝.

　(대사 류 지호-국장)

　예고:91.12.31. 일반

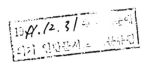

검 토 필 (1991. 6. 30.)

국기국	장관	차관	1차보	2차보	중아국	정와대	안기부

PAGE 1   91.06.02   21:02

외신 2과 통제관 BS

0177

원 본

외 무 부

종   별 :

번   호 : IVW-0300   일   시 : 91 0602 1800

수   신 : 장 관(국연,아프일)

발   신 : 주 코트디브와르 대사

제   목 : UN 가입지지 사의

　　1.　본직은　5.31(금)　이태리대사　주최　리셉숀에서　주재국 ESSY AMARA 외상과ESSIENNE 외무차관을　만나　주재국측의　명시적인　아국 UN 가입에 관한지지와 대다수　국가의　한국지지로　인하여　북한도 UN 가입하겠다는　의사를　발표하였다는사실을 설명하고 한국정부의 사의를 표시하였음

　　2.　동　외상은　아측입장지지는　하나의　확신에　기인한　것이었으며 한국입장이정당한것 이었다고 말하였음. 외상측근에 의하면 외상명의로 외국입장(한국 UN 가입)지지 서한을 보낸것은 극히 예외적인 것이라고 함.끝.

　　(대사 김승호-국장)

　　예고:91.12.31 일반

검 토 필 (1991.6.30.)

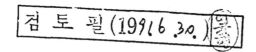

국기국	장관	차관	1차보	2차보	중아국	~~본부관~~	청와대	안기부

PAGE 1   91.06.04   07:35

외 무 부

종   별 :

번   호 : BAW-0303   일   시 : 91 0602 1830

수   신 : 장관(아서,국연,국기,기정)

발   신 : 주 방그라데쉬 대사

제   목 : 외무차관 면담

대:(1)WBA-121

(2)WBA-168, 155, 154, WAAM-37

1. 본직은 금 6.2 ABUL AHSAN 외무차관을 면담하였는바, 결과 아래 보고함.

가. 유엔가입문제

0 우선 본직은 최근 북한의 유엔가입 신청결정은 아국의 적극적인 북방정책추진의 결과이며 특히 소련, 중국등이 동 문제에 대해 태도변화를 보임에 따라북한이 외교적 고립을 탈피하기 위해 어쩔수 없이 취한 조치였음을 설명하고, 그간 주재국이 아국입장을 이해, 지지하여 주었음에 사의를 표하였음.

0 이에 AHSAN 차관은 북한의 결정은 아국외교의 성공적 사례로 간주되며, 남북한의 유엔가입은 한반도의 평화와 안정에 기여할 것으로 기대한다고 말했음.

나. 국제기구에서의 아국 입후보 지지요청

0 이어 본직은 대호(2) UNESCO, IAEA, IMO, FAO 등 국제기구에서 이사국 " 집행위원 선출시 아국을 적극 지지하여 줄것을 요청하였음.

0 이에 동 차관은 현재 아국요청을 호의적으로 검토하고 있는 중이나, 최종결정은 전체적인 입후보 윤곽을 파악한 후 내려야 하므로 다소 시간이 걸릴것이라 함.

다. 태풍피해 원조

0 태풍피해와 관련, 동 차관은 아국의 긴급지원에 심심한 사의를 표했음. 이에 본직은 주재국 국민들이 일치단결하여 엄청난 태풍피해를 조속히 극복해 나가기를 희구하며 아국은 한-방 경제협력 및 인도적 차원에서 적극 지원하고 있다고 설명하였음.

2. 한편 외무성내 인사와 관련, AHSAN 차관은 7 월중 주미대사로 부임할 예정이며, REAZ RAHMAN 국제기구 담당차관보가 차관으로 동차관보 후임에는 FAROOQ SOBHAN 주

아주국	장관	차관	1차보	2차보	국기국	국기국	청와대	안기부

외신 2과 통제관 BS

0179

중대사가 각각 내정된 것으로 알려짐. 또한 최근에는 KHRUSHID HAMID 대사가
아주국장에 전보되었음.
　　(대사 이재춘-국장)
　　예고: 91.12.31 까지

검 토 필 (1991 6. 30.)

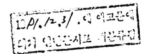

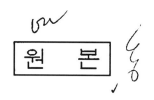

외 무 부

종 별 :

번 호 : MXW-0633　　　　　　일 시 : 91 0603 1640

수 신 : 장 관(국연,미중)

발 신 : 주 멕시코 대사

제 목 : 니카라과 정부 유엔가입 지지성명

대:AM-0115

　　니카라과 외무성은 대호 5.28자 본부대변인 논평에 대하여 6.3.자로 남북한의 유엔가입을 환영한다는 외무성 성명을 발표하고 이를 당관에 통고하여왔기 동 TEXT 를 별첨 보고함.

　　(대사 이복형-국장)

　　(TEXT)

　　COMUNICADO

　　EL MINISTERIO DEL EXTERIOR DE LA REPUBLICA DE NICARAGUA, ANTE LA RECIENTE DECISION DE LOS GOBIERNOS DE LA PENINSULA COREANA DE INGRESAR A LAS NACIONES UNIDAS, HACE DEL CONOCIMIENTO DEL PUEBLO DE NICARAGUA Y LA COMUNIDAD INTERNACIONAL LO SIGUIENTE:

　　NICARAGUA HA SIDO OBSERVADOR INTERESADO DEL DIFICIL PROCESO DE REUNIFICACION DE LA PENINSULA COREANA, QUE CONSTITUYE LA MAXIMA ASPIRACION DE ESE PUEBLO TRADICIONALMENTE AMIGO, Y QUE EN LOS ULTIMOS ANOS, SUS DIRIGENTES HAN DADO MUESTRA DE UNA FIRME VOLUNTAD DE DIALOGO ENCAMINADO A LOGRAR TAL OBJETIVO.

　　EN ESTE CONTEXTO, NICARAGUA SALUDA LA RECIENTE DECISION DE AMBOS GOBIERNOS DE SOLICITAR SU INGRESO COMO MIEMBROS PLENOS DE LA ORGANIZACION DE NACIONES UNIDAS, LO QUE DEBERA CONTRIBUIR A DINAMIZAR EL PROCESO DE RECONCILIACION Y REUNIFICACION DE COREA.

　　IGUALMENTE, EL GOBIERNO DE NICARAGUA MANIFIESTA SU DECISION DE APOYO AL INGRESO DE AMBAS COREAS AL ORGANISMO MUNDIAL, CONVENCIDO DE QUE ELLO PROMOVERA

국기국　　1차보　　미주국　　외정실　　안기부

PAGE 1　　　　　　　　　　　　　　　　　　91.06.04　　09:25 WG

외신 1과 통제관

0181

LA PAZ Y LA SEGURIDAD INTERNACIONAL EN LA PENINSULA COREANA.

DADO EN LA CIUDAD DE MANAGUA A LOS TRES DEL MES DE JUNIO DE MIL NOVECIENTOS NOVENTA Y UNO.끝.

관리 번호	91 -3745

외 무 부

종 별 :

번 호 : AGW-0299

수 신 : 장관(국연,중동이)

발 신 : 주 알제리 대사

제 목 : 남북한 유엔가입문제

일 시 : 91 0603 1600

대 AM-0118,0121

1. 본직은 6.3(월) 외무성 BEREKSI 아주국장을 방문, 아국의 유엔가입입장에 대한 주재국의 지지와 특히 한우석특사 방문시 환대를 베풀어준데 대하여 사의를 표하고 향후에도 계속 우호적인 협조를 당부하였음.

2. 이에 동국장은 북한측의 동시가입결정은 알제리의 부담을 경감(SOULAGER) 시켜주었으며 남북한의 유엔가입은 통일작업추진에도 일대 전기를 이룰것이기에 치하하는바이라고 말하였음. 끝.

(대사 한석진-국장)

예고 1991.12.31 일반.

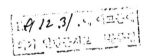

국기국	장관	차관	1차보	2차보	중아국	분석관	정와대	안기부

PAGE 1

91.06.04   01:51

외신 2과 통제관 DO

0183

외 무 부

종 별 :

번 호 : BVW-0190   일 시 : 91 0603 1800

수 신 : 장 관(국연,미남)

발 신 : 주 볼리비아 대사

제 목 : 주재국하원, 외무성에 아국의 유엔가입 지원요청

연:BVW-0169

주재국 하원 외무위원장 JUAN PEREIRA 박사는 주재국 하원이 5.23. 대 행정부 요청공한을 봉하여 외무성으로 하여금, 점증하는 한.볼관계를 감안, 한국의 유엔회원 가입을 위한 한국정부의 요청에 대하여 가입실현을 위해 협력토록 조치하였음을 본직에게 봉보해 왔기 보고함.(동 하원의 대행정부 공한은 5.24. 하원외무위원회를 봉과했으며 다음주중 하원 전체회의를 거친후 외무성으로 이송됨.)끝.

(대사-국장)

예고:91.12.31.일반

검 토 필(1991. 6. 30.)

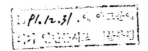

국기국	장관	차관	1차보	2차보	미주국	분석관	정와대	안기부

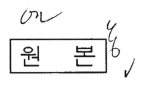

외 무 부

종 별 :

번 호 : UNW-1443   일 시 : 91 0603 1800

수 신 : 장 관(국연,아동,기정)

발 신 : 주 유엔 대사

제 목 : 유엔가입(솔로몬 아일랜드)

솔로몬 아일랜드의 아국유엔가입 지지안보리문서 (5.31 자)가 6.3. 배포되었음.끝

첨부: 상기문서: UNW(F)-240

끝

(대사 노창희-국장)

국기국   1차보   아주국   외정실   안기부

PAGE 1   91.06.04   09:13 WG
                                                외신 1과 통제관

                                                0185

II, UNW(FR)-240 10663 +3
(국연. 아동. 기정) 송.107

UNITED NATIONS

 Security Council

Distr.
GENERAL

S/22662
31 May 1991

ORIGINAL: ENGLISH

LETTER DATED 28 MAY 1991 FROM THE PERMANENT REPRESENTATIVE
OF SOLOMON ISLANDS TO THE UNITED NATIONS ADDRESSED TO THE
PRESIDENT OF THE SECURITY COUNCIL

On instructions from my Government I have the honour to transmit to you the text of a communiqué concerning the application of the Republic of Korea to become a member of the United Nations:

"The Government of Solomon Islands fully supports the desire of the Republic of Korea as indicated in its memorandum circulated as document S/22455 dated 5 April 1991. The Republic of Korea has over the years demonstrated its effective and significant contribution to the international community in the social and economic fields.

The Government of Solomon Islands firmly believes that the admission of the Republic of Korea would further enhance its role and contributions to the international community and to the universal principles enshrined in the Charter of the United Nations."

I should be grateful if you could have the text of the letter circulated as a document of the Security Council.

(Signed) Francis BUGOTU
Ambassador
Permanent Representative

91-17921 2590b (E)

UNW-1443
첨부탁

0186

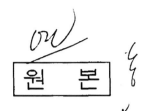

외 무 부

종 별 :

번 호 : UNW-1446 　　　　　　　　　 일 　시 : 91 0603 1800

수 신 : 장 관(국연,미중,기정)사본:주과테말라:본부중계필

발 신 : 주 유엔 대사

제 목 : 안보리문서(온두라스)

　　아국 유엔가입을 지지하는 91.5.30 자 온두라스 안보리문서 (S/22653) 가 금 6.3.
배포된바, 동 문서내용을 별첨송부함.

　　첨부:상기문서: UNW(F)-242

　　끝

　　(대사 노창희-국장)

국기국　　1차보　　　미주국　　　외정실　　　안기부

PAGE 1 　　　　　　　　　　　　　　　　　　　91.06.04　　09:18 WG
　　　　　　　　　　　　　　　　　　　　　　외신 1과　통제관
　　　　　　　　　　　　　　　　　　　　　　0187

UNW(F)-242 10603 1850
(국연·미중·기념)   총 104   **S**

Security Council

Distr.
GENERAL

S/22653
30 May 1991
ENGLISH
ORIGINAL: SPANISH

LETTER DATED 30 MAY 1991 FROM THE PERMANENT REPRESENTATIVE OF
HONDURAS TO THE UNITED NATIONS ADDRESSED TO THE PRESIDENT OF
THE SECURITY COUNCIL

On instructions from my Ministry of Foreign Affairs, I have the honour to
inform you that the Government of Honduras supports the Republic of Korea in
its desire to become a Member of the United Nations during the present year,
as indicated in its memorandum of 5 April 1991 (see document S/22455).

The Government of Honduras is firmly convinced that the Republic of
Korea, as a peace-loving country that maintains a wide range of diplomatic and
friendly relations, will make an effective contribution to the attainment of
the purposes and principles of the United Nations.

I should be grateful if this letter could be circulated as a Security
Council document.

(Signed) Roberto FLORES BERMUDEZ
Ambassador
Permanent Representative

91-17879 2476j (E)

#UNW-1446
첨부물

0188

발 신 전 보

번 호 : WFJ-0093   910603 1817 F0   종별 : _____

수 신 : 주   휘지   대사❖❖청❖❖장사 (사본 : 주유엔대사) JUN-1592

발 신 : 장 관   (국연)

제 목 : 유엔가입 (사의표명)

1. 주유엔 솔로몬 아일랜드 대표부는 아국의 유엔가입을 지지하는
   5.28자 주유엔대사 명의 서한을 안보리 문서로 회람토록 안보리
   의장에게 요청하고 동서한 사본을 아국 대표부에 송부해 옴.

2. 귀직은 적절한 계기에 솔로몬 아일랜드 고위당국자를 접촉 또는
   귀직명의 공한을 통하여, 금번 북한의 유엔가입신청 결정은 동국을
   포함한 우리 우방국들의 아국입장에 대한 확고한 지지표명등이
   주효한 것으로 판단된다는 점을 강조하고, 특히 솔로몬 아일랜드가
   유엔안보리 문서회람을 통해 지지입장을 분명히 밝혀준데 대한
   아국정부의 깊은 사의를 전달하기 바람. 끝.

(국제기구조약국장 문동석)

예고 : 91.12.31.일반.

19 91. 12. 31   수에
의거 일반문서로 구분됨

검 토 필 (1991. 6. 30.)

앙고재	기안자 성명	과 장	국 장	차 관	장 관
91년 6월 3일 4과	송영완				

보안통제

외신과통제

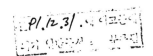

외　무　부

관리
번호 91 -3760

종　별 :

번　호 : UGW-0221　　　　　　　　　　　일　시 : 91 0604 1600

수　신 : 장관(아프이,국연)

발　신 : 주 우간 다대사

제　목 : 외무담당 국무장관 면담

　　1. 본직은 금 6.4. T.KABWEJERE 외무담당 국무장관을 면담, 양국관계 현황에대해 의견교환을 갖고 특히 아국의 금년도 무상원조, EDCF 자금 공여 계획 및 주한명예영사에대한 영사 인가장 발급 사실등을 설명하였음. 또한 본직은 북한의유엔가입 신청결정에 따라 주재국이 아국의 유엔가입도 적극지지 할것으로 기대한다고 말함.

　　2. 동장관은 아국의 각종 원조 제공에 사의를 표하고 양국통상관계에 관심을 표명하였음. 동장관은 북한이 유엔가입을 결정한이상 주재국의 아국 가입지지에 아무런 문제가 없을 것으로 본다고 말함. 끝.

　　(대사 김재규-국장)

　　예고:91.12.31. 일반

　　검 토 필 (1991.6.30)

　　　　　　　　　　　　PI.12.31. 대고요   PI.12.31. 대고요

중아국　　　차관　　　1차보　　　2차보　　　국기국

외 무 부

종 별 : 지 급

번 호 : DMW-0126 　　　　　　일 시 : 91 0604 1904

수 신 : 장 관(미남,미중,국련) 사본:주 유엔대사-중계필

발 신 : 주 도미니카(공)대사

제 목 : 대통령 친서에 대한 답서 접수보고

대:미남 20100-531

1. 대호 대통령 각하의 친서에 대한 주재국 JOAQUIN BALAGUER 대통령의 답서를 금
6.4. 접수한바, 동 요지를 아래와 같이 보고함.

. 대통령 각하께서, 아국정부가 민주주의 공고화를 위한 노력과 더불어 경제
사회분야에서 이룩한 업적을 평가하여 주신데 대하여 매우 감사함.

. 그간 귀국정부의 아국에 대한 쌍무협력은 아국의 발전에 기여하였으며, 따라서
여사한 쌍무협력을 계속 확대하고자하는 각하의 희망표명을 매우 기쁘게 생각함.

. 대한민국과 북한의 유엔 동시가입이 해당 아시아 지역과 더불어 전세계의평화와
안전의 공고화를 위하여 중요함을 깊이 인식하고, 귀국정부의 정당한 노력을 계속하여
지지할 것임.

2. 상기 답서 금주화편 송부함.
(대사 박련-장관)

예고:1991.12.31. 일반

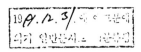

검 토 필 (1991 6. 30.)

원 본

외 무 부

종 별 :

번 호 : POW-0386   일 시 : 91 0604 1900

수 신 : 장관(국연,구이,사본-주유엔대사)

발 신 : 주 폽부갈 대사

제 목 : 유엔가입(사의표명)

대:WPO-0212, AM-0115,0121,0118

1. 본직은 주재국 외무성 고위관계자들에 대해 신임예방 신청중이며, 그 계제에
아국정부의 사의를 전달예정임

2. 당관 주참사관이 우선 6.4 오전 외무성 SANTANA 국제기구국장과, CAFDOSO
아주국장을 면담하고, 대호에 따라 아국정부의 사의를 전달하고, 가입문제
완결시까지의 계속적인 협조를 당부함. 주재국 인사들은 북한이 유엔가입신청으로
기존의 태도를 수정 하여, 그간의 문제가 해결되게된것을 깊이 환영한다고 하면서,
가입실현시 까지의 계속 긴밀한 협조를 다짐하였기 보고함. 끝

(대사조광제-국장)

예고:91.12.31 일반

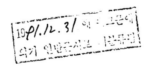

외 무 부

관리 91
번호 ─ 3774

종 별 :

번 호 : PAW-0625   일 시 : 91 0605 1000

수 신 : 장관(아서,국연)

발 신 : 주 파 대사

제 목 : 북한 유엔가입 결정

    본직은 6.3. 현지인주최 만찬에서 SHARYAR KHAN 주재국 외무부 차관및 GOHAR하원의장과 환담하였는바, 다음보고함.

    1. KHAN 외무차관 언급내용

    가. 북한의 유엔가입 결정은 중대한 결정으로서 중국의 영향력이 컸다고 봄. 한국의 가입에 대해 VETO 를 할것을 요청한 북한에 대해 중국은 VETO 권을 행사할수 없음을 분명히 하였기때문임.

    나. 유엔 가입문제 관련 북한에대한 압력을 계기로 중국은 대한국관계에 있어서 변화의 조짐을 보일수 있을것임.

    2. GOHAR 하원의장 언급

    지난 4 월 IPU 평양회의 참석시 평양밖 약 60KM 지점까지 가보았는바, 차량이 별로없고 북한사회가 REGIMENTED 되어있었음. 이런 통제가 김일성 사후까지 존속할지는 의문임.(동인은 평양방문후 귀국 기자회견에서 북한측이 파키스탄 대표단에게 특별한 관심을 갖고 베풀어준 호의에 대해 사의를 표한바있어 당지에서는 북한과의 CONNECTION 이 깊어지고 있는것으로 보고있음). 끝.

    (대사 전순규-국장)

    예고 91.12.31 일반

    검 토 필 (1991 6.30)

    1. P1.12.31. 예 예고준대

이주국   차관   1차보   2차보   국기국   외정실   정와대   안기부

PAGE 1

외 무 부

종   별 : 지   급

번   호 : UNW-1474   일   시 : 91 0605 1920

수   신 : 장 관(국연,미중,기정)사본:주멕시코대사:본부중계필

발   신 : 주 유엔대사

제   목 : 아국유엔가입 지지(니카라과)

　　　당지 니카라과 대표부는 남북한 유엔가입을 지지하는 요지의 6.3.자 자국 외무성 코뮤니케를 6.4.자로 통보해온 바, 동 통보서한을 별첨 송부함.

　　　첨부:상기 통보서한(서,영어본): UNW(F)-247

　　끝

　　(대사 노창희-국장)

국기국　　1차보　　미주국　　안기부

PAGE 1   91.06.06   09:03 WH
                                                   외신 1과   통제관
                                                   0194

UNW(所)-247 10605 ┤20
(국연.미축.기정)

총4대

MISION PERMANENTE DE NICARAGUA
ANTE LAS NACIONES UNIDAS

MN-MIS-081-91
ERI*dag

      La Misión Permanente de Nicaragua ante las Naciones
Unidas saluda atentamente a la Misión Permanente
Observadora de la República de Corea ante las Naciones
Unidas, en ocasión de hacer de su conocimiento el Comunicado
del Ministerio del Exterior de la República de Nicaragua,
referente al interés de su país para ingresar a las Naciones
Unidas como Miembro Pleno. Dicho comunicado textualmente
dice:

COMUNICADO

      "El Ministerio del Exterior de la República
de Nicaragua, ante la reciente decisión de los
Gobiernos de la Península coreana de ingresar a las
Naciones Unidas, hace del conocimiento del Pueblo de
Nicaragua y la Comunidad Internacional lo siguiente:

      Nicaragua ha sido observador interesado del
difícil proceso de Reunificación de la Península
Coreana, que constituye la máxima aspiración de ese
pueblo tradicionalmente amigo, y que en los últimos
años, sus dirigentes han dado muestra de una firme
voluntad de diálogo encaminado a lograr tal objetivo.

      En este contexto, Nicaragua saluda la
reciente decisión de ambos Gobiernos de solicitar su
ingreso como Miembros Plenos de la Organización de
Naciones Unidas, lo que deberá contribuir a dinamizar
el proceso de Reconciliación y Reunificación de Corea.

      Igualmente, el Gobierno de Nicaragua
manifiesta su decisión de apoyo al ingreso de ambas
Coreas al Organismo Mundial, convencido de que ello
promoverá la Paz y la Seguridad Internacional en la
Península Coreana.

      Dado en la Ciudad de Managua a los tres días
del mes de junio de mil novecientos noventa y uno".

UNW-1474
첨부율

4—1

0195

La Misión Permanente de Nicaragua ante las Naciones Unidas aprovecha la ocasión para reiterar a la Misión Permanente Observadora de la República de Corea ante las Naciones Unidas, las muestras de su más alta y distinguida consideración.

Nueva York, 4 de junio de 1991

4-2

TOTAL P.04   0196

MISION PERMANENTE DE NICARAGUA
ANTE LAS NACIONES UNIDAS
820 SECOND AVENUE · 8TH FLOOR · NEW YORK, N.Y. 10017
(212) 490-7997

MN-MIS-081-91
ERI*dag

(UNOFFICIAL TRANSLATION)

The Permanent Mission of Nicaragua to the United Nations presents
its compliments to the Permanent Observer Mission of the Republic
of Korea to the United Nations and has the honour to convey the
information contained in a Communiqué from the Ministry of
Foreign Affairs of Nicaragua, regarding your country's interest
to become a Full Member of the United Nations. The above
mentioned Communiqué reads as follows:

COMMUNIQUE

"The Ministry of Foreign Affairs of the Republic of Nicaragua, in
view of the recent decision of the Governments of the Korean
Peninsula to become Full Members of the United Nations,
communicates the following to the People of Nicaragua and to the
International Community:

Nicaragua has observed with interest the difficult process
of Reunification of the Korean Peninsula. This process
constitutes the utmost aspiration of a people who have
traditionally been friends of Nicaragua, and whose leaders, in
recent years, have demonstrated a firm willingness in conducting
a dialogue focused on achieving said aspiration.

Within this context, Nicaragua welcomes the decision of both
Governments requesting to become Full Members of the United
Nations Organization, development which should contribute to
energize the process of Reconciliation and Reunification of
Korea.

The Government of Nicaragua also wishes to communicate its
decision to support the full membership of both Koreas to the
World Organization, convinced that it will promote Peace and
International Security in the Korean Peninsula.

Given in the City of Managua, on the third day of the month
of June of nineteen ninety one".

4-3

0197

    The Permanent Mission of Nicaragua to the United Nations
avails itself of this opportunity to renew to the Permanent
Observer Mission of the Republic of Korea to the United Nations
the assurances of its highest consideration.

June

4-4

0198

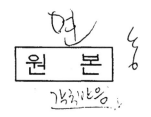

관리	9/
번호	—3788

외 무 부

원 본

종 별 :

번 호 : FJW-0144   일 시 : 91 0605 1930

수 신 : 장관(국기,국연,아동)

발 신 : 주 휘지 대사

제 목 : 아국의 유엔가입 및 IMO,FAO 이사국 입후보

  대:WFJ-0093, 국기 20331-480,20334-720
  연:FJW-0101,0133

  1. 대호 표제관련, 솔로몬 아일랜드 정부에 동 유엔대사가 유엔안보리 문서회람을 통해 지지를 해준데 대해 깊은 사의를 표명하는 공한을 6.4 자로 송부함과 동시에 IMO, FAO 이사국 진출에 대해서도 적극 지지를 요망한바, 불원 회신하겠다고 언급하였으니 양지바람.

  2. 또한 연호관련 휘지정부가 6.3 자로 아국의 유엔가입을 지지한다는 내용의 구상서를 아래 요지로 재발송하여 왔으니 참고바람.

THE MINISTRY OF FOREIGN AFFAIRS OF THE REPUBLIC OF FIJI HAS THE FURTHER HONOUR TO ADVISE THE EMBASSY OF THE REPUBLIC OF KOREA THAT THE GOVERNMENT OF THE REPUBLIC OF FIJI SUPPORTS THE REPUBLIC OF KOREA'S APPLICATION FOR THE MEMBERSHIP TO THE UNITED NATIONS. 끝

  (대사 백영기-국장)

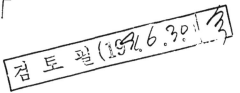

국기국	차관	1차보	2차보	아주국	국기국	정와대	안기부

PAGE 1   91.06.05   18:45
                                     외신 2과 통제관 CF
                                          0193

외 무 부

관리
번호 : 91 -586

종 별 :

번 호 : KNW-0486

일 시 : 91 0606 1450

수 신 : 장관(국연,국기,아프이),사본:주유엔대사-필

발 신 : 주 케냐 대사

제 목 : 남북한 유엔가입 및 IAEA 이사국등 입후보

대:AM-0121, WAFM-0039

1. 당관 김참사관은 금 6.6. 주재국 외무부 GICHANGI 국기국장대리를 방문, 유엔가입관련 북한의 태도변화 배경과 유엔가입이 한반도 긴장 완화와 동북아 평화.안정에 기여하고 궁극적 통일에 기여하게 될것이라고 설명하고 아국의 UN 가입노력에 대한 계속적인 지원과 아울러 IAEA, UNESCO 및 FAO 이사국 입후보에 대한 지지를 요청함.

2. 동 국장대리는 북한의 유엔가입 신청 결정은 남북한 관계 개선 및 한반도 평화에 도움이 될것이라면서 남북한의 유엔가입을 환영하며 주재국은 아국입장을 계속 지지함에 변함없을 것이라 언급함. 또한 아국의 IAEA, FAO 및 UNESCO 이사국 입후보에 대한 지지 요청에 대하여 동인은 주재국 관계부처와 협의가 진행중 이라면서 한. 케 양국간 긴밀.우호관계를 감안 좋은 결과 나오도록 노력하겠다 함.

3. 주재국의 UNESCO 총회의장 입후보에 대한 아국정부의 입장을 조속회시 바람.
끝.

(대사 라원찬-국장)

예고:1991.12.31. 일반

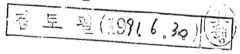

검 토 필 (1991. 6. 30.)

1991. 12. 31. 에 이 그문에
의거 인반문서 로 분류됨

국기국	장관	차관	1차보	2차보	중아국	국기국	정와대	안기부

PAGE 1

91.06.06   23:15
외신 2과 통제관 CF

0200

관리 91
번호 -3789

외 무 부

종 별 :

번 호 : PDW-0481   일 시 : 91 0606 1200

수 신 : 장관(국연, 동구이)

발 신 : 주 폴란드 대사

제 목 : 유엔가입 (사의 표명)

대 : WPD-0513

1. 본직은 6.5 마예프스키 외무차관에게 유엔가입문제에 관한 폴측의 대중국 설득등 그간의 협조에 사의를 표명한바, 동 차관은 중국의 압력이 북한의 태도 변화에 결정적이었음을 언급하고 앞으로 실제 가입시까지 유엔 현지에서도 계속 협조를 아끼지 않겠다함.

2. 동 차관은 또한 금년 가을 스쿠비세프스키 외상 방한시 가입후의 상호 협조 문제등을 협의할수 있을것임을 언급함. 끝

(대사 김경철-국장)

예 고 : 91.12.31. 일반

검 토 필 (1991. 6.30.)

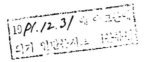

국기국   장관   차관   1차보   2차보   구주국   정와대   안기부

PAGE 1   91.06.06   22:54
                                                     외신 2과 통제관 CF
                                                              0201

원 본 ✓

외 무 부

종 별 :

번 호 : HGW-0311   일 시 : 91 0606 1630

수 신 : 장관(국연)

발 신 : 주 헝가리 대사

제 목 : 유엔가입(사의표명)

대:WHG-0469

1. 본직은 금 6 일 형 외무부 소모기 사무차관 및 수디아주국장, 그리고 지난 4 일 토마이 정무차관보와 마이스터 다자협력 차관보를 방문, 아국의 유엔가입 문제와 관련 헝가리가 그간 취하여온 확고한 지지표명 및 대중국 적극적 설득등에 대하여 한국정부의 깊은 사의를 전달하였음.

2. 형 외무부측은 남북한의 유엔가입이 그 자체로서도 중요하지만 북한이 이제까지의 대결적인 대외정책을 지양, 남북한 화해의 방향으로 중요한 정책전환을 한것이 앞으로 한반도의 평화정착과 동북아의 안보에 크게 기여할 것이므로 이를 환영한다고 한 다음, 앞으로 절차문제에 있어서도 필요하다면 전폭적인 협조를 할 용의가 있음을 밝혔음. 끝.

(대사 한탁채-국장)

예고:91.12.31. 일반

검 토 필 (1991 6. 30.)

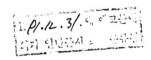

국기국	장관	차관	1차보	2차보	구주국	정와대

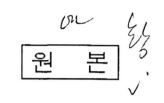

관리 번호	9/ -3802

외 무 부

종 별 :

번 호 : SLW-0482

일 시 : 91 0607 1800

수 신 : 장 관(국연,아프일,사본:주유엔대사-중계필)

발 신 : 주 세네갈 대사

제 목 : 깝베르데 아국 유엔가입 지지

대:WSL-414

1. 당지 깝베르데 대사관은 6.5 자 구상서로 "깝베르데 정부는 한국의 유엔가입이 한반도의 평화, 화해, 봉일에 기여할것임을 고려 한국의 유엔가입을 호의적으로 지지할것임"을 알려왔음.

2. 동 구상서는 DA ROSA 정무총국장의 5.16 소직과의 면담시 언급한 "유엔가입지지 공식입장을 8 월쯤 밝힐것임"을 조기에 표명한 것으로 사료됨. 끝.

(대사 허승-국장)

예고:91.12.31 일반

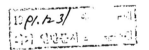

국기국   장관   차관   1차보   중아국   청와대   안기부

PAGE 1

91.06.08   07:30

외신 2과   통제관 BS

0203

발 신 전 보

번 호 : WND-0536   910607 1939 ED   종별 :

수 신 : 주   인도   대사. ♣♣총♣영♣차 (사본 : 주유엔대사 1635

　　　　　　　　(국연)

발 신 : 장 관

제 목 : 유엔가입

　　　연 : WND-0520

1. 주한 인도대사관은 5.31.자 공한을 통하여 인도는 보편성원칙에 따라 남북한의 유엔가입을 환영하며 남북한의 유엔가입은 한반도의 긴장완화와 대화 촉진에 기여할 것으로 본다는 내용의 인도정부 성명을 통보하여 왔음을 참고 바람.

2. 동 공한내용은 하기와 같음.

"The Government of India have consistently supported the principle of universality of membership of the United Nations and the aspirations of the Korean people to be represented in the world body. We are happy that both the ROK and DPRK authorities have now decided to apply for U.N. membership. We hope that their entry into the United Nations will further promote the process of peaceful dialogue and reduction of tensions in the Korean peninsula." 끝.

검 도 필 (1991.6.30.)

1991. 12. 31.
의거 일반문서
(국제기구조약국장 문동석)

		기안자 성명		과 장		국 장		차 관	장 관		보안 통제	
앙 고 재	91 년 6 월 7 일	UN 과	Goodell									외신과통제

0204

외 무 부

관리
번호 : 9/ -3828

종 별 :

번 호 : BVW-0200　　　　　　　　　　일 시 : 91 0610 1800

수 신 : 장관(국연,미남)

발 신 : 주 볼리비아 대사

제 목 : 유엔가입 추진

　　1. 본직 내외는 6.8.GUSTAVO FERNANDEZ 대통령실 장관이 그의 고향인 코차밤바시에서 JAIME PAZ 대통령을 위해 베푼 야외 오찬에 초청 되어 참석하였는바, 약 100 여명이 참석하였음. 참석자들은 대부분 행정부 및 의회의 현 집권당 핵심인사들이었으며 외교단에서는 미국대사내외, 독일대사내외, 브라질 대사내외 및 본직내외가 초청 되었을 뿐임.

　　2. 이번 기회에 행정부 및 의회내 핵심인사들과 친분유대를 심화시킬 수 있었으며 특히 JAIME PAZ 대통령에게 거번 이승윤특사를 따뜻이 맞아주시고 좋은 말씀 많이 해 주신데 대하여 깊이 감사하고, 지난 5.28. 북한의 유엔가입 결정발표등 본건관련 최근 동향을 설명한후 여사한 북한의 태도변화는 주재국을 포함한우방국들의 일치된 우리 입장 지지에 따라 조성된 국제적 지지 분위기 확산에 연유된다고 분석했음. 특히 주재국은 아국의 유엔가입 입장에 전폭적으로 지지하고 있을 뿐 아니라 리오그룹등 공동명의 지지표명에도 앞장서고있음에 대하여 심심한 사의 표하고 금년 총회에서 남북한의 유엔가입결정은 한국정부의 획기적 외교적 승리라고 지적하고 축하를 했음. 본직은 지난 5.31. 자 ITURRALDE 외무장관앞 서한을 통하여(외무부 대변인 논평첨부)북한의 유엔가입 태도 변화 관련 상기와 같이 간략히 분석평가한 후 주재국의 전폭적 지지에 감사하고 금년 총회에서 기필 남북한의 유엔가입이 실현되도록 지속적 지원을 요청했음. 끝.

　　(대사 명인세--국장)

　　예고:91.12.31. 일반

검 토 필 (1991.6.30)

국기국　　장관　　차관　　1차보　　미주국　　청와대　　안기부

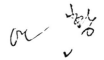

외　무　부

관리
번호 91－602

종　별 :

번　호 : KNW-0497　　　　　　　　　일　시 : 91 0610 1840

수　신 : 장관(아프이,국연)

발　신 : 주 케냐 대사

제　목 : 외무차관 면담

　　1. 본직은 금 10 일 오후 주재국 외무부 KIPLAGAT 사무차관을 신임인사차 예방함.(동 차관은 본직의 신임장 제정식 참석이후 OAU 정상회의 준비등 관계로 장기간 해외 출장중이었음.)

　　2. 본직은 학생데모등 국내정세와 북한의 최근 동향(유엔가입 신청 결정 및 핵안정협정 서명 용의 표명 배경등)에 관하여 설명하고 아국의 유엔가입 입장에 대한 계속적인 지지를 요청함.

　　3. 동 사무차관은 국내정세가 조속 안정되기 바라며 남북한이 유엔에 가입하여 세계평화와 번영에 기여하고 대화를 통하여 조속 통일 되기를 희망한다고 언급하였음. 동 차관은 아울러 경제협력 및 관광진흥등의 실질 협력 관계증진을 위해 노력하여 줄것을 당부하였음. 끝.

　　　(대사 라원찬-국장)

예고:1991.6.30. 까지

중아국　　차관　　1차보　　2차보　　국기국　　분석관　　청와대　　안기부

외 무 부

관리 9/
번호 ㅡ 3837

종 별 :

번 호 : COW-0271   일 시 : 91 0611 1800

수 신 : 장관(국연,국기,미중)

발 신 : 주 코스타리카 대사

제 목 : 외상면담

대: 1) WCO-0107 2) WCO-0079 3) WCO-0071

연: 1) COW-0146, 0151 2) COW-0246

1. 금 11 일 본직은 외상을 방문, 대호 1) 아국유엔가입 입장지지에 대한 사의표명 및 동 공한을 수교하고, 최근 북한이 유엔가입결정 및 핵 안전협정 서명 표명등 태도 변경은 코스타리카를 비롯한 우방의 대북한 압력에 의한 것임을 설명, 앞으로도 북한개방 유도를 위하여 주재국이 계속 협조하여 줄것을 당부한바, 외상은 어떤 나라의 태도를 바로하기 위하여는 국제적 압력이 중요하다면서, 한-코간 기존 우호관계에 비추어 한반도 평화유지 및 통일을 위한 한국의 노력에 코스타리카가 앞으로 어떠한 협조라도 아끼지 않고 공헌하겠다고 언급하였음.

2. 금번 OAS 총회에서 차기 사무총장 단독 입후보를 축하한다고 한바, 아직시일이 많이 남았으나, 동 당선은 기대한다고 언급하였음.

3. 한편 연호 1) UNESCO 및 연호 2) IMO 아국 이사국 입후보 지지에 대한 사의를 표하면서, 대호 2) FAO 및 대호 3) IAEA 에의 아국 이사국 입후보 지지도당부한바, 큰 문제가 없을 것으로 보며, 담당인 SAENZ 외상 보좌관에게 적극적으로 검토토록 하겠다고 하였음. 끝.

(대사 김창근-국장)

예고:91.12.31. 일반

검 토 필 (19916.30.)

[91.12.31. 예 예고문에 의거 일반문서로 재분류]

국기국   장관   차관   미주국   국기국

외 무 부

관리
번호 91
-3860

종 별 :

번 호 : COW-0275   일 시 : 91 0612 1710

수 신 : 장관(국기,국연,미중)

발 신 : 주 코스타리카 대사

제 목 : 아국의 IAEA 및 FAO이사국 입후보

연:1) COW-0253, 0271, 2) COW-0254

대: 1) WLTM-0034, 국기 20332-719

2) WCO-0102, 국기 20334-720

3) WCO-0107

1. 당관 정덕소 참사관은 금 12 일 칠레 개최 OAS 제 21 차 회의 참석후 귀국한 JORGE SAENZ 외무장관 보좌관(국제기구담당) 및 VICTOR MONGE 국제기구과장을 면담, IAEA 및 FAO 이사국 입후보 지지를 요청하였음(관련공한 사본 수교).

이에 대하여 상기 양인은 동건 적극 검토, 지지토록 건의하겠다면서, 아직은 상기 양 국제기구 입후보 지지요청 국가는 없으며, 있다하더라도 한-코 양국간의 우호관계를 고려할때 아국 지지에 큰 문제는 없을 것이라고 언급하였음.

2. 아울러 북한의 유엔가입 신청결정은 주재국이 선도한 국제사회의 아국입장 지지표명이 주효한 것으로 판단된다면서 주재국 지지에 사의를 표명하고 주재국의 계속적인 협조를 요청한바, 동건 협조 다짐하였음. 끝.

(대사 김창근-국장)

예고: 91.12.31 일반

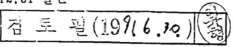
검 토 필(1991 6.30)

90. 12 3/에 ... 고문에
...

국기국   차관   1차보   미주국   국기국

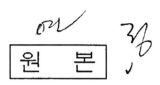

외 무 부

종 별 :

번 호 : UNW-1541   일   시 : 91 0612 1900

수 신 : 장 관(국연,미중,기정)사본:주멕시코대사:본부중계필

발 신 : 주 유엔 대사

제 목 : 아국유엔가입 지지(니카라과)

　　연: UN-1474

　　니카라과측은 연호 6.3. 자 외무성 코뮤니커를 총회 (A/46/230) 및 안보리 (S/22679) 문서로 배포한바, 동 문서 별첨송부함.

　　첨부:상기문서: UNW(F)-255

　　끝

　　(대사 노창희-국장)

국가국 　　1차보 　　미주국 　　외정실 　　안기부

PAGE 1   91.06.13   09:05 WG

+/NW(㊀)-255 10612 19○○
(국연.미증.기정)

충 2013

A S

  General Assembly   Security Council

Distr.
GENERAL

A/46/230
S/22679
11 June 1991
ENGLISH
ORIGINAL: SPANISH

GENERAL ASSEMBLY
Forth-sixth session
Item 20 of the preliminary list*
ADMISSION OF NEW MEMBERS TO THE
UNITED NATIONS

SECURITY COUNCIL
Forty-sixth year

Letter dated 6 June 1991 from the Permanent Representative of Nicaragua to the United Nations addressed to the Secretary-General

I have the honour to transmit to you the communiqué issued by the Minister for Foreign Affairs of the Republic of Nicaragua concerning the recent decision by the Governments of the Korean peninsula to enter the United Nations:

Communiqué

In the light of the recent decision by the Governments of the Korean peninsula to enter the United Nations, the Minister for Foreign Affairs of the Republic of Nicaragua informs the Nicaraguan people and the international community as follows:

Nicaragua has been an interested observer of the difficult process of reunification of the Korean peninsula, which constitutes the highest aspiration of that traditionally friendly people, whose leaders have in recent years shown a firm will to dialogue aimed at the attainment of that objective.

---

*   A/46/50.

91-19001 2625b (E)

/...

#UNW-1541
첨부틀

2 — 1

0210

In this context, Nicaragua welcomes the recent decision of the two Governments to apply for full membership in the United Nations, in that this should be conducive to the process of reconciliation and reunification of Korea.

Likewise, the Government of Nicaragua makes known its decision to support the entry of the two Koreas into the Organization, in the conviction that this will promote international peace and security on the Korean peninsula.

Done at Managua City on 3 June 1991.

I should be grateful if you would have this letter circulated as an official document of the General Assembly, under item 20 of the preliminary list, and of the Security Council.

(Signed)   Roberto MAYORGA CORTES
Ambassador
Permanent Representative

-----

2 - 2

0211

관리
번호 : 91
      -3852

외 무 부

종 별 :

번 호 : THW-1255   일 시 : 91 0612 1900

수 신 : 장 관(국연,아동,정특)

발 신 : 주 태 국 대사

제 목 : 북한의 유엔가입 발표(자료응신 40호)

　　1. 본직은 6.11(화) 저녁 ANAND 주재국 수상이 방태중인 양상곤 중국국가 주석을 위해 베푼 리셉션에 참석한 기회에 당지 북한대사관 황영환 대사대리를 접촉, 표제관련 북한의 외교정책및 대남정책변화 가능성등을 타진한바, 동인은 순수한 사견이라고 전제하면서 아래와 같이 언급하였음

　　0 (본직이 북한의 유엔가입 발표가 북한외교 및 북한의 대남정책에 있어서 실질적 변화를 의미하는지 질문한데 대하여) 대남정책의 변화여부는 알수없으나 모든 국제기구에 진출하여 경험을 쌓는것이 중요하다는 인식이 점차 대두되고 있는 상황임. 이러한 점에 미루어 보아 ESCAP 가입도 검토되어야 하지 않겠느냐 하는 생각이듬

　　0 이러한 입장변화는 주변의 모든 국가와의 관계설정 노력에도 적용될것으로 봄

　　0 남한의 국내정치가 안정되어야 남. 북한 관계의 진전을 기대할수 있을 것으로 생각됨. 통일이 훨씬 중요한 민족적 과제이므로 남. 북한이 통일촉진의 방향으로 노력해나가야 할 것으로 봄

　　2. 동 대사대리는 상기 자신의 언급내용이 순수한 사견에 불과하므로 자신을 인용하지 말아주도록 요청하였으니 대외 보안에 유념바람

　　3. 동 대사대리가 분명한 언급은 하지 않았지만 동인의 설명에 비추어 보아 북한의 유엔가입결정은 미.일등 주변국가와의 관계정상화를 통한 경제적 난관을 극복하기 위한 북한자신의 현실적 필요와 중공의 충고 결과인 것으로 감지되었음

　　4. 동 대사대리는 자신의 부인을 본직과 본직부인에게 먼저 소개하는등 상당히 유연한 자세를 보였음을 참고로 첨언함

(대사 장주년 국장)

예고 91서12.31 일반

검토필(1)91. 6. 30.

국기국	장관	차관	1차보	2차보	아주국	외정실	분석관	정와대
안기부								

PAGE 1

91.06.12   22:14

외신 2과 통제관 CF

0212

원 본

외 무 부

종 별 :

번 호 : DJW-1098

일 시 : 91 0613 1630

수 신 : 장관(국연,아동)

발 신 : 주 인니 대사

제 목 : 유엔가입(사의 표명)

대:WDJ-0558

본직은 6.12. ALATAS 외상에게 아국의 유엔가입에 대한 주재국의 지지에 사의를 표명하였던바, 동 외상이 언급한 내용은 아래와 같음.

1. 인니 정부는 종래 일관하여 남북한 문제해결은 양 당사자간에 평화적인 방법에 의하여 대화로서 해결되어야 한다는 입장을 표명해 왔음.

그러나 유엔가입 문제에 대한 북한 당국의 주장은 보편성 원칙면에서나 독일 및 예멘의 경우에 비추어서도 객관성을 결여할 뿐만 아니라 달라져가는 국제정세와도 부합되지 않는 것으로 분석됨.

따라서 인니 정부는 보다 현실적인 입장에서 종합 판단한 결과 한국측 입장을 지지키로 하였던 것임.

2. 한국 정부의 정중한 사의표명을 감사함과 동시 앞으로도 상호 협력관계를 가일층 강화해 나가기를 희망함. 끝.

(대사 김재춘-국장)

예고:91.12.31. 일반

검 토 필 (1991 6.31.)

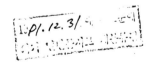

국기국   장관   차관   1차보   아주국

PAGE 1

91.06.13   20:39

외신 2과 통제관 CA

0213

원 본

외 무 부

종 별 :

번 호 : NDW-0961　　　　　　　　　　　일 시 : 91 0614 1230

수 신 : 장관(국연,아서)

발 신 : 주 인도 대사

제 목 : 유엔가입(사의표명)

대:WND-0520

　　1. 본직은 대호 지시에 따라 금 6.13 오후 주재국 외무부 MEHROTRA 동부담당차관과 면담(동차관은 그간 휴가및 해외여행후 최근 귀임함), 유엔가입문제 관련 그간 인도가 우리입장을 적극 지지하여 준데 대하여 감사표시를 하였는바, 동차관은 북한이 그렇게 태도를 변경한 것은 잘된 일로 본다 하고 지난번 북한 부주석 이종옥 방인시 주재국 대통령을 비롯 모든 면담인사가 한결같이 이문제에 관하여 북한측에게 현실을 직시하는 것이 필요하다고 하면서 한국의 단독가입 입장이 확고하고 한국이 단독으로 신청하는 경우에 인도로서는 보편성원칙에 따라 한국의 가입을 지지할수 밖에 없음을 부드러운 본이지만 분명하게 밝힌바 있다 함. 동차관은 그러한 인도의 입장도 북한의 태도변화에 일조가 된 것이 아닌가 생각한다고 여하간 잘된 일로 본다 함.

　　2. 또한 본직은 6.13 주재국 외무부 SREENIVASAN 유엔및 국제기구국장과 오찬을 같이 하면서 그간 인도정부, 특히 동인의 호의적인 협조에 사의를 표하였음.

　　(대사 김태지-국장)

　　예고:91.12.31. 일반

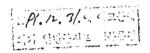

검 토 필 (1991.6 30.)

91. 12. 31. 고료
○○ 인○○시 │ ○○○

국기국　　　차관　　　1차보　　　아주국

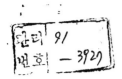

주 트리니다드토바고대사관

주 트리니다드(정) 2031-16   1991. 6 . 14

수 신: 장 관

참 조: 국제기구조약국장, 미주국장(사본: 주 유엔대사)

제 목: 카리콤 유엔가입 지지교섭

            대: WTT - 0055,63
            연: TTW - 0082,86

도미니카 연방 정부는 연호 카리콤 외무장관회의(91.5.13- 14, 바베이도스)에서 아국 유엔가입에 대한 카리콤의 공동지지표명 문제 토의결과와 자국정부의 아국 유엔가입에 대한 계속적인 지지 입장 방침을 별첨 공한으로 통보하여왔음을 보고합니다.

첨부: 상기 공한사본 1부. 끝.

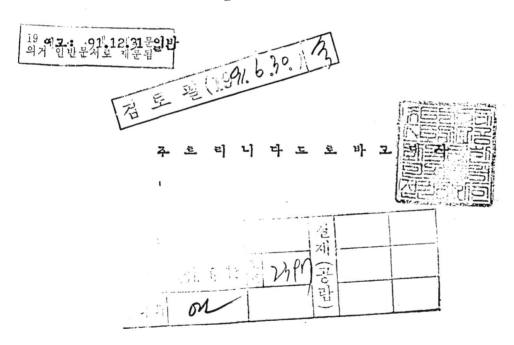

0215

TELEGRAMS: EXTERNAL DOMINICA
TELEX: 8613 *EXTERNAL DO*
TELEFAX: 809 44 85200
TELEPHONE: 809 44 82401 (*Ext.* 276)

Ref. No.: EX 14/01-583

MINISTRY OF EXTERNAL AFFAIRS
AND OECS UNITY,
GOVERNMENT HEADQUARTERS,
ROSEAU
COMMONWEALTH OF DOMINICA·
WEST INDIES·

The Ministry of External Affairs and OECS Unity of the Commonwealth of Dominica presents its compliments to the Embassy of the Republic of Korea and has the honour to refer to the latter's note, No. 91-77 of May 3, 1991.

The Ministry has the further honour to advise that the matter of the UN membership of the Republic of Korea was raised at the recent meeting of the Standing Committee of Ministers for Foreign Affairs of the Caribbean Community. The meeting was of the view that, since the Republic of Korea has not yet applied for membership of the United Nations formally, it would be inappropriate for CARICOM as a group, to indicate a position in anticipation of that event.

The Ministry is pleased to reiterate the support of the Commonwealth of Dominica for the entry of the Republic of Korea into membership of the United Nations, whether with or separately from the Democratic People's Republic of Korea.

The Ministry of External Affairs and OECS Unity of the Commonwealth of Dominica avails itself of the opportunity to renew to the Embassy of the Republic of Korea, the assurances of its highest consideration.

Embassy of the Republic of Korea
61 Dundonald Street
Port of Spain
TRINIDAD

29th. May, 1991.

0216

외 무 부

관리
번호 91 _3882

종 별 :

번 호 : FJW-0153   일 시 : 91 0615 0900

수 신 : 장 관(국연,국기,아동)

발 신 : 주 휘지 대사

제 목 : 주제국 외무차관면담

대:AM-0131, WFJ-0098
연:FJW-0113

1. 본직은 6.14 주제국 외무성 YARROW 차관을 면담, 유엔가입과 관련 최근의 북한태도의 변경과 이에관한 아국의 입장을 설명하고 주제국의 이해와 지지를촉구하였음.

이어 UNESCO 집행위원 입후보및 FAO, IMO 이사국 진출과 관련 당관이 관계부서인 문교, 농림, 건설부고위당국자를 각기 접촉한결과 모두 긍정적인 반응을 보였음을 상기시키면서 외무성당국의 문서상의 보다명확한 태도표명이 요망된다고 언급하였든바, 조만간 이를 관계기관과 협의, 지지하는 방향으로 협조해주겠다고 말하였음.

2. SPF 에서의 유엔가입과 관련한 아국지지문제는 지난번 상기차관에게 일차언급한바있고 또한 본부의 지침도있어 이에관해 CLARIFICATION 이 필요한것으로사료되기에, 현하 주제국의 혼란한 정치정세와 북한의 유엔가입 의사표명이란 새로운 상황의 발전으로 반드시 추진할 필요사항은 아니라고 언급하였음.

이에 동차관은 한편으론 매우 SENSE 있는 조치라고 언급하면서 또한편으로는 상황이 허용되면 한국의 유엔가입에 관한 남태평양도서국의 지지의견 표명이 친한적 국제여론 조성의 일익이 될수있다고 시사하면서 자기나름데로 협조적인 방향에서 연구해보겠다고 언급한바 있으니 참고바람. 끝

(대사 박영기-국장)

예고:91.12.31 검토필(1991 6 30.)

1'91. 12. 3' (대 ○ ○○대 의거 일반○서 ○ ○ ○○)

국기국	장관	차관	1차보	아주국	국기국	청와대	안기부

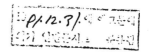

외 무 부

종 별 :

번 호 : URW-0092

일 시 : 91 0617 1755

수 신 : 장관(국연,국기,미남)

발 신 : 주 우루과이 대사

제 목 : 외상면담(자료응신 제12호)

연:URW-0068,0075

본직은 금 6.17 1630 주재국 외상을 면담, 아국 유엔가입, 최근 한반도정세등 양국관심사항을 협의한바, 동요지 아래보고함.

1. 남북한 유엔동시가입

아국의 유엔가입분위기가 성숙되어 금년가을 유엔가입을 신청할것인바, 계속적인 주재국측 지지를 요청함.

동외상은 아측요청에 대해 아국의 유엔가입여건이 충분히 성숙되었음을 인식하며, 금년도 아국 유엔가입을 전폭지지 할것을 확약함

한편 동외상의 6.10 페루방문시 리마주재 북한대사가 동외상을 면담, 북한측의 유엔가입 을위한 주재국측 지지를 요청한바 있다고 전하면 서, 북한측 요청에대해 동외상은 논평을 하지않았다고함.

2. 국제기구 이사국 입후보 지지

동외상 면담시 연호 아국국제기구 이사국 입후보에 대한 주재국측 지지를 재확인한바, 동외상은 아측입장을 현재적극 검토중이며 조속한시일내에 주재국입장을 아측에 통보해줄것을 약속함.

(대사-국장)

예고문:91.12.31 일반

검 토 필 (1991. 6. 30.)

91.12.31. 대 ...

국기국	차관	1차보	2차보	미주국	국기국	분석관	청와대	안기부

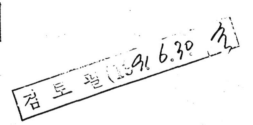

관리	9/
번호	-3894

외 무 부

종 별 :

번 호 : UNW-1562   일 시 : 91 0617 1800

수 신 : 장관(국연,기정)

발 신 : 주 유엔 대사

제 목 : 카나다의 아국유엔가입 지지문서

　　1. 카나다대표부 PIATTELLI 1 등서기관은 금 6.17 당관 서참사관에게 전화,카나다
정부가 아국의 유엔가입을 지지하고 북한의 유엔가입 신청결정을 환영하는 카나다
정부의 입장을 안보리 문서로 배포할것을 결정하고, 동 취지의 카나다
대사(대리)명의의 서한을 지난주말 안보리의장에게 전달하였다고 알려옴.(동 서한 영.
불문본 별첨)

　　2. 안보리 관계관에 의하면 상기서한은 명 6.18 경 안보리문서로 배포될
예정이라고함.

　　　첨부:상기서한:UNW(F)-264

　　　끝

　　(대사 노창희-국장)

국기국	장관	차관	1차보	2차보	분석관	정와대	안기부	안기부

PAGE 1

The Permanent Mission of Canada
to the United Nations

La Mission Permanente du Canada
auprès des Nations Unies

866 United Nations Plaza
Suite 250
New York, N.Y. 10017

le 14 juin 1991

Son Excellence M. Jean-Jacques Bechio
Ambassadeur et Représentant permanent
   de la Côte d'Ivoire et
Président du Conseil de sécurité
Organisation des Nations Unies
New York, N.Y. 10017

Excellence,

J'ai l'honneur de vous faire connaître que le
Gouvernement du Canada appuie la République de Corée dans son
désir de devenir Membre de l'Organisation des Nations Unies,
comme indiqué dans son mémorandum du 5 avril 1991 (diffusé sous
la cote S\22455).

Le Gouvernement du Canada est d'avis que la République
de Corée, pays pacifique qui entretient un vaste réseau de
relations diplomatiques, apportera une contribution précieuse à
l'attente des buts et principes des Nations Unies.

Le soutien du Canada à la demande d'admission de la
République de Corée procède certes de son attachement à la
Charte des Nations Unies, mais repose aussi sur le principe de
l'universalité d'adhésion à l'Organisation. A cet égard, le
Canada applaudit également à l'annonce faite récemment par la
République populaire démocratique de Corée de son intention de
joindre les rangs des Nations Unies.

Vous remerciant par avance de bien vouloir faire
diffuser la présente à titre de document du Conseil de sécurité,
je vous prie d'agréer, Excellence, les assurances renouvelées de
ma très haute considération.

le Chargé d'affaires, a.i.,

Philippe Kirsch, c.r.

#별첨   2 -1   0220

The Permanent Mission of Canada
to the United Nations

La Mission Permanente du Canada
auprès des Nations Unies

866 United Nations Plaza
Suite 250
New York, NY 10017

June 12, 1991

H.E. Mr. Jean-Jacques Bechio
Ambassador and Permanent Representative
of Côte d'Ivoire and
President of the Security Council
United Nations
New York, N.Y. 10017

Excellency,

I have the honour to inform you that the Government of Canada supports the Republic of Korea in its desire to become a Member of the United Nations this year as indicated in its memorandum of April 5, 1991 (circulated under cover of Security Council document S/22455).

The Government of Canada believes that the Republic of Korea, as a peace-loving country maintaining a broad range of diplomatic relations, will make a valuable contribution to the attainment of the purposes and principles of the United Nations.

Canadian support for the Republic of Korea application in the United Nations is based not only upon its commitment to the United Nations Charter but also upon the principle of universality of membership of all nations. In this regard, Canada also welcomes the recent announcement by the Democratic People's Republic of Korea that it too will seek to join the United Nations.

I would be grateful if this letter could be circulated as a document of the Security Council.

Yours sincerely,

L. Yves Fortier, O.C., Q.C.
Ambassador and
Permanent Representative

0221

외 무 부

종 별 :

번 호 : UNW-1577

수 신 : 장관(국연,기정)

발 신 : 주 유엔 대사

제 목 : 유엔가입추진(큐바접촉)

일 시 : 91 0618 1900

금 6.18 일본대표부 나가이 참사관은 당관 서참사관에게 남북한 유엔가입문제 관련 자신이 최근 큐바대표부 ZAMORA 차석대사와 접촉한 결과를 알려왔는바, 아래 보고함.(상기 일본측의 큐바접촉은 당관의 큐바태도 파악 요청에따라 이루어진 것인바, 이하 ZAMORA 대사의 언급내용임.)

1. 큐바는 북한측과의 협의시 남북한 가입문제의 안보리및 총회심의는 조용히 평화적으로 처리되는것이 좋겠다는점을 표명하였음. 또한 북한측에 대하여 단일_의석 가입안은 비현실적이며 남북한 유엔가입이 독일, 예멘의 예와 같이 통일을 저해하지 않는다는 것도 지적하였음.

2. 북한의 가입신청서 제출시기 관련 북한측으로부터 구체적인언급은 없었으나 북한측이 한국측과 시기를 비슷하게 맞추고자 하는(HARMONIZE) 개인적인 인상을 받았음.

3. 또한 북한측이 독일방식쪽으로 기울고있는 인상을 받았음.

4. 남북한 가입신청이 7 월중에 안보리에서 처리될 경우에는 큐바는 의장국으로서 이를 중립적으로 처리할것임.끝

(대사 노창희-국장)

예고:91.12.31. 일반

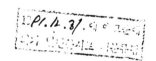

외 무 부

종 별 :

번 호 : UNW-1589   일 시 : 91 0619 1900

수 신 : 장관(국연,기정)

발 신 : 주 유엔 대사

제 목 : 카나다의 아국 유엔가입 지지문서

　　연:UNW-1562

　　연호, 카나다 정부의 아국 유엔가입 지지에 관한 안보리문서가 6.18 배포된바 별첨
FAX 송부함.

　　첨부:상기문서:UNW(F)-270

　　끝

　　(대사 노창희-국장)

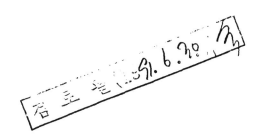

국기국　　　차관　　　　정와대　　　　안기부

PAGE 1

벽천

UNW(FJ-270 10FP 190
(국연.기정)
총1매 S

UNITED NATIONS

Security Council

Distr.
GENERAL

S/22708
17 June 1991
ENGLISH
ORIGINAL: FRENCH

LETTER DATED 14 JUNE 1991 FROM THE CHARGE D'AFFAIRES A.I.
OF THE MISSION OF CANADA TO THE UNITED NATIONS ADDRESSED
TO THE PRESIDENT OF THE SECURITY COUNCIL

I have the honour to inform you that the Government of Canada supports the Republic of Korea in its wish to become a Member of the United Nations, as stated in its memorandum of 5 April 1991 (S/22455).

The Government of Canada is of the view that the Republic of Korea, a peaceful country which maintains a broad network of diplomatic relations, will make a valuable contribution to the attainment of the purposes and principles of the United Nations.

Canada's support for the application for membership by the Republic of Korea originates in its attachment to the Charter of the United Nations, and is also based on the principle of universal membership in the Organization. In this connection Canada welcomes the recent announcement by the Democratic People's Republic of Korea of its intention to join the ranks of the United Nations.

(Signed) Philippe KIRSCH, Q.C.
Chargé d'affaires a.i.

91-19929 2508j (E)

0224

NOTE NO. 58/91

AUSTRALIAN EMBASSY
SEOUL

The Australian Embassy presents its compliments to the Ministry of Foreign Affairs of the Republic of Korea and has the honour to seek the Ministry's assistance in conveying the text of the following letter to the President of the Republic of Korea, H.E. Mr Roh Tae-Woo from the Prime Minister of Australia, the Honourable R.J.L. Hawke.

H.E. Mr Roh Tae-Woo
President of the Republic of Korea
SEOUL   REPUBLIC OF KOREA

My Dear President

Thank you for your letter to me of 10 May, which was passed to me by Special Envoy Mr Won Kyung Lee. I was very pleased to meet with Mr Lee and reaffirm Australia's support for the Republic of Korea's application for membership of the United Nations.

The recent announcement that the Democratic Peoples' Republic of Korea intends to seek membership of the United Nations is a welcome development. The application of UN membership by the DPRK will, in my view, significantly enhance the prospects for acceptance of the ROK's application.

Australia supports the principle of universal membership of the UN, and does not see separate UN membership by the ROK and DPRK as a barrier to their eventual reunification. We believe the prospects for cooperation and an improved security environment in the Asian-Pacific region will be enhanced by the membership of the ROK and DPRK in the United Nations.

0225

Australia values highly the strong bilateral relations between our countries and our close cooperation on international and regional issues such as APEC. I was pleased to hear that the recent Australia-Korea Forum was very productive and want to thank you for your own personal involvement in ensuring its success.

With warmest good wishes

Yours sincerely

BOB HAWKE

The Australian Embassy avails itself of this opportunity to renew to the Ministry of Foreign Affairs of the Republic of Korea the assurances of its highest consideration.

19 JUNE 1991
SEOUL

0226

외 무 부

원 본

종 별 :

번 호 : UNW-1599   일 시 : 91 0620 1840

수 신 : 장관(국연,아서,기정)

발 신 : 주 유엔 대사

제 목 : 유엔가입

연:UNW-1295

연호관련, 사모아 대표부 R.MAULA 대사대리는 6.20 오윤경 공사에게 아국의유엔가입을 지지하는 동국정부의 입장을 안보리문서(별첨 FAX)로 배포토록 조치하였음을 알려왔기 보고함.

첨부:상기문서:UNW(F)-271

끝

(대사 노창희-국장)

예고:91.12.31. 일반

검 토 필(91. 6.30)

국기국   아주국   분석관   정와대   안기부

PAGE 1   91.06.21   09:03
                                            외신 2과 통제관 FE
                                               0227

SUITE 800
820 - 2nd AVE.
NEW YORK, NY 10017

(212) 599-8196

(212) 972-3970) F

SAMOA MISSION
TO THE UNITED NATIONS

M E M O R A N D U M

TO: Mr. Yoon Kyung OH.

FROM: Robin Manala

DATE: 20 June 1991

SUBJECT: As promised here is copy of letter we have sent to the President of the Security Council regarding your application for membership. As you'll see we take great pleasure in supporting your application.

Warm Regards,

Robbie M.

Fax No 371 - 8873

2-1

0228

SUITE 800
~~~ - 2nd AVE.
NEW YORK, NY 10017

(212) 599-6198
(202) 833-1743
(202) 833-1746 (FAX)

SAMOA MISSION
TO THE UNITED NATIONS

New York, 19 June 1991

Excellency,

On instructions from my Government, I have the
honour to transmit to you the following communication from
the Government of Samoa concerning the application by the
Republic of Korea to become a member of the United Nations:

"The Government of Samoa has always recognised and
supported the aspirations of the Republic of Korea to become a
full member of the United Nations.

The Government of Samoa also recognises the impor-
tant contributions of the Republic of Korea to the interna-
tional community as well as the broad range of diplomatic and
friendly relations it maintains.

The Government of Samoa is firmly convinced that
admission of the Republic of Korea would be in accordance with
the principles of universality and sovereignty enshrined in the
Charter of the United Nations and would also be conducive to a
peaceful resolution of the Korean question.

The Government of Samoa therefore welcomes the re-
quest by the Government of the Republic of Korea to become a
full member of the United Nations this year as conveyed in the
Memorandum S/22455".

I should be grateful if you could have the text of
this letter circulated as a document of the Security Council.

Please accept, Excellency, the renewed assurances
of my highest consideration.

Robin E.G. Mauala
Chargé d' Affaires a.i.

H.E. M. Jean-Jacques Bechio
President of the Security Council
United Nations
NEW YORK

2 — 2

0229

외 무 부

종 별 :

번 호 : TUW-0503   일 시 : 91 0621 1500

수 신 : 장관(구이,국연)

발 신 : 주 터 대사

제 목 : 외무성 정무차관보 송별만찬 주최

　　1.6.20 본직내외는 주그리스 터키대사로 발령을받아 이임예정인 외무성 양자
정무차관보 HUSEYIN CELEM 대사내외를 위한 송별만찬을 관저에서 주최한바,
이자리에는 DINCIMEN 외무성 다자 정무차관보, 외무성 의전장등 외무성 고위간부와
안카라주재 대사등 17명이 참석하였음.

　　2. 본직은 이기회를 이용, 북한의 UN 가입 입장변화 배경과 아국정부 입장및
남북한 동시가입 의의등에관하여 DINCIMEN 다자 정무차관보에 설명해주었음을 첨언함.

　　(대사 김내성-국장)

　　예고:91.12.31. 까지

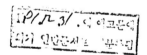

구주국　　1차보　　국기국

PAGE 1   91.06.21   20:52

                                         외신 2과 통제관 CA
                                                     0230

외 무 부

종 별 :

번 호 : UNW-1614   일 시 : 91 0622 0800

수 신 : 장관 (국연,아서,기정)

발 신 : 주 유엔대사

제 목 : 사모아의 아국 유엔가입지지 안보리문서

표제 문서가 6.20. 별첨과 같이 배포되었음.

끝

(대사 노창희-국장)

첨부: FAX (UNW(F)-275)

국기국   1차보   아주국   외정실   분석관   안기부

PAGE 1   91.06.22   23:05 DA
                                           외신 1과 통제관
                                                    0231

UNW(F)-275 10622 0800   정부문 UNW-1614   **S**

**UNITED
NATIONS**

Security Council

총 1 매
(국연. 아서. 기정)

Distr.
GENERAL

S/22725
20 June 1991

ORIGINAL: ENGLISH

LETTER DATED 19 JUNE 1991 FROM THE CHARGE D'AFFAIRES A.I. OF THE PERMANENT MISSION OF SAMOA TO THE UNITED NATIONS ADDRESSED TO THE PRESIDENT OF THE SECURITY COUNCIL

On instructions from my Government, I have the honour to transmit to you the following communication from the Government of Samoa concerning the application by the Republic of Korea to become a member of the United Nations:

"The Government of Samoa has always recognized and supported the aspirations of the Republic of Korea to become a full member of the United Nations.

"The Government of Samoa also recognizes the important contributions of the Republic of Korea to the international community as well as the broad range of diplomatic and friendly relations it maintains.

"The Government of Samoa is firmly convinced that admission of the Republic of Korea would be in accordance with the principles of universality and sovereignty enshrined in the Charter of the United Nations and would also be conducive to a peaceful resolution of the Korean question.

"The Government of Samoa therefore welcomes the request by the Government of the Republic of Korea to become a full member of the United Nations this year as conveyed in the Memorandum S/22455".

I should be grateful if you could have the text of this letter circulated as a document of the Security Council.

(Signed) Robin E. G. MAUALA
Chargé d'affaires a.i.

91-20558 2375i (E)

0232

북한의 ㅜ엔가입신청 발표 이후의 각기 지지입장 표명
(공한, 안보리에의 書)

① 일 본	5.28.		일본정부 대변인 발표문
② 불 란 서	5.29.		외무성 코뮤니케
③ 도미니카(카리콤)	5.29.	공한	
④ 온 두 라 스	5.30.	S/22653	
⑤ 솔로몬 아일랜드	5.31.	S/22662	
⑥ 인 도	5.31.	공한	인도정부 성명
⑦ 휘 지	6.3.	구상서	
⑧ 니카라과	6.11.	S/22679	외무성 코뮤니케
⑨ 카 나 다	6.17.	S/22708	
⑩ 사 모아	6.20.	S/22725	

0233

① 튀니지	4.10.	Note	
② 노르웨이	4.12.	◂	
③ 가봉	4.11.	"	
④ 헝가리	4.17.	"	
⑤ 오지리	4.17.	"	
⑥ 아이티	4.22.	"	
⑦ 스웨덴	4.17.	"	
⑧ 핀랜드	4.22.	"	
⑨ 엘살바돌	4.23.	"	정무국장 명의
⑩ UAE	5.15	"	
⑪ 필리핀	5.16.	"	
⑫ 코스타리카	4.18.	S/22495	
⑬ 세인트빈센트	5.16.	S/22600	정무 Communiqué

0234

⑭세인트루시아	5.22.	S/22628
⑮파나마	5.24.	S/22638
⑯온두라스	4.18.	외무성 공한
⑰볼리비아	4.8.	외무장관 친서
⑱멕시코	4.18.	회신공문
⑲과테말라	5.15.	공한
⑳코트디브와르	5.17.	답신서한
㉑시에라레온	5.23.	~~공한~~ Note

0235

외 무 부

원 본

종   별 : 지 급

번   호 : CNW-0885

일   시 : 91 0622 2330

수   신 : 장관(국연,미일) 사본:주 유엔 대사-중계필

발   신 : 주 카나다 대사

제   목 : 유엔가입 문제

1. 6.21(금) 외무부 GWOZDECKY 한국담당관은 조창범 참사관과 면담시 카정부는 주유엔 카대사에게 한국의 금년내 유엔가입을 지지하며, 아울러 최근 북한의유엔가입의사 표명을 환영한다는 내용의 카정부 입장을 밝히는 유엔안보리 의장앞 서한을 발송토록 훈령한바 있다고 알려왔음.

2. 카측에 의하면 서방국중에 유사한 내용의 서한을 이미 발송한 국가가 다수있는것으로 안다고함. 카측 이 주유엔 대사에게 훈령한 안보리 의장앞 서한 초안 별첨 보고함.

3. 서방국가중 동서한과 유사한 내용을 발송한 국가명과 그내용을 비교하여참고로 회보하여 주시기 바람. 첨부:상기 서한 초안 1 부.끝.

(대사 박건우-국장)

예고:91.12.31. 끝

첨부

866 UNITED NATIONS PLAZA

SUITE 250

NEW YORK, NY 10017

JUNE ,1991

검 토 필 (1996.6.30

H.E.

AMBASSADOR AND PERMANENT REPRESENTATIVE

OF COTE DIVOIRE AND

PRESEDENT OF THE SECURITY COUNCIL

UNITED NATIONS

NEW YORK, NY 10018

국기국	장관	차관	1차보	2차보	미주국	정와대	안기부

PAGE 1

91.06.23   13:24

외신 2과 몽제관 CE

0236

EXCELLENCY

I HAVE THE HONOUR TO INFORM YOU THAT THE GOVERNMENT OF CANADA
SUPPORTS THE REPUBLIC OF KOREA IN ITS DESIRE TO BECOME A MEMBER OF
THEUNITED NATIONS THIS YEAR AS INDECATED IN ITS MEMORANDUM OF APRIL 5,
1991(CIRCULATED UNDER COVER OF SECURITY COUNCIL DOCUMENT S/22455).

THE GOVERNMENT OF CANADA BELIEVES THAT THE REPUBLIC OF KOREA, AS A
PEACE-LOVING COUNTRY MAINTAINING A BROAD RANGE OF DIPLOMATIC
RELATIONS, WILL MAKE A VALUABLE CONTRIBUTION TO THE ATTAINMENT OF THE
PURPOSES AND PRINCIPLES OF THE UNITED NATIONS.

CANADIAN SUPPORT FOR THE REPUBLIC OF KOREA APPLICATION IN THE UNITED
NATIONS IS BASED NOT ONLY UPON ITS COMMITMENT TO THE UNITED NATIONS CHARTERBUT
ALSO UPON THE PRINCIPLE OF UNIVERSALITY OF MEMBERSHIP OF ALL NATIONS.

IN THE REGARD, CANADA ALSO WELCOMES THE RECENT ANNOUNCEMENT BY THE
DEMOCRATIC PEOPLES REPUBLIC OF KOREA THAT IT TOO WILL SEEK TO JOIN THE
UNITEDNATIONS.

I WOULD BE GRATEFUL IF THIS LETTER COULD BE CIRCULATED AS A DOCUMENT OF THE
SECURITY COUNCIL.

YOURS SINCERELY

L.YVES FORTIER, QC, OC

AMBASSADOR AND PERMANENT REPRESENTATIVE(끝)

PAGE 2

0237

외 무 부

종 별 :

번 호 : FJW-0160 　　　　　　　　　　　　　일 시 : 91 0625 0830

수 신 : 장관(국기,국연,아동)

발 신 : 주 휘지 대사

제 목 : 아국유엔가입및 국제기구 이사국입후보

연:FJW-0124,0135,0151

1. 본직은 연호 UNESCO, FAO 및 IMO 협조사항과 관련,6.21 주재국 외무성 YARROW 차관, NAND 정무국장및 SENILOLI 신임주유엔대사(7 월 중순경부임예정)를비롯 건설부, 농림부, 교육부차관등 관계부처 차관급 고위간부와 기타 주요부서요원 부부 40 여명을 관저 리셉션에 초대, 주재국의 협조에 대해 감사의 뜻을표하였음.

2. 휘지국은 UNESCO 와 IMO, FAO 에 대해 이미 지지 공한을 보내왔으며, 키리바티와 봉가도 이미 보고한 바와같이 UNESCO 와 FAO 관련 각기 공한으로 지지표명하였음.

솔로몬아일랜드도 우선 FAO 및 IMO 와 관련 구두로 지지를 표명한바있어 바누아투를 제외하고는 전부지지를 확보한 상태임.

3. 주재국 YARROW 외무차관은 아국의 유엔가입과 관련 유엔에서의 지지는 물론, SPF 에서도 현지사정을 감안, 아국지지문제를 협의 적극 반영해주는 방향으로 추진해보겠다고 언급한바있음을 보고하니 참고바람. 끝

(대사 백영기-국장)

예고:91.12.31 일반

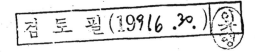

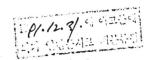

국기국	장관	차관	1차보	2차보	아주국	국기국

외 무 부

종 별 :

번 호 : BLW-0461 　　　　　　　　　　　　 일 　 시 : 91 0625 1640

수 신 : 장관(국연,동구이,정특,기정동문),사본:주유엔대사-필

발 신 : 주 불가리아 대사

제 목 : 북한 유엔가입신청 관련

　　주재국 외무부 유엔 및 군축국 BAEV 국장은 6.24. 당관 방참사관에게 최근 주유엔 자국 대표부가 한국의 유엔가입에 관하여는 아무런 문제가 없을 것이나, 북한의 유엔가입 신청에 관하여는 북한이 핵확산방지 협정에 서명하지 않는한 미국의 거부권 행사가 있을 것이라는 정보를 보고해온 바 있다고 알려줌.끝.

　　(대사 김좌수-국장)

　　예고:91.12.31. 일반(원본수신처), 91.9.30. 파기(사본수신처)

국기국	차관	1차보	2차보	구주국	외연원	외정실	분석관	정와대
안기부								

외신 2과 통제관 CF

0239

발 신 전 보

번 호 : WCN-0851   910627 1505 FO   종별 :

수 신 : 주   카나다   대사. 총영사
(국연)

발 신 : 장 관

제 목 : 유엔가입문제

대 : CNW-0885

1. 대호 3항, 북한의 유엔가입신청 발표이후 아국의 유엔가입을 지지
하는 내용의 문서를 안보리 문서로 배포한 국가는 카나다, 온두라스,
솔로몬아일랜드, 니카라과, 사모아(5개국)이며, 정부대변인등의
성명을 발표한 국가 또는 아국에 유엔가입지지 내용의 구상서를
송부해 온 국가는 일본, 불란서, 도미니카, 인도, 휘지(5개국)임.

2. 한편, 유엔가입에 관한 아국입장을 안보리 문서(91.4.5자)로
회람한 이후(북한의 유엔가입신청 발표이전) 아국의 유엔가입을
지지하는 내용의 안보리 문서를 회람한 국가는 코스타리카,
세인트빈센트, 세인트루시아, 파나마(4개국)이며, 필리핀, 멕시코,
오지리, 헝가리, 핀랜드, 노르웨이, 스웨덴, 튀니지, 가봉등
17개국은 아국의 유엔가입지지 공한을 송부해왔음.

/계속...

보안통제

앙고 재	91년 6월 27일	N과	기안자 성명 홍00844	과 장	국 장	차 관	장 관	외신과통제

0240

3. 본부는 카나다 정부가 대호 안보리 문서를 회람한 것이 다소

   이례적인 것으로 보고 있음. 바, 추후 적절한 게가에 카측에게 이

   동문서 회람의 배경을 탐문, 보고바람. 끝.

(국제기구조약국장   문동석)

0241

외 무 부

종 별 :

번 호 : KUW-0323   일 시 : 91 0702 1400

수 신 : 장 관(국연,국기,중동일)

발 신 : 주 쿠웨이트 대사

제 목 : 유엔등 관련교섭

대:국기 20331-480, 국기 20334-720, 국기 20332-719

EM-22

1.7.1 SHEIKH SALEM 외부장관을 방문하여 현금의 남 북한관계(우리의 대북한 정책)를 설명하고 우리의 유엔가입, 일부 국제기구 이사국입후보, 대전 EXPO 등 관련협조 당부하였음.SHEIKH SALEM 장관의 반응 요지를 보고함.

가. 유엔가입-(본직은 5.15 강영훈 특사가 다녀간 이후의 관련정세 변화내용을 설명하고 유엔안보리 결의를 거쳐 금년 가을총회에 상정되면 쿠웨이트가 "STRONG VOCAL SUPPORT"를 해주기 바란다는 취지로 말한데 대하여) 북한의 태도변화를 환영하며 한국이 유엔회원국이 되어 유엔회원국으로서 뿐만아니라 때에따라안보리 이사국으로 보다 중요한 국제역할을 하게될것으로 기대함. 총회에서지지요청을 유념하겠음.

나.IMO, IAEA, FAO 이사국 입후보-관례에따라 GCC 협의사항이며 그결과에 따라 공동대처할 것임.GCC 나 아랍연맹후보와 상충되는 일이없으면 지지할것임(본직이 지역안배원칙에 따르므로 아랍측과 경쟁입후보하는 경우는 아니라고 설명한데 대하여)그렇다면 지지하게될것임.

다. 대전 EXPO-정치적인 행사가 아니면 참가하게 될것으로 보나 좀더 검토가 필요함. 자료를 많이 보내주기바람.(이에대하여 본직은 전혀 비정치적인 것이며 문화, 기술부분의 일종의 올림픽같은 성격을 설명)

2.IMO 등 관련하여 GCC 의장국(카타르)에 각별한 부탁을 하는것이 도움이 되겠음. 끝

(대사-국장)

예고:91.12.31. 일반

국기국   차관   1차보   중아국   국기국   정와대   안기부

외 무 부

종 별 :

번 호 : NDW-1091   일 시 : 91 0704 1810

수 신 : 장관(아서,국연)

발 신 : 주 인도 대사

제 목 : 인도 외무담당국무장관 면담

　　본직은 금 7.4 FALEIRO 주재국 외무담당국무장관을 취임축하 인사차 방문, 면담하였는바, 동요지 아래 보고함. (RAO 동아국장및 김원수 서기관 배석)

　　1. 우선 본직은 지난 총선에서의 당선및 국무장관 취임을 축하하고 양국관계 발전에 가일층의 협조를 당부한데 대해, 동장관은 최근 양국관계 증진추세에 만족한다고 하면서 특히 양국간 현안이 아국대통령의 방인, 인도 외무장관 방한및 상무장관회담의 실현등에 관심을 표명함.

　　2. 본직은 아국대통령의 방인에 대해 양측 모두 큰 관심을 갖고 있음에도 불구, 그간 여러가지 사정으로 인해 실현되지 못해왔음을 아쉽게 생각한다고 하고 인도측의 관심은 재차 본국에 보고하겠다고 함.

　　3. 동장관이 유엔가입문제가 원만히 해결된 것으로 다행스럽게 생각한다고 언급한데 대해, 본직은 한국의 유엔가입에 대한 인도의 지지입장이 북한의 태도변화에 긍정적인 영향을 미쳤을 것으로 본다고 하고 아국정부는 유엔가입문제의 해결을 계기로 북한이 핵사찰문제및 남북대화등에서도 국제사회의 구성원으로서 보다 책임있는 태도를 취하기를 기대하고 있다고 하면서 이를위해 인도측도 계속 측면지원해 줄것을 요청함.

　　(대사 김태지-국장)

　　예고:91.12.31. 일반

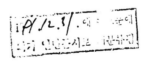

전 도 필 (1991 6.30.)

아주국　　차관　　1차보　　2차보　　국기국　　분석관　　정와대　　안기부

6c 36 ✓

외 무 부

종 별 :

번 호 : URW-0107　　　　　　　　　일 시 : 91 0708 1840

수 신 : 장관(미남,국연,국기)

발 신 : 주 우루과이 대사

제 목 : 주재국 외무성 간부접촉(자료응신 17호)

연:URW-006 ,0075

1. 본직은 7.4 및 7.8 각각 주재국외상및 간부를 오만찬에 초청, 최근 한반도 정세설명및 아국유엔가입 문제와 국제기구 이사국 입후보 지지문제등 상호관심사항을 논의한바, 동요지 아래보고함.

　　가.7.4 만찬:GROS ESPIELL 외상, MEZZERA 외무차관, FISCHER 정무국장, STEWART 아주국장

　　나.7.8 오찬: ELSA BORGES 국제기구국장, ROCA 동 부국장

2. 주요협의사항

　　가. 아국 유엔가입지지:ESPIELL 외상은 금년 유엔총회에서 아국 유엔가입을 적극 지지할것임을 재확약함.

　　나. 국제기국 이사국 입후보:동외상은 아국의 UNESCO, IAEA, FAO 이사국 입후보지지에는 하등문제가 없으나, IMO 의 경우 타입후보국들의 지지요청으로 주재국측 입장을 좀더 검토한후 통보해줄것을 확약했으며,7.8 국제기구국장도 동건 적극 검토중이며 빠른시일내에 주재국 입장을 아측에 통보해줄것을 약속함.

3. ESPIELL 외상은 명년 3 월경 일본을 방문예정이라 하면서, 동시기에 아국방문도 희망하여왔는바, 동건 적극검토후 회시바람.

(대사-국장)

예고:91.12.31 일반

검 토 필(1991. 6. 30.)

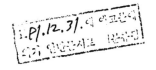

미주국	차관	1차보	2차보	국기국	국기국	외정실	분석관	정와대
안기부								

주 포 트 투 갈 대 사 관

주폴(정) 700-243   1991. 7. 9.

수 신 : 장 관

참 조 : 구주국장, 국제기구조약국장, 외교정책기획실장, 의전장

제 목 : 외무성 국장 접촉

(자료응신 제 68호)

1.   당 주재국 외무성내 전보인사로 아주국장이
91. 7월초중 교체됨에 따라, 당관 주철기참사관은 7. 9. 전임
Anabela Cadroeso 아주국장 및 신임 Mario Godinho de Matos
아주국장(최근까지 주북경대사관 근무)을 외무성으로 방문, 인사
하였고, 이어서 동인들을 오찬 초대하여 환담하였습니다.

2.   동 계기에 아측은 최근 광역선거후의 아국정세
안정상 설명 및 동인들의 질의에 따라 북한 최근 정세와 남북대화
현황 및 아국의 대화 재개 노력에 대해 설명하고, 또 지난 5-6월중
남북단일팀의 당지 체류시, 북측선수에 대해 포르투갈의 변화된
모습인식등 서구사회의 자유로운 분위기를 불어넣고자 시도한 아측
노력에 대해서 설명한바, 동인들은 긍정적인 이해를 나타냈음.

3.   또 동인들의 질의에 따라, 유엔가입분재
관련한 최근 정세, 북한의 7.8. 단독 가입신청서 제출과 관련한
동정을 설명하고, 남북한 동지가입 결의안이 채결되도록 추진코저

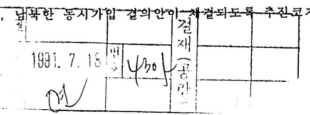

0245

하는 아국의 의연한 추진방침을 설명한바, 주재국 인사들은
이에대한 이해 및 계속적 지지를 표명하였기 보고합니다.

    4.   de Matos 아주국장은 자신의 북경체류시, 북한
주최 리셉션에 수차 가보았는바, 북한 공관원들은 매우 경직,
긴장돼있는것으로 늘 보였다고 말함.   또 북경주재 자국 Jose
de Vasconcelos Faria 대사는 평양에 신임장 제정시(90.2.),
북한측이 호텔에서 1주일간이나 기다리게 해놓고 마지막날 아침
갑자기 김일성 예방사실을 통고해와, 부랴부랴 준비, 기차를 타고
교외의 어느건물로 가서 김일성한테 신임장을 제정하였는바,
그당시 당황하였던 경험을 애기하고 있다고 말했음.   또
동 국장은 북한이 지난 4월 IPU 총회를 무리하게 개최하여,
그 이후는 평양시내 식품이 바닥이 났을것이라고 Joke로서
말함.

    5.   한편 Almeida de Leita 주한대사의 임명절차는
아직까지 끝나지 않았다고 하며, 관련동향이 있는대로 알려
주기로 하였읍니다.   끝.

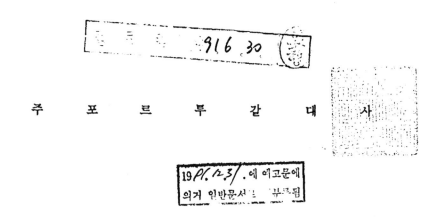

주 포 르 투 갈 대 사

916 30

19 91. 12. 31. 에 예고문에
의거 일반문서로 분류됨

0246

원 본

외 무 부

종 별 :

번 호 : PAW-0769   일 시 : 91 0716 1700

수 신 : 장관(국연,아서)

발 신 : 주 파 대사

제 목 : 아국의 유엔가입절차

연 PAW-625

1. 본직은 7.14.KHALID MAHMOOD 유엔담당차관보를 면담, 남북한의 유엔가입문제관해 의견교환을 가졌음.

2. 동차관보는 사견임을 전제로, 남북한의 유엔가입 신청이 각각 별개로 접수되므로 안보이사회에서 한 문건으로 취급될수는 없으나, 이사회같은 회의에서 동시 취급됨이 바람직하다고 의견을 시사하였음.

3. 본직 판단으로는 주재국이 중국측과 절차문제와 관련 의견교환을 했을가능성이 있는바, 상기 동시 상정은 당연한 이야기로서 동차관보가 시사하는역점은별개문서로(남북한 가입을 연계시킴이 없이)다루는것이 중국측의 입장이 아닌가추측됨. 끝.

(대사 전순규)

예고 91.12.31. 일반

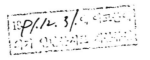

Embassy of
The Republic of Iraq
Seoul

No. 58-91

سفارة الجمهورية العراقية
سيئول

The Embassy of the Republic of IRAQ presents its compliments to the Ministry of Foreign Affairs of the Republic of Korea and with reference to its note verbal No. OGO 91-233, dated April 8th, 1991, has the honour to inform that the Government of the Republic of IRAQ has decided to support the admission of the Republic of Korea to the United Nations membership.

The Embassy of the Republic of Iraq avails itself of this opportunity to renew to the Ministry of Foreign Affairs of the Republic of Korea the assurances of its highest consideration.

SEOUL, July 19th, 1991

TO THE MINISTRY OF FOREIGN AFFAIRS
OF THE REPUBLIC OF KOREA

0248

외 무 부

종　별 :

번　호 : MOW-0334 　　　　　　　　　　　일　시 : 91 0720 1000

수　신 : 장관(중동이,문협일,경협일,국연)

발　신 : 주 모로코 대사

제　목 : 주재국 외무장관과의 면담

　　본직 부처는 7.17. 주재국 FILALI 외무부장관 부처 초청 송별만찬에 참석(당지 이임하는 카나다 및 알젤틴 대사 부처도 참석), 본직은 주재국 외상과 환담한바 그중 참고사항을 다음과 같이 보고함.

　　1. 본직 부임이래 양국관계가 다방면에 걸쳐 강화되고 있음을 기뻐하며 이를 위한 본직의 노고를 치하함. 동 장관이 모로코 학술원 회원인데 한국인사(이어령 문화부장관)를 회원으로 맞이하게 되었음을 알게되고 그렇게 된 배경이 한국대사의 활동과 무관하지 않은 것을 알고 본직의 주재국에서 활동이 다방면에 미치고 있음을 알게되었음.(배석한 　국제협력차관보를 　지적하면서) 　CHERKAOUI 　차관보는 경제협력분야에서도 　　근래 　　활발한 　　움직임을 　　보이고 　　있다고 　　보고를 하면서,국제협력국에서는 91 년을 "한국의 해"라고 호칭을 할 정도로 한국과의 협력강화에 열의를 보이고 있는것으로 알고 있는바, 양측의 협력 의지가 좋은 결실을 보게 되기를 희망함.

　　2. 금추 유엔총회에 남북한이 공히 유엔회원국으로 가입하게 되는 것을 진심으로 경하하며, 이는 한국외교의 꾸준한 노력의 결실임. 유엔회원국으로 있었던 동.서독이 통일한 예와같이 남북한도 유엔 동시가입이 계기가 되어 평화적인 통일이 가일층 촉진되어 조만간 실현되기를 기원함.

　　3. 오늘날 비동맹은 동.서 양진영간의 냉전이 종식된 현상황하에서 그 존재이유가 없어졌는바, 새로운 진로 개척이 요망되는 가운데 진통을 겪고 있음. 이제 비동맹에서 특정 정치이념에 집착한 정치적 책동은 무의미한 것임.

　　4. 지난번 일본 방문시 한국방문도 고려하였으나 스페인 국왕의 주재국 방문으로 일정 연장이 어려워 방한을 원하면서도 뜻을 이루지 못하였음. 그당시 한국측에서도 사정은 여의치 않았던것 같음. 오늘날과 같이 국제정세가 급속히 변화하는 상황하에서

중아국　　차관　　1차보　　2차보　　국기국　　경제국　　문협국

PAGE 1 　　　　　　　　　　　　　　　　　　　　91.07.20　　20:58

　　　　　　　　　　　　　　　　　　　　　　외신 2과　통제관 CA

　　　　　　　　　　　　　　　　　　　　　　　　0249

일국의 외상이 6 개월후 활동 일정을 예상, 계획하는 것은 곤란하며, 기회가 있을 때 이를 포착 우방국을 방문하는 수밖에 없는 실정임.

알젠틴도 공식방문을 계획, 3 차나 취소 연기하였으며, 오는 8.15 방문예정에 있는바 이번에만은 순조롭게 이루워지기 바람. 동 장관은 명년에는 한국을 꼭방문하게 되기 바란다고 하였음.

FILALI 외상부인도 한국에 관해 지대한 관심을 보이면서 내년에는 꼭 한국을 방문하게 되기를 희망하였음. 끝

(대사이종업-국장)

예고:91.12.31 일반

검 토 필 (19966. 30.)

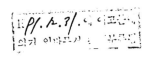

관리 번호	91 -066

외 무 부

종 별 :

번 호 : UNW-1877   일 시 : 91 0722 1800

수 신 : 장 관(국연,미남)

발 신 : 주 유엔 대사

제 목 : 남북한 유엔가입지지 (베네주엘라)

　　　베네주엘라대표부가 당관에 통보해온바에 의하면 , 동국은 남북한 유엔가입을 지지하는 유엔사무총장앞 7.11 자 별첨 서한을 총회및 안보리문서로 배포요청했다고 함.

　　　첨부:상기베네주엘라 대사의 사무총장앞 서한:UNW(F)-346

　　　.끝.

　　　(대사 노창희-국장)

예고:91.12.31. 까지

국기국　　장관　　차관　　1차보　　미주국　　청와대　　안기부

PAGE 1   91.07.23   08:17

#별첨

UNW(FI)-346 18722 1800
(국연·미남) 총 204

REPUBLICA DE VENEZUELA
MISIÓN PERMANENTE
ANTE LAS NACIONES UNIDAS

Nueva York, 11 de julio de 1991

Nº 1322

Señor Secretario General:

Tengo el honor de dirigirme a Vuestra Excelencia en la oportunidad de referirme a la reciente decisión de los Gobiernos de la República de Corea y la República Democrática Popular de Corea de solicitar próximamente su ingreso como miembros de pleno derecho a la Organización de las Naciones Unidas.

El Gobierno de Venezuela comparte plenamente esta aspiración del pueblo y de las autoridades de la Península Coreana, en el convencimiento de que dichos ingresos responderían adecuadamente no sólo al principio de universalidad consagrado en la Carta de las Naciones Unidas sino también al deseo de esa nación de agilizar y materializar el proceso de reconciliación y reunificación de Corea.

Al Excelentísimo Señor
Javier Pérez de Cuéllar
Secretario General de las
Naciones Unidas
Nueva York, NY

2-1

0252

REPUBLICA DE VENEZUELA
MISIÓN PERMANENTE
ANTE LAS NACIONES UNIDAS

1322

Agradecería que este texto se distribuya como documento de
la Asamblea General, en relación al tema 20 del programa, y
del Consejo de Seguridad.

Aprovecho la ocasión para reiterar a Vuestra Excelencia
las seguridades de mi distinguida consideración.

                        Diego Arria
                        Embajador
                Representante Permanente

2-2²

0253

관리 번호	9/ -4284

외 무 부

종 별 :

번 호 : UNW-1890   일 시 : 91 0723 1830

수 신 : 장 관(국연,기정)

발 신 : 주 유엔 대사

제 목 : 일.북한관계

1. 7.22 HATANO 일본대사는 본직과 접촉한 기회에 약 2 주전 박길연 북한대사가 자신에게 G-7 회담에서 북한 핵문제가 거론되지 않도록 일본의 협조를 요청하고, 북한으로서는 IAEA 와 필요한 조치를 취할예정인바, G-7 회담에서 동문제가 제기되는 것은 부당(UNFAIR)하다고 하였다함.

2. HATANO 대사는 이어 남북한의 유엔동시가입을 계기로 유엔에서 북한대표부측과 유엔 업무관련 일상적인 외교접촉이 예상되기 때문에 본국정부에 이에대한 허가를 요청한바 있으며 본국에서 허가가 나올것으로 본다고하였음. 끝

(대사 노창희-국장)

예고:91.12.31. 일반

국기국	장관	차관	1차보	2차보	분석관	청와대	안기부

91.07.24   08:09
외신 2과 통제관 BS
0254

외 무 부

종 별 :

번 호 : UNW-1904   일 시 : 91 0723 2130

수 신 : 장 관(국연,중동일)

발 신 : 주 유엔 대사

제 목 : 아국 유엔가입지지(이락)

　　이락대표부는 자국정부의 아국 유엔가입 지지결정을 7.22자로 당관에
통보하여온바, 동 통보서한을 별첨송부함.

　　첨부: 상기 이락서한: UNW(F)-351

　　끝

　　(대사 노창희-국장)

　　　　　　　　　　　　　　　　　　* acknowlege

국기국	1차보	중아국	외정실	분석관	안기부

　　　　　　　　　　　　　　　　　　　　　　91.07.24   10:54 WG

　　　　　　　　　　　　　　　　　　　　　　외신 1과 통제관

　　　　　　　　　　　　　　　　　　　　　　0255

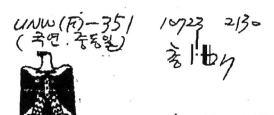

THE PERMANENT MISSION OF IRAQ
TO THE UNITED NATIONS
New York N.Y. 10021

للمثلية العراقية الدائمة لدى الأمم المتحدة
نيويورك

July 22, 1991

Excellency,

It is my pleasure to inform you of my govermnent
decission to support the Republic of Korea application
to UN membership.

Please accept, Excellency, the assurances of my
highest consideration.

Abdul Amir Al-Anbari
Ambassador
Permanent Representative

H.E. Chang Hee Roe
Ambassador Extraordinary and Plenipotentiary
Permanent Observer to the United Nations

외 무 부

종 별 :

번 호 : UNW-1911　　　　　　　　　　일 시 : 91 0724 1700

수 신 : 장 관(국연,미중)

발 신 : 주 유엔대사

제 목 : 남북한 유엔가입지지 (베네주엘라)

　　베네주엘라의 남북한 유엔가입지지 서한이 7.23자 총회및 안보리문서로 배포된바,
동 문서내용을 별첨송부함.
　　첨부:상기문서: UNW(F)-355
　　끝
　　(대사 노창희-국장)

국기국　　1차보　　　　　　미주국　　외정실　　분석관　　안기부

PAGE 1　　　　　　　　　　　　　　　　　91.07.25　　09:00 CT

　　　　　　　　　　　　　　　　　　　　외신 1과 통제관

　　　　　　　　　　　　　　　　　　　　　0257

UNW (F) - 355 10724 17
(국연. 미중)   총 104   A S

UNITED NATIONS

General Assembly   Security Council

Distr.
GENERAL

A/46/318
S/22824
23 July 1991
ENGLISH
ORIGINAL: SPANISH

GENERAL ASSEMBLY   SECURITY COUNCIL
Forty-sixth session   Forty-sixth year
Item 20 of the provisional agenda*
ADMISSION OF NEW MEMBERS TO THE
  UNITED NATIONS

<u>Letter dated 11 July 1991 from the Permanent Representative
of Venezuela to the United Nations addressed to the
Secretary-General</u>

I have the honour to refer to the recent decision by the Governments of
the Republic of Korea and of the Democratic People's Republic of Korea to seek
prompt admission as full Members of the United Nations.

The Government of Venezuela fully shares in this aspiration of the people
and authorities of the Korean peninsula in the conviction that the admission
of the two States duly corresponds to the principle of universality enunciated
in the Charter and to the wish of that people to expedite and bring to
fruition the process of reconciliation and reunification in Korea.

I should be grateful if you would have this letter circulated as a
document of the General Assembly under item 20 of the provisional agenda and
of the Security Council.

                                        (Signed) Diego ARRIA
                                                  Ambassador
                                           Permanent Representative

---

*   A/46/150.

91-23658 24491 (E)

#UNW-1911
정부목   1-1

0258

Office of the Prime Minister
Apia Western Samoa

8 July 1991

His Excellency Mr Roh Tae Woo,
President of the
Republic of Korea,

Dear Mr President,

On behalf of the Government and people of Samoa, I would personally like to record our happiness and satisfaction that recent events have now opened the way for the Republic of Korea to become a full member of the United Nations.

Western Samoa has always believed in the value to Korea and to the world of your country's full participation in the United Nations. We sincerely wish and hope that this time the aspirations of the Republic of Korea will be realised. We look forward with anticipation to welcoming the Republic of Korea to the United Nations.

Please accept my best regards.

Sincerely,

(Tofilau Eti Alesana)
PRIME MINISTER

0259

공 람	외 무 부		지지사항	유엔리
	접수번호	제 *3788* 호		방네가로
주 무 자	접수일자	19 .7.		─ 정체개호
				─ 관세안
담 당 자	위임근거		199 년 월 일 까지 처리할 것	

0260

배 부 처

기 획 실		아 주 국		국제기구 조 약 국		영 교 국	
정 책 실		미 주 국		국 제 경 제 국		총 무 과	
<u>의 전 실</u>	✔	구 주 국		통 상 국		감사관/실	ᅳ
특 전 실		중 아 국		문 화 협 력 국		여 권 과	

0261

EMBASSY OF THE ISLAMIC
REPUBLIC OF IRAN
SEOUL

In the name of God

July 23,1991
No. //78

    The Embassy of the Islamic Republic of Iran presents its compliments to the Ministry of Foreign Affairs of the Republic of Korea and has the honour to enclose herewith a message received from H.E.Dr.Ali Akbar Velayati, Minister of Foreign Affairs of the Islamic Republic of Iran, addressed to H.E.Mr. Lee Sang Ock, Minister of Foreign Affairs of the Republic of Korea.

    It would be highly appreciated if the Ministry kindly transmit this message to its esteemed destination.

    The Embassy of the Islamic Republic of Iran avails itself of this opportunity to renew to the Ministry of Foreign Affairs of the Republic of Korea the assurances of its highest consideration.

    Wishing the oppressed victory over the oppressors.

Ministry of Foreign Affairs
Republic of Korea
Seoul

0262

MINISTRY OF FOREIGN AFFAIRS
OF THE ISLAMIC REPUBLIC OF IRAN

In the name of God, the Almighty

H.E.Mr.Lee Sang Ock
Minister of Foreign Affairs of
The Republic of Korea

    The understanding and decision of the government of the
Republic of Korea and the Democratic People's Republic of
Korea to apply for their membership in the United Nations
Organization, which ensures the realization of the Republic
of Korea's desire to join the international organization is
most pleasing.
    The Islamic Republic of Iran, in accordance with its
overall policy and the principle of universal membership of
the United Nations Organization, and in compliance with the
charter of the United Nations, supports the membership of all
independent states in the United Nations.
    Thus it has assessed as positive the logical initiative of
the Republic of Korea to apply for the membership of the Uni-
ted Nations. The Islamic Republic of Iran would spare no
efforts to help eliminating the difficulties between the par-
ties concerned in promoting the understanding between them.
We are pleased that the lengthy discussions and great efforts
so far made for the Korean membership in the United Nations
have born fruits. We believe the membership of the two Koreas
in the United Nations will strengthen a lasting and durable
peace in the Korean peninsula.
    I sincerely hope that this positive step will lead eventu-
ally to a happy reunification of the two Koreas. We hope that
with the membership of the Republic of Korea in the United
Nations,their way will be paved for a much more expanded   and

0263

MINISTRY OF FOREIGN AFFAIRS
OF THE ISLAMIC REPUBLIC OF IRAN

consolidated cooperation between us in the United Nations,
leading to the two countries' deeper and closer relations.
Please accept the assurances of my high consideration.

Dr.Ali Akbar Velayati
Minister of Foreign Affairs
Of the Islamic Republic of Iran

0264

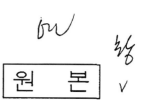

관리	91
번호	-4419

외 무 부

종   별 :

번   호 : ZMW-0136   일   시 : 91 0731 1300

수   신 : 장관(국연, 아프이)

발   신 : 주 잠비아 대사

제   목 : 외무장관 면담

본직은 7. 31 (수) 주재국 BENJAMIN MIBENGE 외무장관의 요청에 의해 동 장관실에서 면담한바, 한국정부의 유엔가입에 대한 주재국의 지지입장과 카운다대통령의 방한일정등에 대해 언급한 내용을 아래 보고함.(김영길 참사관 배석)

1. 한국정부의 유엔가입 지지문제와 관련, 잠비아정부로서는 안국의 유엔가입 입장이 합당(LOGICAL) 하며, 따라서 전적으로 지지하는 바임. 잠비아정부의 여사한 입장은 금번 유엔총회토의시 반영토록할것임.

2. 카운다대통령의 금년 10 월 중 방한일정은 금년 10 월중 실시될 선거일이 아직 미확정이고 현재 진행중인 선거관련준비사정관계로 선거일자가 10 월 초순으로 잡힐지 혹은 10 월 말경이 될지 사정이 유동적이며, 10 월말로 되는 경우는 선거후 신정부구성, 요직임명절차 등으로 촉박한 감이 있음. 신헌법에 따라 의원수가 증가 (135 명에서 150 명) 됨에 따른 선거구획조정과 선거인 명부작성등 문제해결이 애로로 남아있음. 그러나 선거일은 8. 5-9 간 개최될 UNIP 당 PARTY CONGRESS 이후 곧 대통령에 의해 공포될 예정이므로 8 월 중순 이전까지는 알수있을 것임. 우리로서는 한국정부에서 희망하는 일정되로 방한할수 있게 되기를 희망하며, 본인으로서도 동 기회 방한을 기대하고있음.

3. 시기적으로 늦은 감이있으나, 정원식총리의 취임을 진심으로 축하드리고자 함. 한국정부가 중진급인사를 특사로 파견해준 데 감사드리며, 대통령특사로서 잠비아 방문시 만나뵐수 있어 큰 기쁨이었음. 본인은 연속적인 해외회의참석과 총선준비위원장 피임에 따른 바쁜 일정관계로 귀대사와 면담기회를 갖지 못했고, 오늘 만난 기회에 귀 대사를 통해 축의를 전달하는 바 임. 끝.

(대사 성 필 주 - 장관)

예고: 년말 일반

국기국	장관	차관	1차보	2차보	중아국	분석관	청와대	안기부

외 무 부

종 별 :

번 호 : FJW-0205

수 신 : 장관(국연,아동)

발 신 : 주 휘지 대사

제 목 : SPF 회의에서의 아국 유엔가입지지

일 시 : 91 0731 1740

대:WFJ-0080

연:FJW-0204,0153,0151,0138

1. 마이크로네시아(F.S.M)수도 POHNPEI 에서 개최되고있는 91 년 SOUTH PACIFIC FORUM 회의(7.29-31)에서 7.31 아국 유엔가입을 지지하는 결의를 채택하였다고 주재국 외무성 NADO 정무국장이 당관에 통보하여 왔는바, 현재 동회의에 참석하고있는 주재국 MARA 수상이 외무성 YARROW 차관과 협의, 연호관련 아국의 유엔가입 지원에대한 적극적 지지표현의 일환으로 동결의를 상정한것으로 해석되며최근 휘지 정정불안등 어려운 상황에도 불구하고 아측입장을 적극 지지해 준것은 그간 아국과 휘지국간에 쌓아온 친밀 협조관계를 반영해준것이라고 사료됨.

2. 상기 회의에서 결의 채택된 사항중 연호 마샬아일랜드및 마이크로네시아와 아국의 유엔가입과 관련한 지지성명내용을 아래와같이 발췌, 보고하오니 참고바람.

HEADS OF GOVERNMENT PLEDGED THEIR SUPPORT AND COMMENDED

-APPLICATION OF THE REPUBLIC OF THE MARSHALL ISLANDS AND THE FEDERATEDSTATES OF MICRONESIA TO JOIN THE UNITED NATIONS AS FULL MEMBERS.THE FORUMCALLED UPON THE SECURITY COUNCIL AND THE GENERAL ASSEMBLY OF THE UNITED NATIONS TO WELCOME UNANIMOUSLY, THESE APPLICATIONS FOR MEMBERSHIP IN THE UNITED NATIONS.

-BOTH SOUTH KOREA AND NORTH KOREA IN THEIR RESPECTIVE BIDS FOR MEMBERSHIP OF THE UNITED NATIONS. 끝

(대사 백영기-국장)

국기국　　차관　　1차보　　2차보　　아주국

長官報告事項

1991. 8. 1.
國際機構條約局
國際聯合課 (50)

題 目 : 유엔加入關聯 이란外相 메세지

　　駐韓 이란大使館은 7.23字 公翰을 통해 이란外相의 長官님 앞
메세지를 傳達해 줄 것을 要請해온 바, 同 메세지 內容要旨 및 이에
대한 措置豫定事項을 아래 報告드립니다.

1. 長官님 앞 메세지 要旨

o 이란은 유엔의 普遍性原則에 입각, 모든 獨立國家의 유엔加入을
　支持해 왔는 바, 韓國의 유엔加入 努力이 結實을 이루게 된 것을
　기쁘게 생각함.

o 이란은 南北韓의 유엔加入이 韓半島의 平和를 增進시킬 것으로
　믿으며, 이같은 肯定的인 事態發展이 窮極的인 統一達成에도 寄與
　하기를 希望함.

o 韓國의 유엔加入으로 유엔내 韓.이란 兩國間의 協力이 擴大되고 더
　나아가 兩者關係가 보다 緊密化 되기를 希望함.

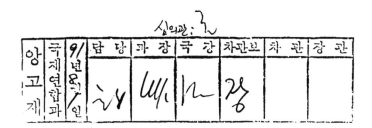

0267

2. 措置事項(建議)

○ 아래 要旨의 長官님 名義 答信을 담은 駐韓 이란大使館 앞 公翰發送
  - 메세지 送付 感謝
  - 우리의 유엔加入努力에 대한 그동안 이란의 支持에 感謝
  - 우리는 南北韓關係 發展과 韓半島 緊張緩和를 위해 最善의
    努力을 傾注하고자 함.
  - 우리의 이러한 努力에 대한 이란의 支援 期待
  - 韓.이란 兩國關係의 무궁한 發展 祈願
○ 駐이란 및 駐유엔 我國大使館에 上記 內容通報

添 附 : 駐韓 이란大使館 公翰 1부.   - 끝 -

0268

長官報告事項

報告畢

1991. 8. √1.
國際機構條約局
國際聯合課 (50)

題 目 : 유엔加入關聯 이란外相 메세지

> 駐韓 이란大使館은 7.23字 公翰을 통해 이란外相의 長官님 앞
> 메세지를 傳達해 줄 것을 要請해온 바, 同 메세지 內容要旨 및 이에
> 대한 措置豫定事項을 아래 報告드립니다.

---

1. 長官님 앞 메세지 要旨

o 이란은 유엔의 普遍性原則에 입각, 모든 獨立國家의 유엔加入을
  支持해 왔는 바, 韓國의 유엔加入 努力이 結實을 이루게 된 것을
  기쁘게 생각함.

o 이란은 南北韓의 유엔加入이 韓半島의 平和를 增進시킬 것으로
  믿으며, 이같은 肯定的인 事態發展이 窮極的인 統一達成에도 寄與
  하기를 希望함.

o 韓國의 유엔加入으로 유엔내 韓·이란 兩國間의 協力이 擴大되고 더
  나아가 兩者關係가 보다 緊密化 되기를 希望함.

2. 措置事項(建議)

○ 아래 要旨의 長官님 名義 答信을 담은 駐韓 이란大使館 앞 公翰發送
 - 메세지 送付 感謝
 - 우리의 유엔加入努力에 대한 그동안 이란의 支持에 感謝
 - 우리는 南北韓關係 發展과 韓半島 緊張緩和를 위해 最善의
   努力을 傾注하고자 함.
 - 우리의 이러한 努力에 대한 이란의 支援 期待
 - 韓.이란 兩國關係의 무궁한 發展 祈願

○ 駐이란 및 駐유엔 我國大使館에 上記 內容通報

添附 : 駐韓 이란大使館 公翰 1부.　　　　　　- 끝 -

0270

EMBASSY OF THE ISLAMIC
REPUBLIC OF IRAN
SEOUL

In the name of God

July 23,1991
No. //78

The Embassy of the Islamic Republic of Iran presents its
compliments to the Ministry of Foreign Affairs of the Republic
of Korea and has the honour to enclose herewith a message
received from H.E.Dr.Ali Akbar Velayati, Minister of Foreign
Affairs of the Islamic Republic of Iran, addressed to H.E.Mr.
Lee Sang Ock, Minister of Foreign Affairs of the Republic of
Korea.

It would be highly appreciated if the Ministry kindly trans-
mit this message to its esteemed destination.

The Embassy of the Islamic Republic of Iran avails itself
of this opportunity to renew to the Ministry of Foreign Affairs
of the Republic of Korea the assurances of its highest consider-
ation.

Wishing the oppressed victory over the oppressors.

Ministry of Foreign Affairs
Republic of Korea
Seoul

0271

MINISTRY OF FOREIGN AFFAIRS
OF THE ISLAMIC REPUBLIC OF IRAN

In the name of God, the Almighty

H.E.Mr.Lee Sang Ock
Minister of Foreign Affairs of
The Republic of Korea

The understanding and decision of the government of the
Republic of Korea and the Democratic People's Republic of
Korea to apply for their membership in the United Nations
Organization, which ensures the realization of the Republic
of Korea's desire to join the international organization is
most pleasing.

The Islamic Republic of Iran, in accordance with its
overall policy and the principle of universal membership of
the United Nations Organization, and in compliance with the
charter of the United Nations, supports the membership of all
independent states in the United Nations.

Thus it has assessed as positive the logical initiative of
the Republic of Korea to apply for the membership of the Uni-
ted Nations. The Islamic Republic of Iran would spare no
efforts to help eliminating the difficulties between the par-
ties concerned in promoting the understanding between them.
We are pleased that the lengthy discussions and great efforts
so far made for the Korean membership in the United Nations
have born fruits. We believe the membership of the two Koreas
in the United Nations will strengthen a lasting and durable
peace in the Korean peninsula.

I sincerely hope that this positive step will lead eventu-
ally to a happy reunification of the two Koreas. We hope that
with the membership of the Republic of Korea in the United
Nations,their way will be paved for a much more expanded and

0272

MINISTRY OF FOREIGN AFFAIRS
OF THE ISLAMIC REPUBLIC OF IRAN

consolidated cooperation between us in the United Nations,
leading to the two countries' deeper and closer relations.
Please accept the assurances of my high consideration.

Dr.Ali Akbar Velayati
Minister of Foreign Affairs
Of the Islamic Republic of Iran

0273

발 신 전 보

번 호 : WIR-0574   910806 1128 CJ   종별 :

수 신 : 주 이 란   대사//총영사

발 신 : 장 관 (중동일)

제 목 : 외무장관 이란 방문

대 : IRW-456 (91.5.29)

1. 본직의 이란방문 초청 관련, 대호 귀관 건의에 이어 지난달 서울개최 한.이
   공동위에 참석했던 이란 외무성 ROUHISEFAT 극동.대양주 국장은 8월 하순으로
   예정된 BORUJERDI 이란 외무성 아시아.대양주 담당차관의 방한후 본직이 년내
   이란을 방문하게 되기를 희망하고, 그후 벨라야티 외무장관이 답방한 다음
   정상급 방문을 추진하기를 제안한 바 있음.

2. 아측도 이란측의 이러한 단계적인 교환방문에 동의하나, 본직은 9월 중순이후
   10월 초순까지의 UN 총회 참석에 이어 12월 초까지의 정기국회 회기등을 감안
   할때 년내 이란 방문이 어려울 것으로 예상되므로 우선 벨라야티 외상이 11월중
   편리한 시기에 먼저 방한토록 교섭하고 결과 보고 바람. (11.4-7 잠비아 대통령
   방한, 11.12-14간 APEC 각료회의 서울개최 예정임을 귀관 참고로만 하기 바람)

X. 벨라야티 외상앞 방한 초청장은 파편 송부 하겠음. 끝.

(장 관 이 상 옥)

예 고 : 91.12.31. 일반

	91 년 월 일	중동1과	기안자 성명 주		과장	심의관	국장	차관보	차관	장관	

보안통제

외신과통제

0274

OGO 91- 600

The Ministry of Foreign Affairs presents its compliments to
the Embassy of the Islamic Republic of Iran and has the honour to
acknowledge receipt of the latter's Note No. 1178 of 23 July 1991
regarding a message from H.E. Dr. Ali Akbar Velayati, Minister of
Foreign Affairs of the Islamic Republic of Iran addressed to H.E.
Mr. LEE Sang-Ock, Minister of Foreign Affairs of the Republic of
Korea.

The Ministry has further the honour to enclose herewith a
reply ~~message~~ *letter* of H.E. Mr. LEE Sang-Ock addressed to H.E. Dr. Ali
Akbar Velayati. It would be highly appreciated if the Embassy
kindly transmits this ~~message~~ *letter* to its esteemed destination.

The Ministry of Foreign Affairs avails itself of this oppor-
tunity to renew to the Embassy of the Islamic Republic of Iran the
assurances of its highest consideration

Enclosure : as stated

Seoul, August 7, 1991

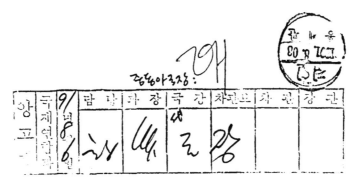

0275

OGO 91-600

The Ministry of Foreign Affairs presents its compliments to the Embassy of the Islamic Republic of Iran and has the honour to acknowledge receipt of the latter's Note No. 1178 of 23 July 1991 regarding a message from H.E. Dr. Ali Akbar Velayati, Minister of Foreign Affairs of the Islamic Republic of Iran addressed to H.E. Mr. LEE Sang-Ock, Minister of Foreign Affairs of the Republic of Korea.

The Ministry has further the honour to enclose herewith a reply letter of H.E. Mr. LEE Sang-Ock addressed to H.E. Dr. Ali Akbar Velayati. It would be highly appreciated if the Embassy kindly transmits this letter to its esteemed destination.

The Ministry of Foreign Affairs avails itself of this opportunity to renew to the Embassy of the Islamic Republic of Iran the assurances of its highest consideration

Enclosure : as stated

Seoul, August 8, 1991

0276

7 August 1991

Excellency,

I thank Your Excellency for your kind message which was delivered to me through your Embassy in Seoul.

While my country is expected to join the United Nations this September, I wish to extend my deep gratitude to your Government for its firm support for our hitherto diplomatic efforts to attain United Nations membership.

As Your Excellency indicated in the message, the entry of the Republic of Korea into the UN is all the more significant because the Democratic People's Republic of Korea will also be admitted to the United Nations at the same time. We believe that both Koreas' UN membership will facilitate mutual contacts and cooperation and therefore contribute to developing a more stable and conciliatory inter-Korean relationship.

I also fully agree to your view that the membership of the Republic of Korea in the United Nations will greatly help to further collaboration between our two countries in a wide range of activities of the United Nations. I sincerely hope that the expanded contacts and cooperation in the United Nations will lead to ever closer bilateral relations between our two countries.

H.E. Dr. Ali Akbar Velayati
Minister of Foreign Affairs
of the Islamic Republic of Iran

0277

Taking this opportunity, I wish to extend my sincere thanks for your kind invitation to pay a visit to your great country which was recently renewed through Mr. Mohammad Rouhisefat, General Director of Far East and Oceanian Affairs of your Ministry during his recent stay in Seoul. While looking forward to visiting Iran, I would be most pleased to receive Your Excellency in Seoul on an official visit to my country before the end of this year.

Please accept my best wishes for your good health and the everlasting prosperity of your nation.

Yours sincerely,

LEE Sang-Ock

0278

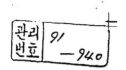

관리
번호 91 - 940

주 휘 지 대 사 관

휘정 2031 - 199   1991. 8. 7.

수신 : 장 관

참조 : 국제기구조약국장

제목 : SPF 회의에서의 아국유엔가입지지

   연 : FJW - 0205

   연호 표제회의에서의 아국유엔가입지지에 대하여 별첨과 같이 주재국외무성에
감사서한을 송부하였음을 보고합니다.

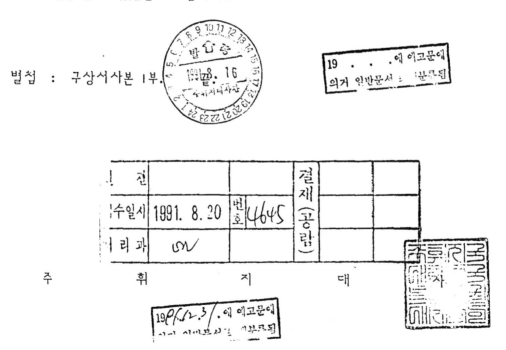

별첨 : 구상서사본 1부.

주   휘   지   대

0279

EMBASSY OF THE REPUBLIC OF KOREA
SUVA, FIJI.

KFJ-91-113

The Embassy of the Republic of Korea presents its compliments to the Ministry of Foreign Affairs of the Republic of Fiji and has the honour to acknowledge the resolution unanimously adopted by the member countries of South Pacific Forum at its Twenty-Second Meeting held in Pohnpei, Federated States of Micronesia in support of the position of Republic of Korea on its long cherished admission to the United Nations.

The Embassy has further honour to express, on behalf of its home Government, its sincere appreciation of Fiji Government's kindness to initiate in the spirit of friendly cooperation and assistance the aforesaid successful resolution that contribute to the forging of a favourable atmosphere of acceptance which is believed to give added momentum to the emerging worldwide atmosphere to embrace both of South and North Korea into the world body.

The Embassy of the Republic of Korea avails itself of this opportunity to renew to the Ministry of Foreign Affairs of the Republic of Fiji the assurances of its highest consideration.

Suva, 2 August 1991

0280

관리
번호 91 - 4586

기 안 용 지

분류기호 문서번호	국연 2031- 870	(전화:)	시 행 상 특별취급		
보존기간	영구·준영구· 10. 5. 3. 1		장	관	
수 신 처 보존기간		출장중			
시행일자	1991. 8. 8.				

보조기관	국 장	전결	협조기관	중동아주장 `1이`	문서통제 검열 1991. 8.09 통 제 관
	심의관	큰			
	과 장				
기안책임자		김성진			발 송 인

경 유		발신명의	발↑송 1991. 8. 09 외무부
수 신	주이란대사 (사본 : 주유엔대사)		
참 조			
제 목	유엔가입관련 이란외상 메세지 접수		

연 : WIR-0574(8.6)

1. 주한 이란대사관은 7.23자 공한을 통해 Velayati

이란외상의 장관앞 별첨(1) 메세지를 전달해 왔으며, 이에대해

본부는 8.8. 주한 이란대사관에 장관명의 별첨(2) 답신을

발송하여 동 외상에게 전달토록 요청하였는 바, 귀관 업무에

참고바랍니다.   0281   /계속/

2. 연호관련, 상기 장관명의 답신을 통하여 장관의

이란 방문에 앞서 주재국 외상이 년내 공식방한 해주길 희망

하는 아측입장을 전달했음을 참고바랍니다.

첨부 : 1. 주한 이란대사관 공한 및 이란외상 메세지

사본 각 1부.

2. 본부공한 및 장관명의 답신사본 각 1부. 끝.

19 .   세   교무예
으예고신   91. 12. 31. 일반

0282

MINISTER OF FOREIGN AFFAIRS
SEOUL. KOREA

7 August 1991

Excellency,

I thank Your Excellency for your kind message which was delivered to me through your Embassy in Seoul.

While my country is expected to join the United Nations this September, I wish to extend my deep gratitude to your Government for its firm support for our hitherto diplomatic efforts to attain United Nations membership.

As Your Excellency indicated in the message, the entry of the Republic of Korea into the UN is all the more significant because the Democratic People's Republic of Korea will also be admitted to the United Nations at the same time. We believe that both Koreas' UN membership will facilitate mutual contacts and cooperation and therefore contribute to developing a more stable and conciliatory inter-Korean relationship.

I also fully agree to your view that the membership of the Republic of Korea in the United Nations will greatly help to further collaboration between our two countries in a wide range of activities of the United Nations. I sincerely hope that the expanded contacts and cooperation in the United Nations will lead to ever closer bilateral relations between our two countries.

H.E. Dr. Ali Akbar Velayati
Minister of Foreign Affairs
of the Islamic Republic of Iran

0283

Taking this opportunity, I wish to extend my sincere thanks for your kind invitation to pay a visit to your great country which was recently renewed through Mr. Mohammad Rouhisefat, General Director of Far East and Oceanian Affairs of your Ministry during his recent stay in Seoul. While looking forward to visiting Iran, I would be most pleased to receive Your Excellency in Seoul on an official visit to my country before the end of this year.

Please accept my best wishes for your good health and the everlasting prosperity of your nation.

Yours sincerely,

LEE Sang-Ock

0284

MINISTRY OF FOREIGN AFFAIRS
REPUBLIC OF KOREA

OGO 91-

The Ministry of Foreign Affairs presents its compliments to
the Embassy of the Islamic Republic of Iran and has the honour to
acknowledge receipt of the latter's Note No. 1178 of 23 July 1991
regarding a message from H.E. Dr. Ali Akbar Velayati, Minister of
Foreign Affairs of the Islamic Republic of Iran addressed to H.E.
Mr. LEE Sang-Ock, Minister of Foreign Affairs of the Republic of
Korea.

The Ministry has further the honour to enclose herewith a
reply letter of H.E. Mr. LEE Sang-Ock addressed to H.E. Dr. Ali
Akbar Velayati. It would be highly appreciated if the Embassy
kindly transmits this letter to its esteemed destination.

The Ministry of Foreign Affairs avails itself of this oppor-
tunity to renew to the Embassy of the Islamic Republic of Iran the
assurances of its highest consideration

Enclosure : as stated

Seoul, August 8, 1991

0285

관리 번호	91 -963

외 무 부

종 별 :

번 호 : UNW-2264

수 신 : 장 관(국연,미남)

발 신 : 주 유엔 대사

제 목 : 아국 유엔가입 지지공한

일 시 : 91 0823 1830

    주유엔 콜롬비아 대표는 8.16 자 당관앞 별첨 공한을 통해 안보리에서의 남북한
유엔가입 권고 결의안 채택에 만족을 표명하고 향후 양자간 문제에서 뿐 아니라 유엔의
제반 문제에있어 아국과 긴밀히 협력하고자 하는뜻을 전달해옴.

    첨부:상기공한:UNW(F)-455 끝

    (대사 노창희-국장)

예고:91.12.31. 까지

국기국	장관	차관	1차보	미주국	분석관	청와대	안기부

PAGE 1

91.08.24   08:35

외신 2과 통제관 BS

0286

별첨

COLOMBIAN MISSION
TO THE UNITED NATIONS
140 EAST 57TH STREET
NEW YORK, N. Y. 10022

UNW(FI)-455 10823 1830
(국연 . 미낭) 총104

No. 1119

    The Permanent Mission of Colombia to the United Nations presents its compliments to the Permanent Observer Mission of the Republic of Korea to the United Nations and has the honour to express its satisfaction for the resolution approved by the Security Council of the United Nations by means of which it recommends to the General Assembly to approve the admision of the Democratic People's Republic of Korea as a member of the United Nations.

    The Permanent Mission of Colombia to the United Nations also wants to express its disposition to cooperate in all the future tasks that Colombia and the Republic of Korea shall undertake in favour of the economic, political and social development of our two countries, as well as in all other noble issues that the United Nations pursues.

    The Permanent Mission of Colombia to the United Nations avails itself of this opportunity to reiterate to the Permanent Observer Mission of the Republic of Korea to the United Nations the assurances of its highest consideration.

    New York, August 16, 1991

0287

외 무 부

종 별 :

번 호 : NMW-0744   일 시 : 91 0913 1650

수 신 : 장관(아프이,연일)

발 신 : 주 나미비아 대사

제 목 : 앙골라의 아국 유엔가입 지지공한 접수

연:NMW-0724

1. 본직이 금 9.13. 브라질 대통령의 당지방문 환영 공항행사에서 당지 앙골라대사를 만나 연호 신참사관의 앙골라 방문결과를 설명하고 금번 유엔총회시 양국 외무장관간 회담이 성사될수 있도록 협조해줄것을 당부한바 동대사는 본국정부로부터 아국의 유엔가입을 지지한다는 공한을 당관으로 보내라는 지시를 받고금일아침 시행한바있다 하고 외무장관간 면담이 가능토록 최대한 협조하겠다 하였기 보고함.

2. 당관은 금일 오후 상기내용의 공한을 접수하였음.

3. 상기는 연호 신참사관 앙골라출장시 앙골라 외무부 고위인사들이 아국의유엔가입을 명시적으로 지지하겠다고 언급한 내용과 합치하고 있으므로 이는 아국과의 수교를 위한 양측의 발전적조치로 해석하여도 무방할것으로 사료됨.

(대사 송학원-국장)

예고:91.12.31. 일반

중아국	장관	차관	1차보	2차보	국기국	외정실	청와대	안기부

PAGE 1   91.09.14   08:28
                          외신 2과 통제관 BW
                                     0288

정 리 보 존 문 서 목 록

기록물종류	일반공문서철		등록번호	2020070020	등록일자	2020-07-10
분류번호	731.12		국가코드		보존기간	영구
명 칭	남북한 유엔가입, 1991.9.17. 전41권					
생 산 과	국제연합1과		생산년도	1990~1991	담당그룹	
권 차 명	V.27 북한의 유엔가입신청 결정 발표(5.27) III : 각국 언론보도 분석					
내용목차						

0001

외 무 부

종 별 :

번 호 : CGW-0474   일 시 : 91 0528 1030

수 신 : 장 관(해신,정홍)

발 신 : 주 시카고 총영사

제 목 : 기사보고

　　CHICAGO TRIBUNE 은 5.28자 5면 NORTH KOREA WILL JOIN RIVALIN APPLYING TO
U.N제하 서울발 AP 인용, 북한이 한국과 동시에 유엔 가입 신청을 할것이라고 3
컬럼으로 보도함.

　　동 기사는 북한 외교부장의 성명 내용을 간략히 보도 하고 아국 외무부의 환영
성명을 소개함.

　　(총영사 강대완-과장)

공보처　　정문국　　국기국　마주국

PAGE 1   91.05.29　　00:49 FO
　　　　　　　　　　　　　　　　　　　　　　외신 1과　통제관
　　　　　　　　　　　　　　　　　　　　　　　0002

외 무 부

증 별 :

번 호 : MMW-0100　　　　　　　　　　　일 시 : 91 0528 1330

수 신 : 장 관(미북, 영재, 정문)

발 신 : 주 마이애미 총영사

제 목 : 유엔가입 관련 기사

　　1. 당지 MIAMI HERALD 지 5.28.자는 해외단신란에 ' APPLICATION TO JOIN U.N. SEEN AS UNTIY STEP ' 제하로 북한이 유엔가입 의사를 발표하였으며 이는 남북관계 개선에 특히 기여할것이라고 보도하였음.

　　2. 동 기사파편 송부하겠음. (총영사 김동 호 - 국장)

미주국　　1차보　　정문국　　영교국　　안기부　국가국

외 무 부

번 호 : NYW-0793   일 시 : 91 0528 1520

수 신 : 장 관(해신.국연.정홍)

발 신 : 주 뉴욕 총영사(문)

제 목 : 북한 유엔가입 (신문)논조

　　1. NYT, WSJ 및 CSM 등이 이곳 주요신문들은 북한의 유엔동시 가입 정책선회를 동경및 서울특파원발 기사로 <u>노태우 대통령 정부의 외교승리라고</u> 외신면에 크게 보대했음.

　　2. NYT : 북한, 마지못한 유엔가입 결정

　　0 북한은 점증하는 외교 고립에 기인한것으로 보이는 정책선회를 통하여 남북한 유엔동시 가입의사를 밝힘으로서 남북한이 처음으로 각각유엔 회원국이 될수 있는길을 텄음.

　　0 이 전격적 발표는 한국의 노태우대통령 정부의 승리로 기록될것임. 노대통령은 그동안 소련과 중국과 화친해 왔고 소련은 최근 한국 단독가입안에 거부권 사용을 하지않을 것이라고 밝힌바있고 중국도 이붕 총리가 5월초 북한 방문때 거부권 사용곤란을 전한것으로 알려짐.

　　0 북한의 발표문은 스스로 손이 뮤여 취할수 밖에없었던 사정을 자인하는 투의 격렬한 어조로 구성되었음.

　　0 한편 서울은 동 발표를 환호하면서 북한이 처음으로 자신의 국제적 고립을 시인하고 분명하게 정책을 선회한것으로 평가했음. 그러나 한국정부는 승리감에 도취한것은 아니고 동 조치가 아시아의 평화와 안정을 굳히는 기회라고 조심스럽게 논평했음.

　　0 동경의 한 일본 외교관은 +북한의 경제형편이 김일성으로 하여금 다른 선택의여지를 앗아간것+이라고 발했음. 그러나 평양을 움직인 결정적 계기는 노태우 대통령의 북한의 전통 우방국들에 대한 외교적인 노력의 성과라고 하겠음.

　　0 남북한 유엔동시가입은 앞으로 북한이 IAEA조사단의 핵 사찰압력을 더욱 받게될것이며, 또 유엔이 남북한 대화의 광장으로 활용될 가능성이 높아짐.

공보처　　1차보　　국기국　　정문국　　안기부　　장관　차관　청와대

3.WSJ: 북한 +하나의 한국+정책 바꿈

0 북한은 한국과 발맞추어 유엔동시 가입을 추진할것이라고 발표함으로써 +하나의 조선+정책을 포기했음. 이것은 한국 외교노력의 승리를 의미하는것임.

0 +미국은 북한의 유엔가입 노력을 지지할것이며, 남북한의 유엔가입은 상호간의 대화와 통일을 이루는데 기여할것이다+고 국무부가 논평했음.

0 서울주재 외교관들은 북한의 정책선회에서 가장 중요한 역할을 한것을 필시 중국일것이라고 말했음

- 중국은 최근 북한과의 회담에서 한국의 유엔 가입을 구태여 반대하지 않는다고 시사했을지 모름

0 북한의 정책선회

- 마지못해 한 것이지만, 한국을 사실상의 공인된 정부로 처음 인정하는것임.

4.CSM:북한,유엔 동시가입 추진

0 북한의 유엔가입 의사표명으로 한국은 결정적 승리를 얻음.

0 북한의 정책선회는 중국이 한국의 유엔가입신청에 거부권을 행사하지 않겠다고 결정했음을 말한것임.

0 중국의 그러한 결정은 소련이 한국을 승인한지 7개월 후, 중국과 한국이 상호 무역사무소를 개설한지 5개월만에 노온것임.

0 한국의 승리는 노대토령의 북한을 국제적 고립으로 부터 탈피시키고자 하는 노력끝에 얻어진것임.

(원장-관장)

외 무 부

종 별 : 지급

번 호 : SVW-1839   일 시 : 91 0528 1540

수 신 : 장 관(동구일,국연)

발 신 : 주소대사

제 목 : 남,북한 유엔가입

   1. 5.28(화) TASS(평양주재 VLADIVIR NADASHKEVICH 기자보도)는 북한 외무성이 5.27(월) 북한 정부가 유엔에 가입키로 하였다(NORTH KOREA DECIDED TO JOIN THE UNITED NATIONS)는 내용의 성명을 발표하였다고 보도함. 동 성명서는 한국 정부에 의해 야기된 일시적 난관을 극보하기 위해 이러한 조치를 취하지 않을 수 없었다(---WAS FORCED TO TAKE THIS STEP TO OVERCOME TEMPORARY DIFFICULTIES CREATED BY SOUTH KOREAN AUTHORITIES)고 언급하였다고 함.

   2. 한편 소련 국영 TV 방송도 12:00 뉴스를 통해 상기 내용을 보도하였음. 끝

(대사 공로명-국장)

91.12.31 까지

검 토 필 (1991 6.30

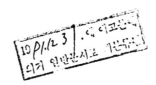

구주국   장관   차관   1차보   2차보   국기국   청와대   안기부

PAGE 1   91.05.28   23:03

                                  외신 2과 통제관 BW

                                          0006

외 무 부

종   별 :

번   호 : FUW-0186   일   시 : 91 0528 1950

수   신 : 장관(국연,정문,기정)

발   신 : 주 후쿠오카 총영사

제   목 : 유엔 가입

(자료응신 제 24 호)

대:AM-112

1. 대호 관련 당지 니시니혼 신문(5.28 자 석간)은 "북조선 국연 가맹 신청"의
표제하에 일면 톱기사로 보도 하였는바, 요지 아래 보고함.

-5.27. 북한 외교부가 북한의 국가정책 기본의 하나인 남북 유엔 개별 가입반대의
입장을 180 도 선회, 현상태로 유엔 가입 신청 방침을 결정 하였음을 발표함

-한. 소 국교 수립, 한. 중 관계 긴밀등 한국의 단독 가입 저지가 불가능 해진
현실을 판단, 정책을 전환한 것으로, 동 발표로 금년 가을에라도 남북 유엔동시 가입
실현 가능성이 강해졌으며, 이로서 남북관계 개선, 긴장완화등 한반도 정세에
큰변화를 가쟤 것은 확실함

-북한측은 정책 전환 이유로서 아국의 분열주의에 불가피한 조치로서 남북이
별개로 유엔에 가입케 되는 현 상황을 결코 고착화 시키는 것이 아님을 강조함

-사카모도 관방장관은 조선봉신 보도와 관련, 한국은 기 유엔 가입의 의사 표시를
명확히한바 있고, 북한도 유엔 단독 가입의 길을 선택하게 되면, 남북 유엔 동시
가입이 이루어 질것이며, 일본으로서도 이를 평가하며 환영함

2. 한편 동신문 서울 특파원 보도 요지는 아래와 같음.

-금번 북한측 조치의 배경으로 한국의 유엔 단독 가입을 저지할 수 없는
현국제정세 하에서 이이상의 국제적 고립화가 김일성 정권 유지까지 위태롭게
판단한데 연유 한다고 언급함

-특히 5 월 중순 북한을 방문한 중국 수상은 아국의 유엔 가입 신청시 거부권을
행사하지 못할 입장을 감안, 북한의 유엔가입을 촉구했다는 관측이 있었는바, 북한의
금번 정책 전환은 이러한것을 고려한 조치임

국기국   차관   1차보   2차보   정문국   안기부

PAGE 1   91.05.28   23:37
                                                    외신 2과 통제관 BW
                                                    0007

-북한의 일본과의 국교정상화 교섭시 IAEA 핵사찰 수락 문제 그리고 이은혜신원 확인으로 암초에 부딪친 것도 금번 북한측 조치의 배경이 되고 있음.
     (총영사 최용찬-국장)

외 무 부

종   별 : 지급

번   호 : JAW-3295   일   시 : 91 0528 2239

수   신 : 장관(국연,아일,정이(사본-주유엔대사-본부중계필)

발   신 : 주 일대사(일정)

제   목 : 유엔가입

대:AM-0112

연:JAW-3276

대호, 북한의 유엔가입신청 발표 관련, 주재국 반응 및 금 5.28. 자 당지 석간(전석간 1 면톱) 주요 보도내용을 아래 보고함.

1. 주재국 반응

가. 카이후 수상언급(5.28. 오후)

0 "(그것이 북한의 진의라고 한다면) 모든 국가가 가입하는 것은 좋은 일이다"고 하면서 환영을 표함.

나. 사까모또 관방장관 논평발표(5.28. 저녁)

0 일본정부로서는 남. 북한의 유엔가입에 대해 이전부터 한반도의 통일에 이르는 과도적 조치로서 남. 북이 동시가입하는 것이 유엔의 보편성원칙을 드높인다는 견지에서도 바람직하다는 입장을 취해왔던바, 금번 북한이 잠정적 조치이지만 유엔 동시가입 방침을 굳힌것을 이러한 관점에서 환영하고, 평가함. 금후 남. 북 동시가입이 실현되어 이에 의해 한반도의 긴장완화가 더욱 촉진될 것을 강하게 기대함.

0 한편, 일.북 국교정상화 교섭과의 관계에서는, 지난번 개최된 제 3 차 회담에 있어서도 일본이 중시하고 있는 항목의 하나로서 북한측에 대해 남. 북의 유엔동시가입이 바람직하다는 취지로 작용을 가한바 있음. 금번 북한의 동시가입에 응해온 것은 일.북 국교정상화 교섭을 촉진하는데 있어서도 플러스가 되는 것으로 생각하고, 정부로서도 금후 북한의 핵개발문제(IAEA 보장조치 협정체결)및 남. 북대화등이 더욱 진전되어 정상화 교섭을 촉진하기 위한 환경조성이 더욱 진척되기를 기대함과 동시에, 금후에도 끈질기게 교섭에 임해나갈 생각임.

국기국	장관	차관	1차보	2차보	아주국	정문국	청와대	안기부

91.05.28   23:44
외신 2과 통제관 BW
0003

다. 외무성 관계자 반응

0 금번 북한의 조치는 1) 4 월 한.쏘 정상회담에서 쏘련이 한국의 유엔 단독가입에 이해를 표하고, 2) 이붕 수상 방북시 중국도 한국의 단독가입에 거부권을 행사하지 않는다는 방침을 북한측에 전했기 때문인 거승로 보고, 이대로 나가면 국제사회에서 북한이 고립화 되어 버린다고 하는 위기감이 작용한 것으로 분석됨.

0 지난주 5.20-22 일.북 수교교섭시 유엔가입 문제에 대해 북한이 종래입장을 되풀이 했던 점에 비추어 볼때, 금번 조치는 "예상보다 빠른 전환"으로서 일.북 교섭을 진전시키는데 있어 환경조성에 기여할 것으로 평가됨.

0 북한이 그간의 방침을 전환, 한국 입장에 양보한 것으로 보이며, 금후 남.북대화의 진전이나 일.북 국교정상화 교섭에 좋은 영향을 줄 것으로 기대함.

0 (일시적인 난국을 타개하기 위한 조치라는 북측 성명 부분과 관련), 종래의 주장을 부분 수정한 것 뿐이며, 기본적으로 한국을 주권국가로서 인정하지 않는 "하나의 조선" 정책을 견지하고 있는 것이 아닌가 하는 분석도 가능한바, 신중히 대처해 나갈것임.

라. 오부찌 자민당 간사장 언급(5.28. 오전)

0 확인되지 않았지만 남.북 동시가입 방침을 정했다면, 한반도의 존재형태를 포함, 유엔 중심으로 금후의 국제질서를 구축해 나가는 세계의 흐름에 따른 것으로서 대단히 바람직함.

마. 타나베 사회당 부위원장 언급(5.28. 오전)

0 남.북한의 유엔 1 개 의석이 본래의 목표이지만 한국의 단독가입이 현실적으로 되고 있는 가운데 차선책으로서 일단 이해를 하고 싶음.

2. 주요언론 보도 요지

0 북한의 유엔가입 발표는 지금까지의 "하나의 조선론"을 사실상 포기한것이며, 한반도에 2 개의 정권이 존재한다는 현실을 공식으로 인정하는 것으로서 180 도의 정책 전환이라고 할수 있는바, 이러한 극적인 방침 전환은 한국과 쏘련의 국교수립, 중국과의 관계강화에 의한 북한의 국제적 고립화와 동시에 이제는 한국의 단독가입을 더이상 저지할수 없다는 판단에 기인한 것으로 보임.

0 고르바쵸프 대통령 제주도 방문시 한국입장지지, 이붕 중국수상 방북시 한국 단독가입에 대한 거부권 행사 불약속등에서 볼때, 한국의 단독가입 신청시 안보리에서 키를 쥐고 있는 상임이사국중 쏘련이 찬성하고, 중국은 기권할것으로예측되는등

고립무원 상태가 되어 국제적으로 더욱 고립화 되지 않을수 없을 것으로 판단한 것으로 보임.

0 또한, 고립화 탈피와 국내경제 재건의 결정적인 카드로서 단행한 일본과의 국교정상화 교섭을 진행시키는데 있어서도 "2 개의 조선"의 현실 인정없이는 실현시킬수 없다는 결론을 내렸을 가능성도 있음.

0 금년 가을 남. 북한의 유엔가입이 실현될 가능성이 커졌고, 현재 중단중인 남. 북대화도 가까운 시일내에 재개될 것이며, 일.북 국교정상화 교섭도 촉진될 것임. 또한 한반도 문제가 유엔에서 논의될 수 있는 길이 열려 한반도 긴장완화에 크게 기여하게 될 것임.

0 북한은 지금까지의 폐쇄적인 체제에서 개방적인 체제로 이행, 미국과의 관계개선, IAEA 핵사찰 문제등에 있어 유연하고, 현실적인 자세로 나올 가능성이있으며, 한편, 한국은 지금까지의 남. 북 총리회담등의 남. 북대화로는 관계 개선에 한계가 있기 때문에 한반도 신뢰조성 조치등을 위해 유엔에서 대화해 나가는 작전을 취할 것임.

0 남. 북한 유엔 동시가입은 북한의 고립화를 방지하는데 있어 일본으로서 실현시키고 싶었던 것인바, 이는 북한을 국제사회의 일원으로 끌어냄과 동시에 북한이 완강히 거부하고 있는 IAEA 의 핵사찰을 수용시키는 것으로도 연결되기 때문임.

0 그러나, 북한측이 한국측의 남. 북동시가입 입장에 전적으로 굴복한 것인지는 의문시 되는바, 북측이 금후에도 1 개의 국호로 1 개의석을 점하기를 기대한다는 입장 표명, 즉 "1 의석 공동가입 추진"이 전술적인 것인지, 아니면 정책전환에 따른 국내의 충격을 완화하기 위한 조치인지 금후 북한의 대응을 지켜볼 필요가 있음. 끝.

(대사 오재희-국장)

예고:91.12.31. 일반

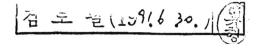

북한, 유엔가입 신청결정 발표

(東京.로이터=연합) 북한은 28일 외교부 성명을 통해 유엔 회원국 가입을 신청키로 결정했다고 밝혔다.

이날 東京에서 수신된 관영 중앙통신이 보도한 북한 외교부의 이 성명은 한국이 유엔 단독가입 방침을 굳힌 상황에 직면해 북한도 어쩔 수 없이 회원국 가입을 신청키로 결정했다고 말했다.

이 성명은 '남한당국에 의해 초래된 이같은 일시적 난국을 헤쳐나가기 위한 조치로서 조선민주주의 인민공화국은 현 단계에서 유엔에 가입하는 것외에 다른 대안이 없다'고 천명했다.(끝)

北韓 단독으로 유엔 가입신청서 제출
=北韓 외교부 성명통해 발표=

(東京=聯合) 文永植 특파원= 韓國이 유엔 단독 가입을 추진함에 따라 北韓도 유엔 가입 신청서를 제출할 것이라고 28일 도쿄에서 수신된 평양방송이 보도했다.

新亞通信에 따르면 평양방송은 이날 「韓國이 어디까지나 단독으로 유엔 가입 방침을 굳힌 조건하에서 북한도 유엔에 가입하기로 결정, 관계 수속에 의해 유엔 사무총장에게 정식으로 가입 신청서를 제출할 것」이라는 27일자 북한 외교부 성명을 보도했다.

한편 북한 중앙통신도 이날 「유엔에 가입하는 길을 선택하지 않을 수 없게 됐다」고 발표한 27일자 북한 외교부 성명을 보도했다고 교도(共同)통신이 전했다.(끝)

(YONHAP) 910528 1057 KST

1

0012

```
a6814ALL   raa
b i BC-KOREA-UN-URGENT    05-28 0109
BC-KOREA-UN URGENT
NORTH KOREA AGREES TO APPLY FOR U.N. ENTRY - FOREIGN MINISTRY
    TOKYO, May 28, Reuter - North Korea said on Tuesday it has
decided reluctantly to apply for membership of the United
Nations.
    In a Foreign Ministry statement circulated by the official
Korean Central News Agency (KCNA), Pyongyang said that, faced
with rival South Korea's determination to seek separate
membership, its hand was being forced.
    "The government of the Democratic People's Republic of Korea
has no alternative but to enter the United Nations at the
present stage as a step to tide over such temporary difficulties
created by the South Korean authorities."
    REUTER RDC AR JS
    Reut01:20 05-28
```

North and South, still in tense confrontation across the truce line drawn at the end of the 1950-53 Korean War, have been wrangling over how eventually to join the world body.

Seoul has recently argued for the two states to apply separately for U.N. membership, recognising the reality of the peninsula's division pending eventual reunification.

When Pyongyang rejected this, saying such a move would seal partition of the nation, the South decided to press ahead with its own application.

It has been lobbying China and the Soviet Union, Pyongyang's traditional allies, to support its bid and prevail upon the North to do likewise.

According to KCNA monitored in Tokyo, the Foreign Ministry statement dated May 27 said:

"As the South Korean authorities insist on their unilateral U.N. membership, if we leave this alone, important issues related to the interests of the entire Korean nation would be dealt with in a biased manner on the U.N. rostrum and this would entail grave consequences.

"We can never let it go that way.

"한반도긴장완화 평화통일 기여"

외무부 北유엔가입신청결정 환영

(서울=聯合) 외무부 鄭義溶대변인은 28일 북한의 유엔가입신청 결정에 대해 "우리는 북한이 외교부성명을 통해 정식으로 유엔가입신청서를 제출할 것이라고 발표한 것을 환영한다"고 밝혔다.

鄭대변인은 "우리 정부는 이미 여러차례 밝힌 것처럼 남북한의 유엔동시가입이 통일시까지의 잠정조치이며 남북한이 유엔에 함께 가입함으로써 한반도에서의 긴장완화와 평화적인 통일에 기여하게 될 것임을 확신한다"고 말했다.

鄭대변인은 또 "우리는 남북한의 유엔가입이 한반도뿐만아니라 동북아시아지역의 평화와 안정을 정착시키는데에도 큰 전기가 될 것을 기대한다"고 밝혔다.(끝)

2

(YONHAP) 910528 1135 KST

0013

주 영 대 사 관   충 7 매
(7-1)

번 호 : UKW (F) - 0 237   DATE: 105 29
수 신 : 장 관 (해신. 정문. 기정. 국방. 국연)
제 목 : 한국관계 기사

0 Reluctant N Korea seeks role in UN
- Simon Long   The Guardian
- 요 지   May 29, 1991
                     (P x 8)

북한 외교부는 마지못해 독재적 고립상태에서 탈피할것을 결정하지 않을수 없음을 분명히 했음.

최근 몇달동안 북한은 고르비의 한국방문을 비롯한 한.소관계 강화와 중국과의 교역증대등으로 더욱 의교적 고립을 당하고 있었음.

한국이 연내 단독가입을 결정, 추진하자 북한은 중국의 거부권 행사를 바랬으나 막상 중국은 확답을 하지않고 "남북한이 협상으로 자체 해결하기를 바란다"는 말만 들게 됐음.

5월초 이 붕 수상의 평양방문은 중국의 한국 유엔가입 문제 불개입을 설명, 무마하는데 목적이 있었던 것으로 보임.

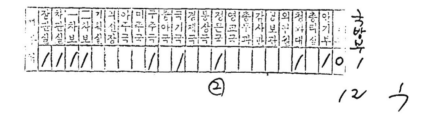

0014

THE GUARDIAN
Wednesday May 29 1991

8 INTERNATIONAL NEWS

Reluctant N Korea seeks role in UN

Simon Long in Beijing

NORTH Korea announced yesterday that it is to apply for membership of the United Nations, reversing a policy upheld since it fought UN forces in the Korean war 40 years ago.

The foreign ministry made clear that the decision to move out of the shell of international isolation was taken reluctantly.

"North Korea has no alternative but to enter the United Nations at the present stage, as a step to tide over the temporary difficulties created by the South Korean authorities," a statement said.

South Korea had created the "difficulties" by insisting that it was applying for separate UN membership later this year.

If North Korea ignored this, the foreign ministry statement went on, "the interests of the entire Korean nation would be dealt with in a biased manner on the UN rostrum, and this would entail grave consequences."

North Korea has always objected to separate membership for itself and South Korea, which has observer status at the UN, on the ground that this would help perpetuate the division of the Korean peninsula.

But in recent months the hardline communist regime in North Korea has seen its diplomatic isolation worsen. The Soviet Union, one of its two traditional allies, has established diplomatic relations with South Korea, and President Gorba-chev visited Seoul last month, "selling socialism for dollars", in North Korea's view.

The other old friend, China, has been more circumspect but has greatly increased trade and unofficial contacts with the South and set up semi-official trade offices in Seoul and Beijing last October.

When South Korea announced that it was going ahead with an application for UN membership this year, North Korea still hoped that China would use its UN veto to block the application. At the time China refused to state its position, simply saying it hoped "the two Koreas would solve the issue through negotiation."

The Chinese prime minister, Li Peng, visited the North Korean capital, Pyongyang, at the beginning of the month and both sides reported the visit in the usual glowing terms. North Korea crowed that the two countries were "as close as lips and teeth, united by rivers and mountains".

But it now seems clear that Mr Li's visit was intended to soften the impact of the news that China would not stand in the way of South Korea's application.

The decision to join the UN is the latest in several hints at a less doctrinaire foreign policy from Pyongyang in recent months. But talks with South Korea on reunification, and with Japan on opening diplomatic relations, have led nowhere.

Leader comment, page 18

The Guardian

May 29, 1991
(P X 18)

O 북한의 기민성
- 사 설
- 요 지

김 일성은 유엔 별도가입 신청에 동의한데서 보여준 현실적 결정에 관해 축하받을 만함. 아마 우리가 축하를 보내야 할자는 김 정일 수도 있음.

Guardian지가 이렇게 긍정적 표현으로 북한왕조에 관해 논평한것은 극히 드문일이나 우리는 항상 북한 비판자들이 주장하는것보다 평양 정권은 훨씬 빈틈없는 동시에 기민하다고 생각해 왔음.

평양 결정은 중국의 한국가입 거부권 불행사 방침에 의해 촉진됐다고 보이나 북한이 그렇게 분별있는 행동을 할것으로 아무도 기대하지 못했음.

북한의 국제적 위치가 중.소 2대 인접국에 의해 이상 더 제한받거나 관여당하지 않게 될것은 바람직한 진전임.

(7-4)

THE GUARDIAN
Wednesday May 29 1991

18 COMMENT

Northern nous

THE GREAT LEADER Kim Il-sung should be congratulated on the realism displayed yesterday in agreeing to apply for separate membership of the United Nations. Or perhaps it is his son, the Dear Leader Kim Jong-il, to whom we should extend our warmest good wishes. It is not often (if at all) that the Guardian has been able to speak of the North Korean dynasty in such wholly positive terms, but we have always thought Pyongyang shrewder than its critics claim. The North Korean statement said that if Pyongyang boycotted the UN while South Korea succeeded in its entry, then "important issues related to the interests of the entire Korean nation will be dealt with in a biased manner on the UN rostrum". This may be common sense, but not everyone had expected the North Koreans to be so sensible. Pyongyang's agreement was of course prompted — perhaps pushed — by the news that Beijing would not use its Security Council veto to block Seoul's admission. This had been preceded by the Soviet Union's much more wounding decision to positively back the South. With friends like these, North Korea simply cannot afford any enemies. China still pays some regard to North Korean interests and is reported to have resisted US pressure to insist on international inspection of the North's nuclear facilities. The Soviet Union has distanced itself further, and is now regularly denounced by Pyongyang for its "slanders". But it is really a healthy development that North Korea's international position is no longer cushioned — or confined — by its two northern neighbours. Pyongyang's new dialogue with Japan is also a hopeful sign. The US which till now has been reluctant to discuss security issues with Pyongyang should respond promptly. If it is open season for regional settlements, then Korea has been waiting for forty years.

0017

(7-5)

O 현실 세계로 강제 참여하게된 북한

- John Ridding 기

- 요 지

· 북한의 UN 가입 신청 발표는 냉전 종식의 명확한 신호

· 함축하는 의미는 긴장완화, 통일전망 고양, 테러위협 감소등 전적으로 긍정적임.

· 단, 이는 자발적 조치가 아니라 냉전 동맹관계의 와해와 평양의 외교적 고립등 불리한 여건의 타개방안으로 보여짐.

· 따라서 이로인해 남북관계가 급속히 진전될 것이라는 기대는 성급함.

North Korea mellows
Communist North Korea said it would apply to join the United Nations simultaneously with pro-western South Korea. Page 18; North Korea forced to join real world, Page 4

FINANCIAL TIMES WEDNESDAY MAY 29 1991

INTERNATIONAL NEWS   4

N Korea forced to join the real world

By John Ridding in Seoul

THE announcement by North Korea that it will submit an application to join the United Nations is the clearest signal to date that the ending of the cold war and increasing diplomatic isolation are dragging the world's most closed society into the real world.

The implications are all positive. Membership of the UN for the two Koreas will help ease tensions on the heavily militarised Korean peninsula, improve the prospects for eventual reunification and reduce the threat of terrorist incidents such as the downing of a South Korean airliner in 1987. But Pyongyang's move was not a voluntary step. North Korea has ardently opposed Seoul's formula of separate UN membership and yesterday's about-face undermines its reunification policy of "One Korea".

Its reluctance to shift its position is clear from the wording of the terse foreign ministry statement. "As the South Korean authorities insist on their unilateral UN membership, important issues related to the interests of the entire Korean nation would be dealt with in a biased manner at the UN rostrum. We can never let it go that way."

But the real reason for the change lies in the breakdown of cold war alliances and the diplomatic isolation of Pyongyang. In particular China, its staunchest ally but which is improving relations with Seoul and trying to repair its own international image, indicated to Pyongyang that it is no longer prepared to veto Seoul's application to join the UN.

The reversal of North Korea's policy is unlikely to herald any imminent breakthrough in inter-Korean relations. In particular, Pyongyang, which has suspended direct high-level contacts with Seoul, will be angered that it had to make such a concession.

"This is a form of opening up which does not cost them anything in internal terms," said one western diplomat. It doesn't open their borders and it doesn't alter the totalitarian political system. The change in Pyongyang's line also reflects mounting pressures on President Kim Il Sung's regime due to diplomatic isolation and a stagnating economy.

0018

(7-6)

FINANCIAL TIMES

Wednesday May 29 1991 20

North Korea to apply for UN membership

By John Ridding in Seoul

NORTH KOREA, one of the world's most isolated states, yesterday announced that it had decided to apply for membership of the United Nations. Its application could coincide with South Korea's move to join the international organisation later this summer.

North Korea's decision marks an important policy shift and should remove one of the principal obstacles to improving relations with its southern neighbour. It will draw the Communist totalitarian bastion into the international arena and should ease tensions across the highly militarised border.

A statement by the North Korean Foreign Ministry said: "We have no alternative but to enter the UN at the present stage as a step to tide over such temporary difficulties created by the South Korean authorities".

The issue of UN membership has been one of the chief obstacles in the way of improving relations between North and South Korea. The two states still confront each other across the truce line drawn at the end of the 1950-53 Korean War.

Seoul has argued in favour of the two states applying separately but simultaneously for UN membership and has previously announced that it would go ahead with its own application to join the international body in the next session of the UN General Assembly, beginning in September.

North Korea's shift in policy reflects its increasing diplomatic isolation, as cold war tensions ease in the Far East. China, which fought on its side during the war with South Korea, has indicated that it is no longer prepared to veto an application by Seoul for UN membership.

South Korean officials immediately welcomed the North Korean announcement as "a positive step" in improving relations with North Korea.

Western diplomats in Seoul, who see no obstacles to both Koreas now joining the UN, also welcomed the news.
Joining real world, Page 4

0019

(7-7)

E TIMES WEDNESDAY MAY 29 1991

OVERSEAS NEWS 7

North Korea seeks to join UN

Tokyo — North Korea announced it will apply for United Nations membership, marking a key policy change which could open the way for simultaneous entry of North and South Korea into the organisation (Joanna Pitman writes).

In a report clearly indicating the North's desire to end its international isolation, the official North Korean news agency said the country had no alternative but to enter the UN at the present stage. Quoting a foreign ministry statement issued on Monday, the agency report said that "the South Korean authorities are committing the never-to-be-condoned treason to divide Korea into two parts through the UN arena by trying to force their way into the United Nations against the desire of the entire Korean nation for reunification".

THE DAILY TELEGRAPH

14 WEDNESDAY, MAY 29, 1991 ★

FOREIGN NEWS

N Korea 'forced by South' to seek UN seat

By Our Tokyo Correspondent

In a major policy shift yesterday, North Korea said it had no choice but to seek a separate United Nations seat — as South Korea has decided to do in the autumn — despite its fears that simultaneous entry will perpetuate the division of the peninsula.

Pyongyang, which is feeling increasingly isolated, said Seoul was committing the "never-to-be condoned treason of dividing Korea into two parts through the UN arena".

There is speculation that China, a key Pyongyang ally, has sown doubts about Peking's willingness to exercise its veto power over South Korea's UN application.

THE INDEPENDENT

Wednesday 29 May 1991

10 FOREIGN NEWS ★★★

Korean seats

Tokyo (Reuter) — North Korea announced it will reluctantly apply for separate membership of the United Nations. Pyongyang had fiercely resisted the path of separate entry into the world body, arguing that seating the two rival states in New York would freeze the 46-year-long partition of Korea.

0020

주 일 대 사 관

GEW(F) - 017 10529 1100

수 신 : 장 관 (구주국장, 정보문화국장)

발 신 : 주 독 대 사

제 목 : [redacted] 기사보고

(표지포함 총 6 매)

장관실	차관실	一차보	二차보	기획실	의전장	아주국	미주국	구주국	중아국	국기국	경제국	통상국	정문국	영교국	총무과	감사관	공보관	외연원	청와대	총리실	안기부	무[illegible]부
/	/	/	/					0		/			/						/		/	

6 - 1

0021

북한의 방향 선회

(Sueddeutsche Zeitung, 5.29, 4면 사설, Gebhard Hielscher)

북한이 유엔동시가입이라는 노선으로 선회한 것은 지난 9개월 이래 두번쩨로

외교정책에 있어서 근본적인 방향수정을 한 것이라고 하겠다 ; 지난해 가을 북한의

독재자 김일성은 일본 의원대표단과의 면담에서 북한이 일본과 외교관계 수립에

관한 협상을 할 준비가 되어 있다고 밝힘으로써 첫번쩨로 외교정책 방향을

수정할 뜻을 비친바 있다. 이같이 북한이 두번씩 외교정책 방향을 선회시킨 조치는

한국의 적극적인 "북방정책"과 동구의 극적인 변혁으로 극동아시아의 정치현실이

변하게 된 데 대해서 북한이 적응할수 밖에 없다는 데에 기인한다.

한국이 대소련, 대중국 외교에서 승리를 함으로써 북한은 한국의 UN에 가입을 저지할

도구들을 모두 빼앗겨 버렸다. 소련인들이나 중국인들은 이미 북한의 입장을 고려

해서 한국과 경제관계를 심화시키는 것을 도외시하거나, 한반도의 긴장을 제거하는

것이 자신들 관심밖의 일이라는 태도에서 벗어난지 오래이다. 따라서 김일성은

한국의 유엔 단독가입을 저지하려는 자신의 가면을 벗어던지지 않을 수 없게 되었다.

6 - 2

그러나 김일성은 앞으로 양해를 받아야 할 일들이 남아 있다. 왜냐하면 북한이

핵금지조약 서명국의 의무로 되어 있는 핵시설에 대한 국제핵에너지기구의 사찰을

거부하는 한 미국이 북한의 유엔가입에 대해 거부권 행사를 포기하리라고 상상키는

힘들기 때문이다. 일.북한간의 국교 정상화에도 논쟁거리가 되고 있는 이 문제는

북한의 유엔가입을 상당히 지연시킬 가능성이 있다.

6 - 3

0023

뉴스의 촛점 : 북한

유엔에 대한 노선

(Frankfurter Rundschau, 5.29일, 6면 2단 박스 해설, Juergen Kremb 기고)

> 북한은 지난 몇년 이래 가장 중요한 노선변경 선포를 했다. 마지막 스탈린주의 국가인 북한은 지금까지 자신이 공언해왔던 바와는 달리 한국과는 별도로 유엔에 가입하려고 하고 있다. 바로 몇주전에 만해도 북한은 한국이 노력중인 남북한 유엔동시가입이 한반도의 분단을 고착시키는 것이라는 입장을 견지해 왔다.

중국의 신화사통신이 화요일 보도한바에 따르면 북한의 외교부가 월요일 라디오를 통해서 노선을 변경한다고 밝혔다고 한다. 신화사통신은 북한의 "중앙방송"이 보도한 내용을 다음과 같이 인용하고 있다 : "북한은 유엔사무총장에게 유엔가입신청을 할 것이다". 그러나 이는 공산북한의 일인독재자 김일성이 국제여론에 굴복하여 남북한 유엔동시가입을 추구하는 것을 의미하는 것일 뿐이다.

공산북한이나 현재 시위가 한창인 한국은 지금까지 오브저버 자격으로 유엔에 참가하고 있다. 북한은 유엔에 대한 현재의 상태를 변경시키기를 거부해왔는데 김일성의

6 -4-

0024

견해에 따르면, "분단을 고착화시킨다"는 것이다. 세계 최장수의 독재자는
"고려연방제"에 의해서 한반도 통일이 실현되는 것을 갈구해 왔다. 이 고려연방제에
따르면 남북한 양국이 개방된 국경하에서 자신들의 체제를 유지한다는 것이며, 북한은
군사와 외교정책에 관한 권한이 있다는 것이다.

유엔가입문제에 대해서 백발의 독재자는 적대상태에 있는 형제국가인 남북한이
하나의 의석으로 가입하자고 제의했었다. 금주초의 북한의 발표가 이같은 입장에서
벗어나지 않은 것인데 이같은 기존의 북한의 주장이 실현되는 것은 그 어느때보다도
더 비현실적이다. 왜냐하면 79세의 독재자는 지난해에 벌써 남들이 이해하기 힘든
자신의 정치적 국제사회에서 먹혀들지 않는다는 것을 알고 풀이 죽었었다. 특히 미카일
고르바쵸프는 전에 사회주의국가들안 동구의 국가들의 예를 따라서 지난해 "대한민국"과
외교관계를 수립했다.

노태우대통령 정부가 몇주전 올가을 유엔에 가입하겠다는 발표를 했을때, 소련 대통령
은 금년 4월 한국방문시 자신의 동의를 기대해도 좋다는 점을 명백히 한 바 있다.
단 하나의 문제는 중국이다. 비록 이붕총리가 지난 5월초 북한을 방문했을때
중.북한간의 "오랜우정"에 대해서 언급했으나, 북경의 외교관들의 견해에 따르면
이붕은 김일성에게 압력을 가했다고 한다. "전세계가 한국이 유엔회원이 되는 것을
원하면 우리도 반대하지는 않을 것이다"라는 논법이 현재 중국내 널리 퍼져 있다.

6 - 5

중국이 한국의 유엔가입에 거부권을 행사하지 않으리라는 점은 오래전부터 암시되어
왔었다. 한.중 양국은 몇달전부터 무역대표부를 상호 설치하고 있으며 서울.북경간의
직통 항공노선 개설이 현안이 되고 있다. 가까운 시일안에는 외교관계 수립도
이루어질 것으로 보인다. 북경주재 한 서방외교관은 "중국의 대북한 이해관계는
단지 김일성 왕조가 붕괴로 한.중 국경문제가 시끄럽게 되지 않고 조용히 해결되는
것이다"라고 말하고, "한국은 약진하고 번영하는 국가로 중국측에게 더 많은 것을
제공할 수 있다"고 지적하고 있다. 북경의 관측통들은 북한이 궁지에서 벗어나오기
위해 바람직한 일을 행했다는 점을 배제하지 않고 있다. 서유럽 대표의 한사람은
"이는 북한이 정치적 곤경상태로부터 빠져나오려는 지난 10년 이래 가장 의미심장한
조치이다"라고 하면서, "북한은 독일의 예를 배웠다"고 말했다.

6 -6-

0026

주 고 오 베 총 영 사 관

주고오베(정) 20333-   093   1991. 5. 29

수 신 : 외무부장관

참 조 : 국제기구조약국장, 정보문화국장, 아주국장

제 목 : 북한의 유엔가입 신청 관련기사

        대: AM - 0112

        당지 고오베 신문은 북한의 유엔가입 신청과 관련
별첨과 같이 게재하였는바, 동 기사 사본을 송부합니다.

첨   부 : 관련기사 사본 1부   끝.

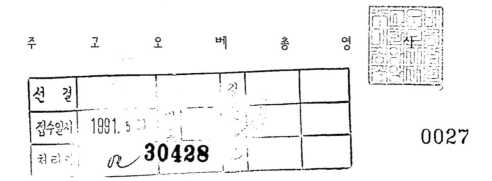

0027

社説

南北朝鮮の"国連への道"

朝鮮民主主義人民共和国（北朝鮮）が南北朝鮮の国連同時加盟を受け入れる方針を明らかにした。北朝鮮が長年主張してきた「一つの朝鮮」に基づく"単一加盟"の立場を百八十度転換、初めて「二つの朝鮮」の現実路線を打ち出したわけだ。北の外交政策の歴史的転換を意味するといえよう。

南北朝鮮の国連同時加盟が今秋にも実現すれば、南北関係改善や緊張緩和など朝鮮半島情勢に画期的な変化がもたらされることは確実だ。それが日朝国交正常化やアジア全域の平和と安定に好ましい影響を及ぼすことも期待できる。

北朝鮮の現実路線への転換を歓迎すると同時に、さらに当日も早い国連加盟実現のために国際的な協力と支援を惜しまないようにしたい。

北朝鮮の思い切った政策転換の背景には朝鮮半島やアジアを取り巻く国際情勢の急速な変化がある。韓ソ国交樹立や韓中接近など世界秩序大転換の波が極東にも広がる中で、北朝鮮が外交上の手詰まりと国際的な孤立感を深めていた。

北朝鮮は従来、国連加盟問題については「南北が連邦制による統一」を実現

した後、単一国家として加盟する」ことさえ出ていた。

の立場をとり続け、同時加盟を一貫して主張する韓国側と終始、鋭く対立してきた。しかし、国際情勢の急速な変化が北朝鮮側には不利な状況を次々と生み出したわけである。

韓国側は既に、北側が同時加盟を拒否し続けるならば七月にも韓国単独で加盟申請を行う方針を発表していた。これに対して、韓国と国交を結んだソ連が韓国加盟賛成に回るのは確実で、

中国に拒否権発動を期待することも極めて困難な情勢となった。このままで中でこれ以外の選択が難しくなっていえよう。国際情勢全体の大きな変化の韓国単独加盟が

実現し、北朝鮮が取り残される可能性さえ出ていた。

これに加えて、日朝正常化交渉で日本側から同時加盟を強く迫られたこともある。深刻な経済危機に直面する北朝鮮は日本との国交樹立を急いでいるが、それには核査察受け入れや国連加盟問題などの対立点をいかに乗り越えるかが当面の課題となっていた。

それやこれやが重なって「同時加盟」「やむなし」の決断を固めるに至った北朝鮮としては、確かに苦しい立場とい

、今秋の国連総会で韓国単独加盟がることも間違いないし、それ以上に北朝鮮が現実的な外交路線に転換したことは国際的に大いに歓迎されよう。日朝正常化交渉にプラス材料となるのはもちろんであろう。

国連同時加盟が実現すれば、次はいよいよ南北の平和統一が現実の課題として浮かび上がってくる。東西ドイツ統一の方式が朝鮮半島にそのまま当てはまらぬにしても、南北対話も国際的な協議も新たな局面を迎えて一段と活発になろう。極東の平和と安定への一大転機を効果的に生かしたい。

0028

孤立脱却へ現実的選択

北朝鮮の国連加盟方針

新秩序形成弾み

韓国、来月にも申請

【ソウル二十八日平井共同特派員】朝鮮民主主義人民共和国（北朝鮮）が二十八日、国連加盟申請の方針を発表したことを受け、韓国政府は同日、南北が同時に国連に加盟する方向で加盟申請書を六月中にも国連に提出する方針を固めた。柳宗夏外務次官は「北側が同時加盟に応じるなら、できるだけ早く単一の申請書を出すことになるし、北側が単一申請に反対し個別に申請しても、できるだけ早く単一の申請しても、できれば同一案件として処理される可能性が大きい」と述べた。

にぶつかっている日朝国交正常化交渉の難問のひとつが解決されたことで、北朝鮮は日朝国交正常化交渉の促進を図ることは確実だ。

中断状態になっている南北対話も早急に再開に向かうと予測される。ただし北朝鮮は、韓国の政局が混乱状況にあるだけに、六月二十日に予定されている地方議会選挙の結果を見て、南北首相会談など一連の会談を再開させるとみられる。

今回の北朝鮮の決定は「韓国外交の勝利」とソウルでは受け止められており、韓国は北朝鮮が硬直した姿勢を脱して現実路線に踏み切ったことを与野党とも歓迎している。

北朝鮮が今回「一つの朝鮮」という従来の主張を放棄、「二つの朝鮮」へと政策転換し、南北国連同時加盟実現の道を開いたことは、統一問題を含む南北関係、日朝、米朝関係の改善などに大きな影響を与え、朝鮮半島情勢は南北共存を前提とした新秩序の形成に向かうとみられる。

北朝鮮が「一つの朝鮮」を将来目標という形で事実上、棚上げしたことから、韓国との関係改善を進める中国にとっても大きな障害が取り除かれた。このため、経済面に限定されてきた中韓関係は「二つの朝鮮」をベースに今後、急速に進展しそうだ。

北朝鮮の今回の決定は、深刻化している経済危機

特に「李恩恵問題」や核査察受け入れ問題で壁日米など西側諸国との関係

米、慎重に見極め

【ワシントン二十七日木村共同特派員】朝鮮民主主義人民共和国（北朝鮮）が国連単独加盟政策を発表したことについて、米政府は北朝鮮外務省の声明を入手した上で、慎重に対応する見込みだが、ある米政府筋は「北朝鮮外務省の声明発表について、公式には論評していない。しかし、ある米政府筋は「北朝鮮秋の国連総会演説で、韓

検討・分析の焦点は、北朝鮮の発表では国連加盟申請するための方式が明確になっていない」と語り、韓国との同時加盟申請なのか、あるいは単独の単独加盟申請なのか全く分からない」と説明した。

ブッシュ米大統領は昨年

文字通りの単独加盟申請なのか、別の米政府筋は、韓国が単独で加盟申請した場合でも、米国、ソ連、中国も状況次第ではこれに同調する可能性がある、と述べ、北朝鮮指導部が感じている国際的孤立感は「われわれの想像以上のものがあるかもしれない」と述べた。

ソ連も歓迎

国と北朝鮮の同時加盟を支持する立場を表明しており、北朝鮮の発表が同時加盟の考えを示すものであれば、前向きに韓国政府と対応を協議することになろう。

別の米政府筋は、韓国が単独で加盟申請した場合でも、米国、ソ連、中国も賛成するだけでなく、中国も状況次第ではこれに同調する可能性がある、と述べ、北朝鮮指導部が感じている国際的孤立感は「われわれの想像以上のものがあるかもしれない」と述べた。

ソ連も歓迎を表明

朝鮮の対話および朝鮮半島の平和と安定を促進することになろう」と論評、歓迎の意を表明した。

同スポークスマンはまた、「われわれは一貫して、南北朝鮮が国連加盟問題を話し合いによって解決すべきであると主張してきた」と述べた。

【モスクワ二十八日共同】ソ連のイグナチェンコ大統領報道官は二十八日の記者会見で、朝鮮民主主義人民共和国（北朝鮮）が国連に単独加盟申請することを決めたことについて「ソ連はこれを歓迎する」と述べた。

中国は歓迎

北朝鮮の決定

【北京二十八日時事】中国外務省スポークスマンは二十八日、朝鮮民主主義人民共和国（北朝鮮）が国連への加盟を申請すると発表したことについて「今回の北朝鮮の表明は、健全な思考の表れである」と評価し、「今後、南北の南北対話の促進に寄与することに期待を示した。

同報道官は「今回の北朝鮮の決定が『健全な思考』の表れであり、この決定は、南北積極的なものであり、南北

0029

1991. 5. 29. (수) 기사

南北国連大使
加盟協議へ

韓国方針

【ソウル二十八日共同】韓国の柳宗夏外務次官は二十八日、朝鮮民主主義人民共和国（北朝鮮）が国連加盟申請を決めたことを受け、国連加盟問題についての協議を韓国の盧昌熹国連オブザーバー大使と北朝鮮の朴吉淵オブザーバー大使との間で行う方針であると語った。

韓国側は、早ければ六月にも北朝鮮と同時加盟の申請書を提出したいとしている。南北が共同申請するか、それぞれが個別申請するかは南北間の協議結果によるが、韓国側では個別に申請しても国連安全保障理事会で同一案件として処理される可能性が大きいとみている。

柳次官は、北朝鮮の国際原子力機関（IAEA）の査察受け入れについて「北韓（北朝鮮）が国連に加盟する場合、IAEAの核査察を受け入れる可能性が大きい。北韓が核査察を受け入れ、国連憲章の国際協力義務を順守するなら、日本との国交樹立に大きな助けになると考える」と述べ、国連加盟、核査察受け入れが実現すれば、日朝国交正常化が推進されても韓国としては強い反対はしないとの見解を示した。

0030

1991. 5. 29. (수). 3면

日朝交渉でも好材料

北朝鮮の国連加盟方針 政府、出方を注視

政府は朝鮮民主主義人民共和国（北朝鮮）が二十八日、国連への加盟申請方針を発表したことについて「すべての国が国連に加盟することは結構なことだ」（海部首相）と基本的に歓迎する意向を表明、北朝鮮が対外的に現実路線にシフトしつつあることの表れと受け止めている。

ただこうした一方で、北として、韓国も含めた"南北二つの朝鮮"を直ちに認めることにはつながらないとの慎重な見方もある。

朝鮮が今回の方針発表を「一時的難局を打開するための措置」などとしているため「依然として国内的には"朝鮮半島は一つ"との」は、北朝鮮側の今後の出方を注意深く見守るとともに、日朝国交正常化交渉に向けた北朝鮮の対応についても詳しく分析していく方針だ。

政府としては、今回の北朝鮮による加盟方針発表を①国連の普遍性を高める②朝鮮半島の平和と安定に寄与する―との観点から「歓迎し、評価する」（渡辺外務報道官）との立場を明らかにしている。

さらに、国連への同時加盟は「日本と北朝鮮との国交正常化交渉の雰囲気づくりの上でプラス材料になる」（同）との期待もあり、「この主張を理解し始めたということではないか」（外務省幹部）と評価している。

日本は先に北京で開催された第三回日朝国交正常化交渉でも、北朝鮮に対して国際的孤立からの脱却という新たな展開が、日朝国交正常化交渉に対する北朝鮮側の反作用も外務省の一部にある。このため第四回交渉の開催日程についての折衝の行方を慎重に見極める構えだ。

しかし一方で、北朝鮮の国連加盟を強く働き掛けるとともに、北朝鮮がどうしても応じず、韓国だけが正式加盟を申請した場合には「日本いかとの懸念」として韓国単独加盟を支持する」との立場を表明していた。

平和統一へのステップに

野党各党が談話

朝鮮民主主義人民共和国（北朝鮮）が国連への加盟申請方針を発表したことについて、野党各党は二十八日、それぞれ次のような談話を発表した。

▽社会党（久保朝鮮問題対策委員長）南北朝鮮の平和統一へのステップとして重要な進展とみるべきであり、基本的に歓迎し、評価したい。

▽共産党（佐々木国際委員会責任者）今回の北朝鮮の方向転換は、動機や理由はどうであれ、わが党の立場が現実に合致する正当なものであったことを重ねて裏付けるものだ。

▽民社党（青山国際局長）新たな南北対立でなく、南北の国連同時加盟への道となるよう政府としても積極的に各国に働き掛けていくべきだ。

▽公明党（遠藤国際局長）南北朝鮮両政府が今後、国連加盟を通じて建設的な対話を進め、平和統一を実現することを期待する。

0031

北朝鮮、国連加盟申請へ

「単独」に方針転換

今秋にも実現か　同時韓国半島情勢に変化

【プ朝鮮民主主義人民共和国（北朝鮮）が基本的な国家政策の一つで北朝鮮中央通信は三十八日、朝鮮民主主義人民共和国（北朝鮮）が現状を表し国連に加盟する方針を決めたと発表した。北朝鮮が国連への単独加盟を切り替えたことを報じた。（2面に関連記事）

最近になって南北関係の改善が流れは接近してきた。統一を前提にも南北が単独加盟すべきだと議論されるしか加盟側では決定的に加盟を続けてきた七月までに加盟申請を...

現実路線で「二つの朝鮮」

（解説）

1991. 5. 28 (화) 2면 석간

北朝鮮の声明要旨

【RP＝共同】朝鮮民主主義人民共和国（北朝鮮）外務省声明の要旨は次の通り。

一、わが方が国連に加盟することにしたのは、南朝鮮当局者らの分裂主義的策動によってつくり出された情勢に対処して不可避的に取られる措置だ。

一、朝鮮の北と南が国連に別々に加盟せざるを得なくなった今日の異常な事態は、祖国統一を実現する道において、いま一つの大きな難局となる。

一、こうした事態は、絶対に固定化されてはならない。わが方は今後も国連で北と南が一つの国号で、一つの議席を占めるようになることを一貫して支持する。

一、南朝鮮（韓国）当局者らが何としても国連に単独で加盟すると言う状況を放置するなら、国連で全朝鮮民族の利益に関する重大な諸問題が偏見をもって論議され、悪い結果がもたらされ得る。

一、北朝鮮政府は、南朝鮮当局者らによってつくり出されたこうした一時的難局を打開するための措置として、現段階において国連に加盟する道を選択せざるを得なくなった。

一、北朝鮮政府は国連憲章を一貫して支持してきた立場から、所定の手続きに従い、国連事務総長あてに正式に国連加盟申請書を提出する。

외 무 부

종 별 :

번 호 : EQW-0178　　　　　　　　일 시 : 91 0529 1010

수 신 : 장 관(국연,정이,미남,기정)

발 신 : 주 에쿠아돌 대사

제 목 : 북한 유엔가입 발표 반응

　　대:AM - 0112

　　자료응신:91-7호

　　금 5.29(수) 주재국 일간지 EL COMERCIO 지는 서울발 AP 통신을 인용, 북한은 한국과 함께 유엔에 가입하기 위해 수주내 유엔가입 신청서를 제출할 것임을 발표했다고 보도함. 또한 동지는 북한의 뜻밖의 발표로 한국은 북한과 유엔 동시가입, 군사적, 정치적 긴장 완화를 위해 북한과 대화를 재개할 것이며, 유종하외무차관은 기자들에게 북한이 한국의 제의를 거절할 경우 별도로 가입 신청서를 제출할 것임을 말했다고 보도됨. 끝

　　(대사 정해웅- 국장)

국기국　　차관　　1차보　　미주국　　정문국　　정와대　　안기부

91.05.30　09:04

외신 2과 통제관 BS

0034

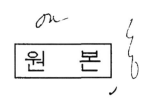

외 무 부

종 별 :

번 호 : BAW-0295   일 시 : 91 0529 1030

수 신 : 장 관(국연,아서,기정)

발 신 : 주 방 대사

제 목 : 유엔가입 언론반응

    대: AM-112

    1. 주재국 방글라데시 옵저버등 일간지는 91.5.29 북한 외교부의 유엔가입 신청발표를 보도

    2. 동 기사는 한국외무부의 환영성명을 소개한후, 지금까지 북한은 한반도 봉일을 지연시킨다는 이유로 남북한의 단일의석 가입을 주장해왔음을 상기시킴.

    (대사 이재춘-국장)

국기국   1차보   아주국   정문국   안기부

외 무 부

종 별 :

번 호 : TTW-0089   일 시 : 91 0529 1100

수 신 : 장 관(국연,정이,미중,정홍,해기)

발 신 : 주 트리니다드 대사

제 목 : 북한 유엔가입결정(언론반응)

　　　대:AM-112,114,115

　　　당지 유력 일간지인 EXPRESS지는 금 5.29(수) 대호 북한의 유엔가입신청 결정발표에 대해 아래요지로 보도하였음

　　　0.북한, 한국의 성공적인 대쏘.중 설득으로 코너에 몰려, 할수없이 유엔 별도 가입 신청키로 발표.

　　　0.한국 외무부, 승리감 (TRIUMPHULISM)을 자제하면서, 동결정이 한반도 긴장완화에 기여하고, 남북한 평화통일 움직임을 촉진할것이라고 논평.

　　　0.이는 교토 개최 유엔군축회의에도 활력을 주었으며, 동회의에 참석중인 AKASHI유엔사무차장은 '이것이 한반도 군축에 기여하게 되기를 희망한다'고 언급.

　　　0.90년 총리회담 이래 약간 완화되었음에도 불구, 남북한 관계는 여전히 얼어붙어 있으며, 유엔가입 문제가 그 주된 걸림돌의 하나였는 바, 또다른 미해결 문제는 북한측의 핵사찰 거부임.

　　　(대사 박부열-국장)

국기국　　1차보　　**2**차보　　미주국　　정문국　　정문국　　정와대　　안기부　　공보처

외   무   부

종   별 :

번   호 : PHW-0731   일   시 : 91 0529 1100

수   신 : 장 관(해신,정일,정홍)

발   신 : 주 필리핀 대사

제   목 : 북한 UN 가입 신청 발표

    5.29.일자 필리핀의 일간지는 북한의 UN 가입신청 발표를 동경발 AP. REUTER
통신을 인용 다음 요지로 일제히 보도하였음.

    - 주요 외교적 전환

    - 코너에 몰린 북한의 마지못한 UN 가입 신청 발표

    - 폐쇄 사회를 개방하려는 북한의 최초의 움직임.

    - UN 가입이 분단 한반도의 궁극적인 통일로 이어지기를 바람.

    (대사 노정기-관장)

───
공보처   1차보   국기국   정문국   정문국   안기부

PAGE 1   91.05.29   13:22 WG

                                          외신 1과 통제관

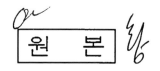

외 무 부

종   별 :

번   호 : MSW-0099　　　　　　　　　　　일   시 : 91 0529 1100

수   신 : 장 관(국연,아프이,사본:주유엔대사) 중개함

발   신 : 주 모리셔스 대사대리

제   목 : 유엔가입

대: AM-0112(91.5.28.)

1. 대호 관련 주재국 주요일간지 'THE SUN'지는 'SOUTH KOREA WELCOMES NORTH KOREAN UN APPLICATION' 라는 제하에 북한 외교부 성명과 이에대한 아국 외무부대변인 논평내용 및 유엔가입문제에 관한 해설기사를 게재함.

2. 당관 신참사관은 5.28.(화) 주재국 외무부 D.H.RUHEE 사무차관 (외무장관은 OAU외상회담 참가중)을 면담하고 상기 남북한 당국의 성명 및 논평내용을 설명하였음을 보고함.
　　　끝.
　　(대사대리 신연성-국장)

국기국　　1차보　　　중아국　　　정문국　　　안기부

PAGE 1　　　　　　　　　　　　　　　　　　　　91.05.29　　14:57 WG

　　　　　　　　　　　　　　　　　　　외신 1과 통제관 🔲

　　　　　　　　　　　　　　　　　　　　　　　　　0038

외 무 부

종   별 :

번   호 : UNW-1400   일   시 : 91 0529 1210

수   신 : 장관 (국연,해신,기정)

발   신 : 주유엔대사

제   목 : 유엔 가입

5.29.자 당지 N.Y.T, W.S.J 및 C.S.M 지에 게재된 관련기사를 별전 보고함. 끝

(대사 노창희-국장,관장)

첨부: FAX (UNW(F)-232)

국기국   1차보   정문국   안기부   공보처

PAGE 1   91.05.30   08:00 DQ

외신 1과 통제관

0039

North Korea Reluctantly Seeks U.N. Seat

By DAVID E. SANGER
Special to The New York Times

TOKYO, May 28 — In a major policy reversal that appears intended to stem its growing diplomatic isolation, North Korea said today that it would apply for separate membership in the United Nations, paving the way for both North and South to join the world organization for the first time.

The surprise announcement, monitored in Tokyo, marked a major victory for the South Korean Government of President Roh Tae Woo. Mr. Roh has been courting Moscow and Beijing, historically the North's two patrons, to support South Korea's entry to the United Nations. For decades, North Korea has fiercely opposed separate membership, saying it would amount to international ratification of the 46-year partition of the Korean Peninsula.

Ever since the end of the Korean War in 1953, the North has insisted that it is the true Government of Korea, though it has held open the possibility that it could share a seat at the United Nations in rotation with the South.

But in recent weeks the Soviet Union made it clear that it would no longer aid North Korea by using its permanent seat on the Security Council to veto Seoul's application for a separate, independent membership. And it is widely suspected that China sent the same message when its Prime Minister, Li Peng, visited Pyongyang earlier this month. [The United States said it would support bids by the North and the South, Reuters reported.]

Currently, North and South Korea have only observer status at the United Nations, with no voting power.

No Room for Options

North Korea's decision was announced in a bitterly worded statement that acknowledged that its hand had been forced.

"As the South Korean authorities insist on their unilateral U.N. membership, if we leave this alone important issues related to the interests of the entire Korean nation would be dealt with in a biased manner on the U.N. rostrum," the statement from the North Korean Foreign Ministry said. "We cannot let it go that way."

The announcement was met with jubilation in Seoul, where officials said it was the first clear sign that North Korea's leadership was changing its policies in response to increasing apprehension about its international isolation. But the South Korean Government was careful not to appear triumphant, saying only that the move would provide a chance to "cement peace and insure stability" in Asia.

"Their economy is falling apart and they realize they no longer have anyone to turn to," a Japanese diplomat said of the North the other day, adding that Kim Il Sung, the North Korean President, "is running out of choices."

Question of Nuclear Technology

What appears to have been decisive in moving Pyongyang, however, is Mr. Roh's overtures to the North's traditional allies. In April, President Mikhail S. Gorbachev became the first Soviet leader to visit South Korea. Mr. Gorbachev is negotiating for South Korea's help with his own battered economy, and seemed willing to back Seoul's application to the United Nations even if it meant poisoning relations with the North, which accuses him of selling out to capitalism.

It is unclear how United Nations membership would affect one of the most sensitive issues on the Korean Peninsula today: Growing evidence that North Korea is amassing the technology to build nuclear weapons.

So far, the North has refused to allow international inspection of a nuclear complex it is building north of Pyongyang, in an area called Yongbyong. Satellite photographs suggest that the installation is designed to produce weapons-grade nuclear fuel.

North Korea is already a signer of the Nuclear Nonproliferation Treaty, which obliges nations to undergo inspection by the International Atomic Energy Agency. If it tries to join the United Nations, North Korea could face more pressure to accept inspection.

With both Koreas as full members, the United Nations may become a forum for talks between the two countries. The South Korean foreign ministry said tonight that simultaneous entry was a "provisional measure" before the unification of the two Koreas, but that day still seemed distant to most officials in Seoul.

I. N.Y.T.

0040

2. W.S.J

(WSJ/May 29, 91)

North Korea Reverses Policy Of 'One Korea'

Nation to Apply Separately For United Nations Seat, Bolstering Seoul's Plan

By DAMON DARLIN
Staff Reporter of THE WALL STREET JOURNAL.

SEOUL, South Korea—In a reversal of North Korea's "one-Korea" policy, North Korean radio announced that the Communist government would accommodate South Korea and seek separate United Nations membership when the South applies later this year.

For more than 35 years, North Korea had demanded that the two Koreas seek a joint membership of one seat, believing that separate seats would perpetuate the division of the Korean peninsula. The South Korean government said earlier this year that it would seek separate membership despite North Korea's objections and the risk that China might veto its U.N. application.

The announcement, regarded by the South Korean government and Western and Asian diplomats as genuine, is a victory for South Korean diplomatic efforts. The South Korean government had been lining up support for its position around the world, including from North Korea's closest allies. A South Korean government spokesman said, "We sincerely welcome North Korea's decision," noting that it would "greatly contribute to easing tension on the Korean peninsula and also facilitate the process of peaceful unification."

The North Korean announcement, monitored in Seoul, said the North "had no choice" but to apply because a single South Korean membership would cause "important issues related to the interests of the entire Korean nation to be dealt with in a biased manner." The dispatch, attributed to the North Korean Foreign Ministry, added, "We can never let it go that way."

In Washington, the State Department announced U.S. support for North Korea's bid. "U.N. membership for both Koreas will contribute to inter-Korean dialogue and eventual unification," an official U.S. statement said. "Accordingly, we welcome this announcement, and in furtherance of the principle of universality will support U.N. admission of both Koreas." Permanent members of the U.N. Security Council, which include the U.S., the Soviet Union and China, can veto membership requests. Britain and France, also Security Council members, are expected to support both applications.

"It will draw North Korea out of isolation a little bit," said a Western diplomat. Said another, "It will suit a lot of people to have the two going in."

Diplomats in Seoul said the key to North Korea's shift in position was most likely the Chinese. A close ally of North Korea, Beijing may have indicated to the North Koreans in recent talks that it didn't want to be forced into vetoing South Korea's application, which would embarrass China in front of the world. The South Korean government had earlier won assurances from Moscow, North Korea's other major ally, that it wouldn't veto a membership application by the South.

Although U.N. membership, in itself, isn't likely to push the two Koreas closer to reunification, it does ease the way for them to talk and trade with each other. "If we try in the context of the U.N. to cooperate with each other, then that means something," said Lee Joung Bihn, South Korea's assistant foreign minister for political affairs.

By reversing its one-Korea policy, however reluctantly, North Korea is making its first recognition of South Korea as a de facto government. The South doesn't officially recognize the North's government, while the North has refused to even recognize the South's existence. "We do hope it will lead North Korea to change its position on South Korea," said Mr. Lee.

3-2

0041

3. C.S.M (May 29, 91)

North Korea Will Seek Separate UN Seat

By Clayton Jones
Staff writer of The Christian Science Monitor

TOKYO

SOUTH Korea won a key victory on May 28, when North Korea decided to reverse itself and join the south in seeking separate seats at the United Nations. Officials in Seoul hope such a move will ease tensions on the divided and heavily militarized Korean peninsula.

The shift by the north away from its one-Korea policy reveals that its only major ally, China, has decided not use its veto power in the UN Security Council to block South Korea's unilateral bid to apply for a separate seat this August.

China's decision to go against the wishes of its Communist ally was likely conveyed to the north early this month during a visit to Pyongyang, the capital, by Chinese Prime Minister Li Peng. During the visit, Mr. Li stated that China and North Korea are linked "like lips and teeth."

China's decision comes seven months after Moscow officially recognized South Korea, and five months after China and South Korea opened trade offices in each other's capital.

North Korea has become increasingly dependent on China for economic aid as a result of a decision by the Soviet Union to shift to hard-currency trade with Pyongyang. The north's economy is suffering under an industrial slowdown and a food shortage.

The south's victory comes after a campaign by President Roh Tae Woo to bring North Korea out of international isolation.

The north and south, which have been divided since 1945 and fought a bitter war from 1950-53, had their first official talks last year. But the talks were called off in February by Pyongyang after the south applied for the UN seat.

North Korea, which claims to be the only legitimate government representing Korea, had insisted that the two Koreas joined the UN with a single seat. Holding separate UN seats would freeze the division of the country, North Korea had warned, and would internationalize an internal affair. The two Koreas at present have observer status at the UN.

In announcing its decision to apply for a separate UN seat, North Korea stated that it had "no alternative but to enter the United Nations at the present stage as a step to tide over such temporary difficulties created by the South Korean authorities."

The south, in welcoming the north's reversal, said that parallel UN membership is just an interim measure to unification.

3-3

0042

5/30 오
신협신   기

외   무   부

종   별 :

번   호 : GEW-1143   일   시 : 91 0529 1230

수   신 : 장관(해신,정홍,구일,국기,기정동문)

발   신 : 주독대사

제   목 : 북한 유엔가입 관련기사

  1.5.29.자 당지 주요일간지들은 북한의 유엔가입의사표명 사실을 사설, 해설, 주요기사로 다루고 있는바, 금번 북한의 외교노선변경은 한국의 '북방정책의 결실'이자 '한국외교의승리'라고 평하고 있음

  -2.주요기사 요지 아래 보고함

  가.'북한의 방향선회(SUEDDEUTSCHE ZEITUNG, 5.29. 4면 사설, GEBHARD HIELSCHER 기고)

    0 북한이 유엔 동시가입이라는 노선으로 선회한것은 한국의 적극적인 '북방정책'과 동구의 극적인 변혁으로 극동아시아의 정치현실이 변한데대해 북한이 적응할수 밖에 없다는데 기인하는것임

    0 한국이 대소련. 대중국외교에서 승리함으로서 북한은 한국의 유엔가입을 저지할 도구들을 모두 뺴앗겨 버렸음. 소련과 중국은 이미 북한입장을 고려하여 한국과의경제관계 심화를 도외시하거나, 한반도 긴장재거가 자신들 관심외의 일이라는 태도에서 벗어난지 오래임.

    0 김일성이 유엔가입 신청을 하더라도 북한이 핵시설에 대한 국제원자력기구의사찰을 허용치않는한 미국이 거부권 행사를 포기한다는 생각을 하기는 힘듬.

  나.뉴스의 촛점: 북한-유엔 대한 노선(FRANKFURTERRUNDSCHAU 5.29. 6 면 2단 박스, 해럴기사, JUERGENKREMB 기고)

    0 북한이 유엔가입을 신청한다는 것은 독재자 김일성이 국제적인 압력에 굴복하여 유엔동시가입을 추구하는 것을 의미하는 것일 뿐임

    0 북한은 지금까지 남북한이 단일 의석으로유엔에 가입하자고 제의해 왔는데 금주초북한의 발표도 이같은 주장에서 벗어나지는 않은것임. 그러나 북한의 주장이 실현된다는 것은생각하기 힘듬.

공보처   1차보   구주국   국기국   정문국   안기부   장삭 차관

PAGE 1   91.05.30   08:54 BX
                                          외신 1과 통제란

0043

O 북한은 자신의 주장이 국제사회에서 먹혀들지않는 다는 것을 알고 풀이 죽어 있음. 소련은종전 사회주의 국가들의 예에 따라 지난해 대한민국과 외교관계를 수립했음.

O 소련은 지난 4월 고르바쵸프 방한시 한국의유엔가입에 동의하겠다는 의사를 명백히 한바있으며, 중국도 유사한 입장임

O 현재 중국에는 '전세계가 한국의 유엔가입을 원하면, 우리가 반대할수 없다'는 논법이 퍼저있음

O 북경 주재 서방외교관은 중국의 대북한관심사항은 김일성 왕조 붕괴로 한.중국국경문제가 야기되지 않는 것 이라고 말하고 한국은 약진하고 번영하는 국가로 중국측에게더많은 것을 제공할수 있다고 지적하고 있음.

O 또한 북한의 이번 방향 전환에 대해 서유럽의대표 한사람은 '이는 북한이 정치적곤경상태로부터 빠저 나오려는 지난 10년 이래 가장의미심장한 조치'라고 하면서 '북한은 독일의 예를배웠다' 고 말함3. 제2항 기사 전문 번역문 FAX 송부함

(대사-해공관장)

외 무 부

종 별 :

번 호 : KNW-0461 　　　　　　　　　　일 시 : 91 0529 1450

수 신 : 장관(정홍,해기,국연,정이)

발 신 : 주 케냐 대사

제 목 : 노대통령 국정쇄신 방안 발표

대:AM-0113

1. 5.29 자 주재국 3 대 일간지 (KENYA TIMES, THE STANDARD, DAILY NATION)은 5.28 서울발 AFP 및 AP 인용, 각기 "S.KOREA TO ALLOW PEACEFUL DEMOS","ROH TO ALLOW PROTESTS" 및 "ROH VOWS CRACKDOWN ON STUDENT VIOLENCE"란 제하 (3-4 단)에 노대통령은 특별담화를 통하여 평화적 시위는 보장하나 국민생활에 불편을주는 폭력시위는 용납치 않을것이라고 밝혔다는 요지의 보도를 함.

2. 또한 5.29 자 DAILY NATION 지는 상기 북한의 유엔가입 신청 결정은 남북한 관계에 돌파구가 될것이며 6 월경 유엔 동시가입을 위한 남북한간 대화가 예상된다고 보도함. 끝.

(대사 라원찬-국장)

예고:1991.5.31. 까지

정문국　　2차보　　국기국　　정문국　　공보처

외 무 부

종 별 :

번 호 : CLW-0325   일 시 : 90 0529 1500

수 신 : 장 관(국연,미남,기정)

발 신 : 주 콜롬비아 대사

제 목 : 유엔가입

대: AM-0112

1. 대호관련 본직은 5.29 일 주재국 외무성 LUIS GUILLERMO GRILLO 국제기구 차관보를 면담, 북한 성명서에 대한 본부 대변인의 논평을 설명하였는바, 콜롬비아 정부는 아국 유엔가입을 지지하는 입장을 재 표명함.

2. 한편 당지 유력일간지 EL TIEMPO 는 국제면에 서울발 AP 통신을 인용, 북한 외교부의 유엔가입 성명발표 사실을 논평없이 보도함.

(대사 안영철-국장)

국기국   차관   1차보   미주국   안기부

PAGE 1   91.05.30   08:49
                                                      외신 2과   통제관 CE

0046

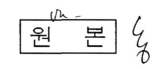

외 무 부

종 별 :

번 호 : NJW-0401   일 시 : 91 0529 1500

수 신 : 장 관 (국연,아프일,정이,기정,사본:국방부)

발 신 : 주 나이지리아 대사

제 목 : 유엔가입

　　대: AM-0112,0114,0115

　　1. 5.29. 자 당지 GUARDIAN 및 REPORT 지는 북한외교부의 유엔가입관련 성명요지및
외무부대변인 발표내용을 논평없이 보도함.

　　2. 당관은 본부 대변인 논평(AM-0115) 을 PRESS RELEASE 함.

　　(대사 조명행-국장)

국가국　　중아국　　정문국　　안기부　　국방부

PAGE 1   91.05.30　　06:25 ED

                                                 외신 1과 통제관

                                                 0047

외　무　부

종　별 :

번　호 : MAW-0770　　　　　　　　　　일　시 : 91 0529 1600

수　신 : 장 관(해신,정홍,국연,기정)

발　신 : 주 말련 대사 대리

제　목 : 북한의 유엔 가입 신청 결정

1. 표제건 5.29일자 당지 언론은 다음과 같이 외신인용 사실 보도함.

0 NST(23면 5단)

- N.KOREA BIDS FOR U.N.SEAT(동경발 로이타)

0 STAR(24면 2단)

- N.KOREA SEEKS U.N. SEAT(동경발교또)

0 UTUSAN MALAYSIA(7면 2단)

- N.KOREA FORCED TO APPLYFOR U.N. MEMBERSHIP (동경 발 로이타)

0 남양상보(29면 5단 톱)

- 북한, 개별 U.N.가입신청

- 한국: 평양의 정책변경 환영, 동북아 평화안정에 도움 (동경발 AFP, 로이타 종합)

2. 한편 성주일보는 동일자 15면 '국제 초점'칼럼에서 'BOTH SIDES EMBARK ON DIPLOMACY EXERCISE','S.KOREA PERFORMS BETTER THAN N.KOREA' 제하에 한국의 외교노력은 대소 수교, 대 중공관계 개선등 성과를 거두고 있는 데 비해 북한의 외교노력은 대외접촉을 확대하는데 그치고 있다고 논평함.끝

(대사대리 김경준-국장)

공보처　　1차보　　국기국　　정문국　　안기부　　아즉국

외 무 부

종 별 :

번 호 : HKW-2074 　　　　　　　　　일 시 : 91 0529 1600

수 신 : 장 관(아이,국연,해기)

발 신 : 주 홍콩 총영사

제 목 : 북한의 유엔가입 신청관련 언론반응

　　1. 북한의 유엔가입 신청결정 관련 당지 5.29. 자중국계 언론 및 기타 주요 일간지들은 북한성명내용 및 중국외교부 논평및 한국측 성명등을 주요 외신인용 논평없이 상세 보도함

　　2. 특기사항 있을시 추보예정임. 끝.

　　(총영사 정민길-국장)

아주국　　1차보　　국기국　　정문국　　안기부　　공보처

외 무 부

종 별 :

번 호 : NRW-0357
일 시 : 91 0529 1610

수 신 : 장관(국연,구이,기정동문)

발 신 : 주노르웨이대사

제 목 : 북한유엔가입결정 반응

　　북한의 유엔가입 결정에 대해 MORGENBLADET 지 및각방송등 주재국 언론은
5.29.사실보도와 더불어 북한이 대세에 밀려 어쩔수없이 한국측이 바라는데로
내키지않는결정을 하였다고 보도하였음. 또한 북한은 남북분단 고정정화를 이유로
분리가입을 반대하여 왔으나 한국은 단일의석가입이 불가능하기 때문에 단독으로라도
가입할 입장을 밝혔다고 소개하고,상임이사국인쏘련과 중국이 한국의 유엔가입을
반대하지않을 전망이 북한의 태도 변화에 결정적 역활을 하였다고 보도하였음

　　(대사 김병연-국장)

국기국　　　차관　　　1차보　　　구주국　　　청와대　　　　　　안기부

PAGE 1
91.05.30　　06:39 ED

외신 1과 통제관

0050

외　무　부

원　본
암호수신

종　별 :

번　호 : COW-0245　　　　　　　　　일　시 : 91 0529 1610

수　신 : 장관(국연,정홍,미중)

발　신 : 주 코스타리카 대사

제　목 : 유엔가입 관련기사

　　　대: 1)AM-0112, 0114, 0115, 0117

　　　　 2) AM-0118

　　　대호 북한 외교부의 유엔가입 신청 발표와 관련 주재국 언론(5.29 일자 일간 LA NACION 및 LA REPUBLICA, 5.28 일 TV CHANNEL 7)은 서울, 와싱턴, 북경발 AP, EFE, AFP 외신을 전재 아래 요지 외신인용, 논평기사와 함께 보도하였음.

　　　0 공산주의 북한의 뜻밖의 발표는 남북한간의 군사, 정치적 긴장완화 목적의 대화를 용이케 할 것이며, 양측간의 관계에 커다란 성과를 의미.

　　　0 금번 북한 발표는 폐쇄되고 엄격히 통제된 북한사회를 국제사회에 개방코자하는 평양의 중요한 의도(INTENTO) 표시임.

　　　0 남북한은 유엔가입으로 1945 년 이래 분단되고, 최후의 냉전 적대무대인 한반도의 궁극적인 통일에 이르기를 기대한다고 각각 발표.

　　　0 중공 방문중인 유엔총회 GUIDO DE MARCO 의장의 남. 북한 유엔가입 가능성등 기자회견 요지 인용

　　　0 남북한 유엔가입이 남북대화와 궁극적인 통일에 기여할 것이라는 미국무성 대변인의 발표 인용. 끝.

　　　(대사 김창근-국장)

국기국　　1차보　　미주국　　정문국

원 본

외 무 부

종   별 :

번   호 : SZW-0286

일   시 : 91 0529 1620

수   신 : 장 관(국연,구이,정이)

발   신 : 주 스위스 대사

제   목 : 북한 유엔가입 신청 관련기사(자료응신 14호)

1. 당지 (주요언론)은 금 5.29.일 동경및 북경발특파원기사및 외신을 인용 북한 유엔가입신청 관련 하기 요지로 보도함.

가. 북한은 5.27. 외교부 성명을 통해 유엔가입에 필요한 조치를 취할 예정이며,이는 한국이 유엔단독가입을 신청함으로써 유엔에서 한반도 전체의 이해와 관련된주요 문제가 그릇되게 논의될 가능성을 방지하기 위한 과도적 조치라고 발표함.

나. 북한은 남북한 유엔 동시 가입이 한반도 분단을 영구화 한다는 이유로 이를반대하며 고려연방제에 입각한 남북한 단일의석 가입을주장하여 왔는바, 금번 북한의 유엔가입 신청발표는 북한외교 정책상의 급선회를 의미함.

다. 이같은 북한의 입장변경은 전통적 우방국인 소련과 중국이 한국 유엔가입 신청시 안보리에서 거부권을 행사해줄 것을 기대할수 없는상황에서 취해진 조치인바, 이미 3차례의 한.쏘양국 정상회담을 가진 소련과 한.중 양국간경협증진및 천안문사태 이미지 탈퇴를 모색하고 있는 중국은 거부권 행사를 통한 한국과의 외교적 충돌을 원치않고 있음.

라. 북한은 유엔가입을 통해 국제적 고립에서 벗어날수 있으리라고 보며, 결국유엔 테두리내에서두 국가의 상호공존을 인정함으로써, 동.서독의 선례와 같이 장기적으로 한국의 경제발전 추구에 입각한 통일방식을 따르게 될것으로 전망됨.

마. 한편, 한국정부는 외무부 발표를 통해 북한의 유엔가입 결정을 한반도및 동북아 안정과 평화통일에 기여하기 위한 조치로서 환영한다고 발표함.

2. 동 기사 사본을 차정파편 송부위게임.끝

(대사 이원호-국제기구조약국장)

국기국   차관   1차보   구주국   정문국   청와대   총리실   안기부

PAGE 1

91.05.30   06:12 ED
외신 1과 통제관

0052

외 무 부

종 별 :

번 호 : JAW-3314　　　　　　　　　　　일 시 : 91 0529 1625

수 신 : 장관(국연,아일,정이) 사본:주유엔대사-중계필

발 신 : 주 일 대사(일정)

제 목 : 유엔가입

연: JAW-3295

북한의 유엔가입 신청 결정 발표관련, 금 5.29(수) 주재국 조간에 보도된 주재국 각계 반응 및 언론 보도논조등을 아래 보고함.

1. 각계반응

가. 외무성

O 외상: 일북 교섭에 있어 하나의 큰 문제가 해결 되었음.

O 외무보도관: 유엔의 보편성을 제고, 한반도의 평화와 안정에 기여한다는 관점에서 이를 환영함. 유엔가입이 실현되면 일북 수교교섭 분위기 조성에 득이 될것임.

O 관계자:

-국제적 고립과 경제적 어려움등에 따른 조치이므로 핵사찰, 남북대화등에서 북한의 자세 변화가 나타날지는 극히 불투명함.

-북한이 국제정세를 냉정히 분석하고 있는것을 보여주는 것으로서 일북 교섭에서도 유연한 자세로 돌아설 가능성이 있음.(외무성 관계자)

-북한이 국제적 고립을 회피하는 정책에 보다 중점을 두기시작한 것이며, 김일성이 스스로 정책변경을 함으로써 김정일에 대한 정권이양을 순조롭게 하려는 것임.(외무성 관계자)

나. 각당논평

1) 자민당(오부치 간사장)

남북한 유엔 동시가입 방침을 정한것이라면, 한반도 문제를 포함, 금후의 국제질서를 유엔중심으로 구축해가는 세계의 흐름에 따른것으로서 매우 바람직함.

2) 사회당(구보 한국문제 대책위원장)

국기국	장관	차관	1차보	2차보	아주국	정문국	청와대	안기부

91.05.29　17:43

외신 2과 통제관 BA

0053

결정을 환영함과 동시에 남북한이 금후 유엔가입을 통하여 건설적인 대화를진전시켜 평화통일을 실현하기를 기대함.

3) 공명당(엔도 국제국장)

남북의 유엔 동시가입을 의미하는 것이라면, 평화통일에 중요한 진전이라고보아야하며 기본적으로 환영하고 평가함.

4) 민사당(아오야마 국제국장)

새로운 남북대립이 아니라 남북 유엔 동시가입이 되도록 정부로서도 적극적으로 각국에 대해 노력해 나가야 할것임.

5) 공산당(사사키 국제위원회 책임자)

북한의 방향전환은 동기와 이유를 불문하고, 우리당의 입장이 현실에 합치하는 정당한 것이었음을 뒷받침 하는것임.

다. 전문가 견해

1) 코마키 아시아 경제연구소 동향분석 부장

0 금번 북한 결정의 배경은 국제사회에서 북한의 입장에 대한 지지가 없기 때문인바, 쏘련은 한국과의 국교를 수립하고 있고, 중국도 최후까지 북한을 지지함으로써 중국자신이 고립되는 것을 피하고자 이붕 수상이 5 월초 북한방문시 북한측의 양보를 설득했을 것으로 보임.

0 금번 결정으로 일북 국교정상화 교섭에 있어 큰 장애물을 제거했다고 볼수있으나, 최대의 문제인 핵사찰 문제는 여전히 남아있음.

0 북한이 유엔가입 신청서를 제출하겠다고 구체적으로 발표까지한 것은, 양보를 하면서도 외교적 이니셔티브로 한국에 반격을 가하고자 하는 의미가 있으나, 커다란 양보임에는 틀림없음.

0 금후 북한은 고립화로부터 벗어나는 방향을 취할수 밖에없음. 84 년의 합영법에 의한 외자도입, 무역자유화 지대 설치의 검토, 일북 국교정상화 교섭의 개시, 그리고 금번 유엔가입 신청 결정등 속도는 늦지만 합리적인 방향으로 결단이 행해져 왔음. 핵사찰 문제도 최후까지 종래의 입장을 고집하여 국제적 고립을자초하는 방향으로 나가지는 않을것임.

2) 오코노기 게이오대 교수

0 한쏘 국교수립등 한반도를 둘러싼 국제정세의 변화에 북한이 적응할수 밖에 없었으며, 믿어왔던 중국이 한국의 유엔가입에 대하여 거부권을 행사할것을 명확히

PAGE 2

0054

하지않은 이상, 북한으로서는 국제적 고립을 회피하기 위해 방침을 전환했을 것임.

0 남북한이 각각 의석을 얻게되면 "2 개의 한국" 이 기정사실화되며, 미.북, 한. 중의 접근도 가속화되고 일북교섭의 진전과 함께 남북교차승인으로 연결될 것임. 남북 봉일에 대해서도 북한이 주장해온 연방제로부터 2 개의 주권국가연합으로 나갈것인바, 장래 남북한의 평화와 안정을 미일중쏘의 4 개국이 보장하는 "2 PLUS 4" 의 구도를 만들어, 그 가운데서 남북 양당사자가 봉일을 논의하는형태가 될것임.

0 북한으로서는 국내의 경제적 곤란을 극복하기 위하여도 일북국교를 정상화하여 일본의 협력을 얻고자 하고있음. 국교정상화 진전을 위해 일본으로서는 (1)핵사찰 수락, (2)남북총리회담의 재개, (3)남북의 유엔가입등 3 가지를 전제로 한바, 유엔가입은 실현이 예상되며, 일본으로서는 냉전종결후의 동아시아 신질서 형성을 위해 환영해야 할것임. 금후 북한의 외교공세 강화로 남은 2 개의 전제조건도 점차 충족될 것으로 보여짐.

2. 언론보도 요약

가. 아사히("평화공존에 남은 결단, 한국 공식인정과 핵사찰" 제하)

0 북한의 금번조치는 "2 개의 조선" 을 인정한 것이지만, 북한이 공식적으로 "하나의 조선" 슬로건을 철회하지 않고, 금번 북측 성명에도 "일시적인 난국을 타개하기 위한 조치로서 고정화 되어서는 안된다" 고 강조한것은 북한 국내를의식한 점도 있겠지만, 북한의 노선전환이 안직 "도중" 에 있음을 나타내는 것임.

0 북한의 유엔가입 방침 표명으로 남북한 관계는 금후 봉일독일처럼 "평화공존체제" 로 향할것이지만, 남북한 평화공존이 정착하려면 (1)북한이 한국의 존재를 공식으로 인정하는 문제와, (2)일.북 국교정상화 교섭에서도 쟁점이 되고있는 북한의 핵사찰 수용문제등 장애가 남아있음.

0 일정부 관계자도 북한의 핵사찰 수용을 포함한 일.북 국교교섭 진전은 김일성의 결단여하에 달려있다고 보고있지만, 90.9. 김일성.카네마루 회담에서 국교정상화 교섭제안, 금번 유엔가입 결정에 이어 김일성이 언제 "제 3 의 결단" 을 하느냐에 관심이 집중되고 있음.

나. 요미우리("대외관계 수복도 가속될까" 제하)

0 북한은 유엔가입 표명에 이어 후속조치로서 남북대화재개, 미.일등 서방선진국과의 관계개선에 적극적인 자세를 강화할 공산이 큰바, 북한측은 성명에서"1 의석 공동가입안" 을 완전히 포기하지 않고있는 점을 강조하고 있는등

동시가입이 실현되기 까지에는 곡절이 예상됨.

0 남북한 유엔가입이 구체화되어 유엔가입 심사가 행해지는 과정에서 북한의 핵사찰 문제가 중요한 문제로 부각될것은 필지인바, 미정부는 대북관계에 있어 최대의 과제인 핵사찰 문제에 대한 평양의 태도를 지켜보면서, 한일양국과 금후의 대응을 협의해 나갈것으로 보임.

0 북한은 금후 과감하게 대미접근을 추진, 주한미군 철수를 종래보다 강도높게 제창할 것이지만, 유엔동시가입이 명실공히 "하나의 조선정책" 포기를 의미한다면, 북한은 일정한 조건하에 타협, 핵사찰수용 결단을 내릴가능성이 큼.

---이하 다. 항 넛께이 부터 JAW-3315 호로 계속됨---

PAGE 4

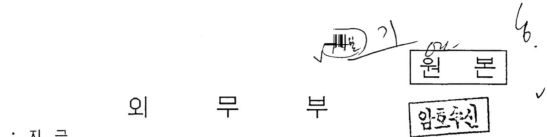

외 무 부

원 본

암호수신

종 별 : 지 급

번 호 : JAW-3315   일 시 : 91 0259 1625

수 신 : 장관(국연,아일,정이) 사본:주유엔대사-중계필

발 신 : 주 일 대사

제 목 : JAW-3314호 계속

다. 닛께이("북한의 진의는 어디에, 미국의 태도가 열쇠" 제하)

0 금번 결정은 한국의 대 공산권 외교강화에 따른 북한의 외교적 고립 및 경제적위기, 또한 일.북한 국교정상화교섭 난항에 기인한 것이지만, 결정적인 영향을 미친것은 중국 이붕수상 방북시 "한국의 유엔가입에 반대하지 않는다"는 태도를 취했기 때문인 것으로 보임.

0 금번 결정으로 금년가을 남북한 동시가입이 실현될 가능성이 생겼으며, 한편 난항하고 있는 일북 국교정상화 교섭에도 좋은 영향을 미칠 것으로 보이며,그렇게 되면 동북아의 긴장은 크게 완화될 것임.

0 그러나, 아직 북한의 의도가 확실하지 않고 북한의 유엔가입의 키를 쥐고있는 미국이 북한의 핵사찰 수용문제에 강경한 태도를 누그러뜨리지 않고 있어순조롭게 가입할수 있을지는 예측을 불허함.

라. 동경신문("권력이양에 환경조성" 제하)

0 북한의 유엔가입 신청 결정 발표는 김정일에의 권력승계문제와 밀접한 관계가 있는바, 북한이 유엔가입을 요구하는 일본을 비롯한 서방제국의 의향을 받아들이는 대신 이들국가로 부터 경제원조를 획득, 후계문제의 최대장애가 되고 있는 파탄직전 상태의 경제를 재건, 김정일에의 권력이양을 원활히 하기 위한 환경조성을 겨냥한 것으로도 볼수 있음.(요미우리도 유사한 내용 게재)

0 김정일은 현재 국내정책에 있어 어느정도 결정권을 위임받고 있는등 권력이양 작업이 거의 완료되엇다고 보여지나, 경제면에서 볼때 지난해 최초로 마이나스 성장을 기록하는등 반드시 권력이양의 기반이 탄탄하다고는 할수 없으며, 특히 최근 쏘련, 중국이 북한과의 거래를 경화결재 방식으로 할것을 통고하는 등금후 외화사정이 더욱 악화될 것에 대비 후계문제를 원활히 하기 위해서는 경제재건이 불가결 하게됨.

국기국   장관   차관   1차보   2차보   아주국   정문국   정와대   안기부

0 유엔가입신청 결정을 계기로, 그간 외교면에서의 실적 부진이 지적되어온김정일이 대외정책에서도 전면에 나설 가능성이 예상되는바, 이점에서 볼때도 유엔가입문제가 권력이양 문제와 불가분의 관계가 있다고 볼수 있음.

3. 사설요지

가. 아사히

0 북한의 UN 정책 전환은 한국의 UN 가입을 저지하기 어려운 상황에서 외교적 고립을 탈피하기 위해 고심한 끝에 선택한 것이라 할수 있는바, 금후에도 남북한간 주도권 쟁탈전이 계속되겠지만 UN 에 가입하게 되면 국제사회의 룰 속에서 행해질 것임.

0 일본을 위시한 주변국은 북한의 문호개방을 조금이라도 원활히 할수 있도록 협력해야 할 것임. 북한의 진의에는 알수 없는 부분이 있어 방심은 금물이나,소련의 페레스트로이카, 중국의 개혁. 개방과 마찬가지로 곤경속에서 탈출구를모색하고 있는 인국이라는 점을 잊어서는 안됨.

나. 요미우리

0 북한의 결정은 결과적으로 한반도에 2 개의 국가가 존재하는 현실을 공식적으로 인정한 것으로, 한반도 정세 안정화에 크게 기여하리라 생각함.

0 한소 국교수립에 이어 일북 국교교섭이 진행되고 있고, 남북한 UN 동시가입 실현이 결과적으로 한중 국교정상화의 기반이 될 가능성이 있으며 북한도 가능한한 대미관계 개선을 모색할 싯점임.

다. 닛케이

0 북한 외교부 성명은 금번 조치가 일시적인 것이라고는 하나, 원칙을 전환할수 밖에 없었던 것은 남북한간 균형이 무너지는등 내외정세가 어려워진 결과일것임.

0 금번 조치는 한반도의 평화와 안정에 기여하는 역사적인 결단이 될 공산이 큼.

0 멀지않은 장래 남북한 교차승인 실현으로 열결될 것인바, 한소 국교수립,일북 수교교섭으로 교차승인은 사실상 진행되고 있다고 할수 있으며 금번 조치로 더욱 가속화 될 것임.

0 금후의 촛점은 핵사찰과 관련한 미국의 태도와 남북한 관계의 향방에 달려 있는바, UN 동시가입이 실현된다고 해도 남북한간 상호비난이 계속된다면 한반도 정세는 오히려 악화될 것이므로, 북한이 UN 에서 남북통일에 대해 유연히 대응하기를 희망함.

PAGE 2

0058

라. 마이니찌

0 북한이 한국과 함께 UN 가입을 신청하게 됨으로써 종래의 논리를 전환한 것임. 즉 남. 북한의 대등함을 인정, 국제사회에도 널리 알리는 길을 선택한 것으로 지금까지의 "해방의기로"로서의 이념 및 "유일 정통 정권"의 입장을 포기한것으로 볼수 있음.

0 한국의 존재를 인정치 않은채 일본과의 관계정상화는 불가능하다는 것은 상식임. 북경에서 개최된 제 3 차 수교본교섭에서 보인 관할권의 범위에 관한 새로운 태도도 UN 동시가입 신청과 같은 선상에 있음.

0 금번 UN 가입신청 결정을 계기로 일본뿐만 아니라 미국과의 관계도 정상화하는 길을 열게 되기를 바람. 이는 일본이 우려하고 있는 핵사찰 문제 해결의 길을 여는것 뿐 아니라 한. 중 정상화를 촉진시킬 것임.

마. 동경신문

0 북한의 금번 결정의 배경에는 김일성이 노선전환을 통해 김정일 후계체제의 기반을 강화시켜 보겠다는 의도도 깔려있을 것임.

0 일본이 국교정상화의 조건의 하나로 남북한 UN 동시가입 문제를 내걸고 있다는 점에서 금번 조치는 일.북 수교교섭에도 좋은 영향을 미칠 것으로 보임.

0 현재 진행중인 제 2 차 UN 군축 교또회의에서 이용호 북한 외교부 군축과장은 동경신문과의 인터뷰에서 미국의 럼스펠드 전국방장관을 단장으로 대규모 대표단이 6월중 방북, 미.북관계에 관한 비공식 협의를 가질 것임을 밝혔는바 이와같은 미.북간 접촉이 남북 UN 동시가입 움직임과 더불어 남북한의 교차승인을 촉진시키게 되길 바람.

바. 산케이 신문

0 금번조치는 남. 북한간에도 마침내 실질적인 긴장완화가 시작되었다는 것을 의미, 가장 가까운 이웃인 일본으로서는 진심으로 환영하고 싶음.

0 물론 금번 UN 정책전환은 북한으로서는 어쩔수 없는 교육책에 불과하므로이것이 바로 다른 현안의 해결로 연결될지는 낙관할수 없음. 끝.

(대사 오재희-국장)

외 무 부

증 별 :

번 호 : LAW-0773   일 시 : 91 0529 1640

수 신 : 장 관(해신,국연,정홍,기정)

발 신 : 주 라성 총영사

제 목 : LA TIMES 기사 보고

　　LA TIMES 5.29자는 '북한 유엔가입 모색키로'제하 동사 북경특파원 DAVID HOLLY의 북한 유엔가입 결정과 관련 기사를 게재한바 요지 아래 보고함

　　- 중국의 리펑수상은 최근 방북기간중 중국은 한국의 유엔 가입에 거부권을 행사하지 않을것이라고 평양에 경고한 것으로 보임

　　- 한 중국외무성 대변인은 평양의 발표가 남북간의 대화진전 및 한반도의 평화와 안정증진에 이로울 것이라고 말함

　　- 어떤 평양의 내부적인 정치적 역학관계가 금번 결정에 영향을 미쳤는가는 명확치 않음.최근 북경의 서방외교관 사이에 79세의 김일성이 이달초 심장마비를 경험한바 있으며 그의 후계자인 49세의 아들 김정일이 권한을 행사하고 있다는 확인되지 않은 보고서가 회람된 적이 있음

　　- 유엔총회 의장 GUIDE DE MARCO 는 2일간의 공식 평양 방문 직전 이곳에서 갖은 기자회견에서 자신은 남.북한의 가입신청이 승인될 것이라는데 의심을 갖고 있지 않다고 말했음.끝

　　(문화원장-해공관장)

공보처　　1차보　　국기국　　정문국　　안기부

외 무 부

종 별 :

번 호 : FUW-0191   일 시 : 91 0529 1650

수 신 : 장관(국연,아일,정문)

발 신 : 주 후쿠오카 총영사

제 목 : 북한 유엔 정책 전환 언론 보도

(자료응신 제 23 호)

당지 니시니혼 신문은(5.29 자) 북한의 유엔 정책 전환에 관한 사설을 게제하였는바, 요지 아래 보고함.

-금번 북한의 유엔 단독 가입의사 표명으로 북한 지도자가 급변하는 국제정세의 현실에 더이상 대항할 수 없게 되었다고 말할수 있으며, 북한의 전략 전환은 현명 하였음.

-그간 유엔가입 정책과 관련된 현실은 어디를 보아도 북한의 원칙이 불리 하였으며, 북한을 방문한 중국 수상도 중국의 거부권 행사에 관한 확약을 하지 않은것 갑음.

-한국측의 유엔 동시 가입안이 분단의 고정화라는 북한의 주장은 동.서독 상호 승인에 의한 공존을 통한 평화 통일 실현으로 설득력을 상실함.

-일.조 국교 정상화 교섭에서 일본측이 핵사찰 문제, 이은혜 문제와 관련, 단호한 태도를 취한것도 북한으로 하여금 급히 정책 전환을 하도록 작용한지도 모름.

-북한은 한국의 입장을 사실상 수락한 형태로 유엔에 가입하면, 한반도 긴장 완화에 도움이 될것이며, 북한이 질서 유지에 책임을 지는 국제사회의 일원이된다면, 테러국가의 오명을 야기하는 행동은 할 수 없으며, 금번 북측의 정책 전환은 이를 염두에 둔 결단임을 믿고 싶음.

-차제에 핵사찰, 이은혜 문제에 대해서도 새로운 챙임있는 북측 입장 표명을 기대함.

-남북의 유엔 동시 가입은 소극적 상호 승인이라고 볼수 있으나, 동서독과 달리 동족 상잔을 경험했던 남북한으로서는 화해와 교류가 보다 중요하나, 그 보증은 없음.

-형태와 장소를 바꾸어 남북 대립이 계속되면 곤란하며, 일본으로서도 이점을

국기국   치관   1차보   2차보   아주국   정문국   청와대   안기부

PAGE 1   91.05.29   17:38
                                          외신 2과 통제관 BA

                                          0061

주시하면서 사태를 유도할 필요가 있음.
  (총영사 최용찬-국장)

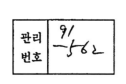

외 무 부

종 별 :

번 호 : BRW-0405   일   시 : 91 0529 1800

수 신 : 장 관(국연,정홍,미남,국방,기정동문)

발 신 : 주 브라질 대사

제 목 : 북한 유엔가입신청 관련반응

대: AM-0118

1. 표제관련 5.29 자 주재국 일간지의 반응을 아래 보고함.

가. 일간지명, 제목및 기사크기

0. CORREIO BRAZILIENSE: "남. 북한 유엔가입 신청" 서울발 2 단기사

0. JORNAL DE BRASILIA: "남. 북한 유엔에 가입예정" 1 단기사

0. O GAZETA MERCANTIL: " 북한 유엔가입 신청" FINANCIAL TIMES 지 인용 2 단기사

0. O ESTADO DE S.PAULO : " 북한 대유엔 전략 변경" 평양발 1 단기사

0. JORNAL DO BRAZIL: " 남. 북한" 1 단기사

나. 기사주요내용

0. 북한은 그간 남. 북한 동시 유엔가입을 추진해온 한국을 한반도의 영구분열을 조장한다며 비난해온 종전의 대유엔 정책을 변경하여 유엔에 한국과 나란히 가입한다고 발표하였으며 미국은 이러한 북한의 결정을 지지했음.

0. 이러한 북한의 정책변경은 최근 서울이 북한의 전통우방국인 중국과 소련에게 북한을 설득, 유엔에 가입토록 하라고 촉구한 결과임(아국 외무부 대변인 인용보도)

2. 주재국 외무부 MENDONCA 아주 2 과장은 북한이 결국 유엔가입 신청을 하기로 결정하여 남. 북한의 유엔가입이 가능하게 된것은 다행한 일이라고 말하였음. 끝.

(대사 김기수-국장)

예고: 91.12.31. 까지

검 토 필 (1991. 6. 30)

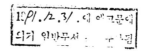

국기국   차관   1차보   미주국   정문국   안기부   국방부

PAGE 1   91.05.30   08:08

외신 2과 통제관 CE

0063

외 무 부

종 별 :

번 호 : GAW-0076

일 시 : 91 0529 1900

수 신 : 장 관(아프일,국연)

발 신 : 주 가봉 대사

제 목 : 북한의 유엔 가입 신청

5.29자 주재국 일간지 L'UNION은 해외 단신란에서 북한이 종전의 입장을 극적으로 변 경하여 유엔가입을 신청할 것이라고 발표하였는 바,이는 남북한의 유엔 동시가입을 가능케 할 것이라고 보도함.끝.(대사 박창일-국장)

중아국   1차보   국기국   정문국   안기부

PAGE 1

91.05.30   09:24 WH

외신 1과 통제관

0064

外　務　部

종　별 :

번　호 : GVW-0992　　　　　　　일　시 : 91 0529 1950

수　신 : 장 관(해신,정홍,국연,기정동문)

발　신 : 주 제네바 대사

제　목 : 북한 U.N 가입 결정관련 언론 반응

LA TRIBUNE DE GENEVE 지는 금 5.29 '남북한과 U.N' 제하 해설기사에서 표제관련 아래와 같이 논평함.(A.NAEF 외신부장기)

기사요지: 한국과는 별개 회원국으로 U.N 에 가입하기로 결정한 북한은 지금까지 고수해온 외교의 대원칙을 포기한 셈임. 북한은 한반도의 분단을 공인할 것이라는 이유로 남.북한의 U.N 동시가입을 반대해 왔었음.

반면 한국은 동.서독의 경우처럼 남.북한이 U.N에 동시가입해야 한다고 주장해왔으나 소련과 중국의 거부권 행사가 두려워 U.N 가입 신청을 미뤄왔던 것임.

그러나 올림픽을 전기로 주변 여건은 바뀌기 시작하였음. 소련은 한국과 수교하기에 이르렀고 북한땅을 밟아본 적이 없는 고르바체프는 제 3차한.소 정상회담을 위하여 한국을 방문하였음.

한편 한국과의 통상관계가 증진일로에 있는 중국은 최근 이붕 수상의 북한 방문시 한국이 단독으로 U.N 가입 신청을 할 경우 VETO 할것이라는 언질을 주지 않았음.

진퇴 양난의 기로에선 북한은 드디어 남.북한 U.N 병행 가입을 택하게 된것임.

김일성은 독일식 통일을 원치 않고 있지만 역사에는 영원이란 것이 없음.끝

(네사 박수길-해공관장)

공보처　　1차보　　국기국　　정문국　　정와대　　안기부

주 우 루 과 이 대 사 관
(관 인 생 략)

우루구 정 0120-6?   91.5.29

수신: 장관

참조: 국제기구 국장, 미주국장

제목: 북한 유엔가입신청 기사 (자료응신-4)

  ° 당지 일간지 "LA REPULICA"는 5.29 북경발 UPI

  기사를 인용, 북한의 유엔가입 신청이 중국과 미국의 지지를

  받고 있다는 기사를 게재한 바, 동기사를 별첨 송부합니다.

  첨부: 상기기사 1부.   끝.

주   우   루   과   이   대   사

선결			결재		
신	1991. 6. 3	접수			
처리과	on 31059				

0066

La Repúbli a

Miércoles 29 de mayo de 1991

Apoyo chino y de EEUU

Corea por 2 en la ONU

Beijing (UPI)

■ El presidente de la Asamblea General de las Naciones Unidas, Guido de Marco, dijo ayer que la propuesta de Corea del Norte para lograr un puesto independiente de Corea del Sur en el organismo probablemente ganaría la aprobación del cuerpo internacional, considerando los ejemplos exitosos de Yemen y la otrora dividida Alemania.

De Marco señaló que el Consejo de Seguridad de la ONU también podría considerar positivamente la propuesta presentada por Pyongyang para una participación por separado de las dos Corea en el organismo.

Corea del Norte dijo que no continuará insistiendo en que la dividida península coreana tenga un puesto unificado en la ONU y prometió buscar una representación por separado para Pyongyang.

Dirigiéndose ante una conferencia de prensa realizada en Beijing antes de una visita oficial de dos días a Pyongyang, De Marco dijo que los gobernantes norcoreanos de la línea dura se han convencido de que la capitalista Corea del Sur tendría éxito en su esfuerzo por lograr un puesto por separado en la ONU.

"Si (la solicitud de Corea del Sur) es recibida favorablemente, pienso que la República Democrática Popular Corea (del norte) se sentirá obligada a presentar una petición a fin de no ser dejada fuera de las Naciones Unidas", señaló De Marco.

APOYO NORTEAMERICANO

El gobierno norteamericano apoyó ayer la participación de dos Corea en las Naciones Unidas, como un paso que contribuirá "a la eventual unificación".

Margaret Tutwiler, portavoz del Departamento de Estado, informó que Washington "da la bienvenida" al anuncio norcoreano de que abandonará su exigencia de que sólo una Corea esté representada en el cuerpo mundial.

"Que ambas Corea sean miembros de la ONU contribuirá al diálogo intercoreano y a la eventual reunificación", señaló la portavoz.

Los cinco miembros permanentes del Consejo de Seguridad -Estados Unidos, la Unión Soviética, Gran Bretaña, Francia, China- deben aprobar el ingreso de los nuevos miembros.

0067

주 코 스 타 리 카 대 사 관

코스타(정)20732-140   1991. 5. 29

수 신 : 장관
참 조 : 국제기구조약국장, 정보문화국장, 미주국장
제 목 : 유엔가입관련 기사

연 : COW-0245
대 : AM-0118, 0112, 0114, 0115, 0117

    연호 유엔 가입 관련 5.29일자 주재국 일간 LA NACION 및 LA REPUBLICA 지 기사를 별첨 송부합니다.

첨 부 : 동 기사 각 1부. 끝.

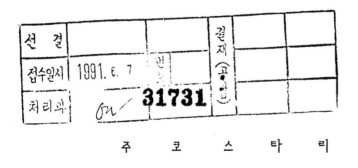

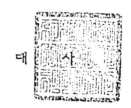

주 코 스 타 리 카 대 사

0068

La frontera intercoreana, zona de alta tensión.

EE.UU. la respalda

Corea del Norte aspira a la ONU

AP, EFE, AFP
Seúl, Beijing, Washington

Corea del Norte anunció ayer que solicitará el ingreso en la ONU, simultáneamente con Corea del Sur, posiblemente dentro de unas semanas.

Los surcoreanos advirtieron que iniciarán de inmediato un diálogo con los comunistas del norte para analizar la entrada paralela y la solicitud podría ser presentada en junio.

El Viceministro de Relaciones Exteriores de Corea del Sur, Yoo Chong-ha, declaró que su país solicitará el ingreso por separado si el Norte rechaza su propuesta.

En Beijing, donde realiza una visita de cuatro días, el presidente de la Asamblea General de las Naciones Unidas, Guido de Marco, afirmó el martes que la presencia de ambas Coreas en el organismo mundial era posible.

Añadió que, como estado independiente, Corea del Norte tiene derecho a ser miembro de la ONU, aunque expresó que prefería que fuese una Corea unificada la que representase a toda la nación.

El presidente de la Asamblea de la ONU aseguró que "los cinco miembros permanentes del Consejo de Seguridad (Estados Unidos, la Unión Sovietica, la República Popular China, Francia y Gran Bretaña), que tienen derecho de veto, "estudiarán el asunto con gran consideración y responsabilidad", pero se abstuvo de hacer pronósticos.

Sin embargo, recordó que ya existen experiencias semejantes, "como Yemen y Alemania", y estimó que esta situación a veces es "positiva" porque se abre otro foro para el diálogo entre dos estados separados en una misma nación.

El Gobierno estadounidense dijo ayer que respaldará la solicitud de Corea del Norte para incorporarse a la ONU.

"La admisión de las dos Coreas a las Naciones Unidas contribuirá al diálogo intercoreano y, a fin de cuentas, a la unificación. Por eso, este anuncio es bienvenido y nosotros respaldaremos la admisión de las dos Coreas, en aplicación del principio de universalidad", declaró la portavoz del Departamento de Estado, Margaret Tutwiler.

Progreso

El sorpresivo anuncio comunista es un gran logro en las relaciones entre ambos países y podría facilitar un diálogo para para disminuir las tensiones militares y políticas.

Es, además, el primer intento importante de Pyongyang para abrir al mundo su cerrada y rígidamente controlada sociedad.

En anuncios separados, ambas Coreas dijeron esperar que su incorporación a la ONU conduzca a la eventual reunificación de la península, dividida desde 1945 y último escenario hostil de la Guerra Fría.

0069

Habrá dos coreas en la ONU

PEKIN (EFE) —El presidente de la 45 Asamblea General de las Naciones Unidas, Guido de Marco, afirmó en Pekín que la presencia de las dos coreas en la ONU es posible, aunque indicó que aún era muy pronto para formar una opinión.

Guido de Marco, que finalizó una visita de cuatro días a Pekín, declaró que la posibilidad de que ambos gobiernos estén representados en la ONU será estudiada con detenimiento por parte de los países miembros permanentes del Consejo de Seguridad.

De Marco efectuó estas declaraciones en conferencia de prensa, horas después de que el gobierno de la República Popular Democrática de Corea (Norte) anunciase su intención de solicitar su ingreso como miembro en la ONU.

Como las autoridades de Corea del Sur (República de Corea) insisten en su solicitud unilateral, si lo dejamos así, los asuntos importantes relacionados con los intereses de toda la nación coreana se tratarían en la ONU de una forma parcial y entranaría graves consecuencias, afirmaba la nota difundida antenoche por la radio de Pyong Yang.

De Marco añadió que, como Estado independiente, Corea del Norte tiene derecho a ser miembro de la ONU, aunque indicó que prefería que fuese una Corea unificada la que representase a toda la nación en ese organismo internacional.

El presidente de la Asamblea de la ONU aseguró que los cinco miembros permanentes del Consejo de Seguridad (Estados Unidos, Unión Soviética, China, Francia y Gran Bretaña), que tienen derecho de veto, estudiarán el asunto con gran consideración y responsabilidad, pero se abstuvo de hacer pronósticos.

Sin embargo, añadió que ya existen experiencias semejantes, como Yemen y Alemania e indicó que esta situación a veces es positiva porque se abre otro foro para el diálogo entre dos Estados separados en una misma nación.

0070

외 무 부

관리번호 91-560

종 별 :

번 호 : NMW-0433   일 시 : 91 0530 1000

수 신 : 장관(국연,아프이,기정)사본:주유엔대사-중계필

발 신 : 주 나미비아 대사

제 목 : 유엔가입문제(홍보)

    1. 주재국 국영 NBC-TV 는 5.29 21:00 뉴스 시간에 북한이 종전의 태도를 변경, 유엔에 가입키로 결정했다고 보도하면서 노창희대사의 논평내용을 그대로 방영하고, 이어 미국무성 대변인의 발표내용도 방영함

    2. 또한 5.30 자 TIMES OF NAMIBIA 지는 남북한의 동시 유엔가입은 한국의 승리(MAJOR VICTORY)이며 북한의 쓰라린 패배라는 내용의 NEW YORK 발 기사를 인용 보도함. 끝

    (대사 송학원-국장)

    예고:91.12.31 까지

    검 토 필 (1991 6.30

국기국   차관   1차보   2차보   중아국   안기부

PAGE 1   91.05.30   17:35
                                            외신 2과 통제관 BA

                                            0071

외 무 부

종   별 :

번   호 : BAW-0296   일   시 : 91 0530 1030

수   신 : 장관(국연,정이,아서,기정)

발   신 : 주 방 대사

제   목 : 유엔가입(언론반응)

　　　대: AM-114

　　　연: BAW-295

　　　주재국의 영자일간지 방글라데시 옵저버는 5.29 에 이어 5.30 'N. KOREA TOAPPLY FOR U.N MEMBERSHIP RELUCTANTLY'라는 제목으로 아래 요지의 내용 보도

　　　1. 한국전쟁이후 극한대립을 하고 있는 남북은 유엔가입문제로 왈가왈부해왔으나, 최근 아측이 중소등을 대상으로 다각적인 외교활동을 전개함으로써 어려운 입장에 처하게 된 북한은 궁여지책으로 유엔가입신청을 결정하게됨.

　　　2. 아측은 남북분단의 현실을 인정(상호의 체제)하고 두개의 국가로 유엔가입을 주장해온 반면 북한은 남북한의 동시가입이 분단을 영구화 한다는 이유로 반대하여 왔음.

　　　3. 동 기사는 동경에서 청취된 북한외교부의 성명중 대호 전문 3 번째항을 인용보도했음.

　　　(대사 이재춘-국장)

국기국   장관   차관   1차보   2차보   아주국   문협국   청와대   안기부

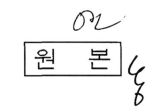

외 무 부

종 별 :

번 호 : JMW-0288   일 시 : 91 0530 1100

수 신 : 장 관(국연,정홍,미중)

발 신 : 주 자메이카 대사

제 목 : 유엔가입 반응

대:AM-0115

　북한의 유엔가입 결정 관련, 주재국 일간지 DAILY GLEANER 및 JAMAICA RECORD는 5.29 및 5.30각각 이를 사실 보도하였는바 특히 GLEANER지는 북한의 유엔가입 신청이 미. 북한간 접촉을 당분간 촉진시키지는 않을 것으로 본다고 보도하였으며 J.RECORD지는 한국의 유엔가입신청이 당초보다 앞당겨진 일정으로 6-7월경 이루어질 것이며 한국은 북한과 가입신청 시기문제에 관한 협의를 희망하고 있다고 보도함.끝

　(대사 김석현-국장)

국기국   1차보   미주국   문협국   청와대   안기부

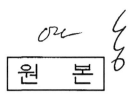

외 무 부

종 별 :

번 호 : TNW-0267   일 시 : 91 0530 1200

수 신 : 장 관(국연,중동이,기정동문)

발 신 : 주 뷔니지 대사

제 목 : 북한의 유엔 가입

　　당지 LE RENOUVEAU 지는 '3자 지지'라는 부제목으로미국성 MARARET TUTWIER 의 성명과, '북한의금번 발표는 남북한의 대화 증진에 긍정적인의의와 공헌을 할것이며 한반도에 평화와안정을 가져올것'이라는 중국 외무성 대변인말을 인용 보도하였음.

　　또한 불란서 정부가 북한의 UN 가입 의사를대단히 만족스러운 일로서 환영한다는논평을보도하였음.끝.

　　(대사 변정현-국장)

국기국　　중아국　　청와대　　안기부

PAGE 1

외 무 부

종 별 :

번 호 : SKW-0348   일 시 : 91 0530 1200

수 신 : 장관(국연,아서)

발 신 : 주스리랑카 대사

제 목 : 유엔가입

대:AM-0115(91,5,28)

1.대호 본부의 5.28 논평 내용을 동일자 당관 공한으로 작성, 주재국 및
당관관할국 몰디브의 외무부에 각각 송부함.

2.주재국 언론들은 5.29및 5.30 자 외신을 인용 북한의 유엔가입 신청
의사표명,한국측의 환영등에 관하여 2단기사로 보도하였으며, 주재국 텔레비 뉴스
방송에서도 주요 외신 뉴스로 보도함

(대사 장훈-국장)

국기국   아주국

PAGE 1   91.05.30   20:33 DF
외신 1과 통제관

외 무 부

종 별 :

번 호 : THW-1184

일 시 : 91 0530 1430

수 신 : 장관(해신)

발 신 : 주 태국 대사

제 목 : 북한 유엔동시가입 관련 기사보고

1. 주재국 영자신문 5.30자 BANGKOK POST지 및 THENATION지는 북한 유엔동시가입발표에 따른 아국입장 표명내용 'SEOUL MOVES TO MEND FENCES WITHPYONGYANG' 및 'S.KOREA SEEKS END TO WAR WITH NORTH '제하,서울발 REUTER 기사 각기 보도함

2. 또한 현지어 신문 SIAM RATH 및 NAEW NA지도 'SEOUL-PYONGYANG SUMIT' 및 'WASHINGTON CONGRATULATESWITH NORTH KOREA FOR ITS ENTERING UN. PEKING GOV'SCONTRIBUTED TO THE MOVEMENT FOR NORTH KOREA TO APPLY TOENTER UN MEMBERSHIP'등 재목으로서울발 연합 및 한국문제 전문가 언급내용 보도함

(대사 정주년-관장)

공보처   아주국   국기국   문협국

91.05.30   20:40 DF

외신 1과 통제관

0076

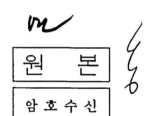

외 무 부

종   별 :

번   호 : BLW-0401   일   시 : 91 0530 1455

수   신 : 장관(국연,동구이,정일,기정동문)

발   신 : 주 불가리아 대사대리

제   목 : 북한 유엔가입신청 관계기사(자료응신제80호)

당지 5.30 자 일간지 TROUD 지는 SOMETHINGS COOKING NORTH OF THE KOREAN PENINSULA 제하 4 면 2 단으로, 북한이 남. 북한 유엔 동시가입 제의를 거절한 이후 56 일만에 예상외로 유엔가입신청 용의를 표명한 바 있다고 보도하고 동배경을 다음같이 논평함.

   - 최근 고르바쵸프 대통령 방한시 소련은 한국의 유엔가입에 관한 입장을 명백히 지지

   - 중국의 유엔가입에 관한 한국의 입장에 대한 불반대 표시

   - 동구국가로부터의 정치적 소외 및 소련의 경제위기로 인한 북한의 고립.

   끝.

   (대사대리 방병채-국장)

국기국	장관	차관	1차보	2차보	구주국	문협국	정와대	안기부

외 무 부

종 별 :

번 호 : HKW-2089 　　　　　　　　　일 시 : 91 0530 1700

수 신 : 장관(아이,국연,해기)

발 신 : 주 홍콩 총영사

제 목 : 북한 유엔가입결정에 대한 중국계 언론반응

　　1. 당지 중국계 신문 대공보는 5.30 자 사설을 통해 북한유엔가입 결정을 환영하면서 동결정은 동서 냉전종식에 따른 필연적 추세로서 금후 남북한 긴장완화와 함께 남북간의 또하나의 새로운 경쟁을 암시하고 있다고 보도하고 있는바, 요지 아래보고함

　　- 북조선의 금번 결정은 평양당국 외교정책의 주요한 탄력적 변화로서 금후조선반도 정세의 진일보 긴장완화를 가져올것으로 봄

　　- 동결정에 대한 중국외교부의 성명내용은 지극히 적절한것으로 남북조선 양자간 사항에 대해 개관적이고 초연, 불개입의 태도를 보이고 있음. 그러나, 동성명은 전체적으로보아 평양측결정이 남북대화뿐아니라 아주지역 평화유지에 도움이 될것으로 보아 이를 찬양하고 있음

　　- 국제정세의 관점에서 볼때 평양이 기존방침을 변경한것은 냉전종식의 양향을 받은것임. 미.소관계의 완화, 북한지원에 대한소련의 한계, 소련. 동구의 대남조선 수교및 경제교류, 한. 중 무역사무소 설치등과 함께 서울올림픽후 노대통령의 북방정책 적극 추진에 직면, 만일 평양측이 계속 기존의 폐쇄정책을 변경하지 않으면 국제사회에서 스스로 더욱 고립될것을 인식했기 때문임

　　- 금번 이를 기점으로 남북 조선관계 완화와 함께 북조선의 대미.일관계도 실질적 개선 가능성이 있음. 만일 북조선이 경제곤란을 극복하려면 반드시 대외개방에서 출로를 찾아야함. 남북 조선관계 완화후 우선 남북간 경제및 인적교류를 촉진하고 이어 대미, 대일, 대소, 대중관계도 더욱 개선하게 되면 조선반도 정세안정에 더욱 기여할것임

　　- 그러나, 북한으로서는 오랫동안 폐쇄정책을 취해왔으므로 문호의 개방이 오랫동안 형성되어온 김일성식 조선특유의 사회주의 체제에 큰 충격을 줄 가능성을

아주국	장관	차관	1차보	2차보	국기국	청와대	안기부	공보처

PAGE 1 　　　　　　　　　　　　　　　　　　　91.05.30　　21:17

　　　　　　　　　　　　　　　　　　　　　　　외신 2과　통제관 CH

　　　　　　　　　　　　　　　　　　　　　　　　　　0078

우려하지 않을수 없으며, 특히 동구의 변화가 평양당국에 고도의 경각심을 주지 않을수 없을것임

- 금번 평야외교부의 성명내용을 볼때 유엔가입후 남북한관계는 일면 완화되는 동시에 또다시 새로운 부쟁이 있을수 있음을 암시하고 있음. 그러나 최후 결정적 요소는 어디까지나 경제로서 북조선이 그 경제와 민생문제를 해결할수 있는가 여부가 금후 남북통일로 향한 길이 평탄할것인지 험난할것인지를 가름하게 될것임

2. 상기 사설내용은 북한측의 금번조치가 동서 냉전종식후 국제정세가 한국측에 유리하게 흐르고 있는 상황하에서 북한이 국제적 고립 탈피를 위해 취한 부득이한 조치임을 지적하고, 금후 남북한 경쟁에 있어 경제우선을 특히 강조하고 잇는바, 중국측 입장을 대변하여 온 동언론이 비교적 객관적으로 북한의 조치및 남북관계에 대해 논평하고 있는것으로 평가됨. 끝

(총영사 정민길-국장)

PAGE 2

0079

외 무 부

종 별 :

번 호 : HKW-2090   일 시 : 91 0530 1700

수 신 : 장관(해신,아이,정홍,기정)

발 신 : 주홍콩총영사

제 목 : 현지언론반응

　　1. 북한의 유엔가입 신청결정관련 주요지들은5.29-30 컬럼,해설기사를 게재하고
'한 국외교노력의 승리 (AWSJ 5.29), ' 김일성의 의사가 아니고 ---중국이 북한의
요구를 받아들이지 않기 때문에 부득히 취한 정책변경'(성도일보 5.29),
'40년만의한반도 정세변화'(신만보 5.29), '평양이 탄력적 정책을 시행한다는 중요한
변화'(대공보5.30), ' 북한의 마지못한 선택'(FEER 6.6자)등으로 평가하고 있음을
보고함

　　2. 보도상황

　O AWSJ(5.29 1 면 해설기사

　제목: 북한 유엔의석 신청애정

　O 성도일보(5.29 4면 2단 박스, '시사간석'칼럼)

　제목: 북한이 유엔가입 신청은 이유있음

　O 신단보(5.29사설)

　제목: 양조선 유엔동시가입 신청

　O 대공보(5.30 종횡담' 컬럼)

　제목:조선이 유엔가입키로 결정하다'

　O FEER(6.6 해설기사)

　제목:마지못한 선택

　　3. 기사원문 별전 핵스 송부함.끝

　　(총영사 정민길-외보부장O

공보처　　아주국　　국기국　　문협국　　정와대　　안기부

PAGE 1   91.05.30   20:35 DF

　　　　　　　　　　　　　　　　　　　　　외신 1과 통제관

　　　　　　　　　　　　　　　　　　　　　　　　0080

외 무 부

종 별 : 지 급

번 호 : CPW-1052   일 시 : 91 0530 1830

수 신 : 장관(국연,아이)

발 신 : 주 북경 대표

제 목 : 유엔 가입 관계

    금 5.30(목) 18:00 주재국 중앙라디오 방송은 신화사 서울발 소식을 인용, 아국 정부가 6월말-7월초 사이 유엔가입 신청을 제출키로 했다고 보도함. 끝.

    (대사 노재원-국장)

국기국   아주국

주 센 다 이 총 영 사 관

센다이 20501-265   1991.5.30.

수신   장관

참조   아주국장, 국제기구조약국장, 영사교민국장

제목   유엔가입 관계기사 송부

        대 : AM-0114

        대호, 관할지의 지방지에 보도된 남북한의 유엔가입관계기사를 별첨
과 같이 크리핑하여 송부합니다.

        첨부 : 유엔가입관계기사 4부. 끝.

0082

河北新報

夕刊

河北新報社

仙台市青葉区五橋1-2-28
（郵便番号 980）

主な電話
道　都1127　広告外務部1318
スポーツ1130　広告内務部1312
学芸　都1132　事務部1332
販売　都1304　総務部1402
読者相談室1447
総合案内(022) 211-1111

© 河北新報社 1991

北朝鮮、国連加盟を表明

「韓国単独」阻めず転換

【ソウル二十八日共同】朝鮮民主主義人民共和国（北朝鮮）の国連加盟申請方針の発表について、米政府は二十

【ソウル二十八日共同】国営朝鮮中央通信は二十八日、朝鮮民主主義人民共和国（北朝鮮）が基本的な国家政策の一つである南北朝鮮の国連個別加盟反対との立場を一八〇度転換し、北朝鮮が現状のまま連に加盟する方針を決めた、と発表した。北朝鮮外務省が二十七

日発表した声明の内容として報じた。それによると北朝鮮政府は韓国側の国連単独加盟政策が変わらず、単独加盟しようとの状況の下で一時的な難局打開の措置として、現段階で国連に加盟する道を選ばざるを得なくなったことを宣言する」として、国連加盟方針を表明した。

韓ソ国交樹立や韓中接近な どで朝鮮の単独加盟阻止が不可能になったとの判断から政策転換に踏み切ったもので、南北の国連同時加盟が実現すれば、南北関係改善や緊張緩和など朝鮮半島情勢に大きな変化をもたらすのは確実だ。北朝鮮外務省の声明はさらに北朝鮮側が国連加盟を正式に「手続きに基づき、正式に国連加盟申請書を提出する」と述べた。

政策を転換した理由として「南朝鮮（韓国）当局者の分裂主義的策動のため不可避的に取った措置であり、南北が別個に国連に加盟せねばならない今日の状況は、決して固定化されてはならない」との立場を強調。「今後も変わりなく、南北が一つの議席を占めるよう努力する」と述べた。

訪朝、訪ソの結果、北側の期待が破られ、日朝交渉で日本との立場を取り、対立が続く主張、南北間の協議は決裂した。このため韓国側は、北側が同時加盟を拒否し続ける状況を踏まえてことし七月にでも南北が単一議席で国連に加盟すべきだ」と提唱、昨年九月から始まった南北首相会談などで加盟問題が論議されていた。しかし双方が譲らず韓国側は「北側の主張は非現実的

戦後「単一国家として加盟する」で国連憲章にも反する」と強く主張、南北間の協議は決裂した。このため韓国側は、北側が同時加盟を拒否し続ける状況を踏まえてことし七月にでも南北が単一議席で国連に加盟すべきだ」と提唱、昨年九月から始まった南北首相会談などで加盟問題が論議されていた。しかし双方が譲らず韓国側は「北側の主張は非現実的

最近になって約う急接近、韓中関係の改善の流れの中で昨年五月、北朝鮮は「統一前も韓国単独で加盟申請をする」と発表していた。

朝鮮民主主義人民共和国（北朝鮮）の国連加盟申請方針の発表について、米政府は二十であり、核燃料再処理工場も打ちの形で韓国の単独

八年以来、北京で参事官レベルの外交接触を積み重ねてきた。しかし、ことしに入ってからは、国際原子力機関（IAEA）の査察受け入れだけでは不十分に、今後北朝鮮のかたくなな姿勢る中国をにらんで、いわば相

米政府は拒否権か

【ワシントン二十七日共同】

七日夜現在、一切の論評を加えていないが、現在の米側の考えからすると、北朝鮮に対する姿勢から判断して、国連加盟を認めるなど問題外とみていることは間違いない。

米政府は北朝鮮との関係改善の糸口を探るため、一九八八年以来、北京で参事官レベルの外交接触を積み重ねてきた。しかし、ことしに入ってからは、国際原子力機関（IAEA）の査察を受け入れるよう求める北朝鮮に対し、核問題に詳しい米外交筋は「北朝鮮の加盟は審議されれば、北朝鮮の加盟に拒否権を行使するのはほぼ確実。朝鮮半島問題をめぐる米側の狙いは、韓国の単独加盟を阻止しよう、といったところにあるのではないか」と述べ使が乗権かが注目されている)拒否権行

韓国は歓迎

【ソウル二十八日共同】韓国外務省スポークスマンは二十八日、朝鮮民主主義人民共和国（北朝鮮）が事実上南北同時国連加盟の方針を打ち出したことに対し「歓迎する」との論評を発表した。

論評は「南北の国連同時加盟は『関係進展は当面無理』（米政府当局者）との判断を固めている。

り、南北が国連に一緒に加入することで、南（朝鮮）半島の緊張緩和と平和的統一に寄与することを確信する」とし、ている。また「南北の同時国連加入が朝鮮半島だけでなく北東アジア地域の平和と安定を定着させるための大きな転機になることを期待する」と述べた。

入が統一までの暫定措置であり、南北が国連に一緒に加入することで、南（朝鮮）半島の緊張緩和と平和的統一に寄与することを確信する」とし、

南北交渉　新局面へ

国際的な孤立を避ける

日朝交渉に大きな余波

小此木政夫慶大教授（国際政治）の話　（北朝鮮の国連加盟方針は）やはりという感じ。韓国の国連加盟阻止が難しくなり、北朝鮮だけが国連加盟しない場合、国際的には孤立が明らかになり、韓国が朝鮮半島を代表するように見えることが許せなかったと思う。

これで、今度の国連総会でも分かるように、北朝鮮の政策は突然変化するだろう。

国際問題評論家北沢洋子さんの話　北朝鮮にとっては大きな政策転換だ。これまでの原則（同国内の）核査察の問題についても大きな政策変更の可能性があり、そうなればにも良い影響があるだろう。

現在行われている日朝交渉を認め、中国も韓国の単独加盟に担否権は使わないと伝えられていることから、孤立は避けたかったのだろう。とは言っても二つの朝鮮が続くのではなく、南北交渉にとっても大きなステップになると思う。このような急速な流れの中で、日本は北朝鮮との交渉にまごついていると、乗り遅れ、大変なことになる。

国連加盟問題の歩み

1950年6月	朝鮮戦争発生
72.7	自主的・平和的・民族大団結の南北共同声明発表
72.9	第一回南北赤十字本会談（平壌）
80.10	金日成・朝鮮民主主義人民共和国（北朝鮮）主席が高麗民主連邦共和国の国号で、南北共同国連加盟を提案
88.8	第一回南北国会会談予備会談
89.2	第一回南北首相会談予備会談
90.9.4〜7	分断後初の南北首相会談をソウルで開催
90.9.30	韓ソ外相が国交樹立の共同コミュニケに調印
90.12.15	ゴルバチョフ・ソ連大統領が訪ソした盧泰愚韓国大統領に、南北朝鮮の国連同時加盟支持を表明
91.4.7	韓国の国連大使が9月の国連総会前に単独加盟を申請するとの書簡を安全保障理事会議長に送付
91.4.25	中山外相が訪日した李相玉朝鮮外相に国連単独加盟支持を表明
91.5.1	ブッシュ米大統領、訪米した李韓国外相に国連単独加盟への全面的な支持を表明
91.5.4	江沢民中国共産党総書記、訪中の田辺社会党副委員長に韓国の国連単独加盟に反対の意向を表明
91.5.8	李鵬中国首相、訪中の二階堂自民党前副総裁に南北の国連同時加盟への期待を示唆
91.5.27	北朝鮮外務省が「国連加盟の道を選ばざるをえなくなった」との声明を発表

一、朝鮮の国連加盟問題は分裂した国と民族の血脈を再び結び、統一を実現しようとするわが人民の死活的利益と直接関連した重大な問題である。北朝鮮政府は国際平和・安全維持と民族の友好関係発展を念願し、国連への加盟を希望してきた。

しかし、分裂している状況で、国連加盟問題を全国民的な統一の念願を解決するため忍耐強く努力してきた。

一、わが共和国は、自主独立国家として国連加盟国となる十分な資格を持っている。

なぜか、連邦制が実現した後、統一した二つの朝鮮は自己の分裂主義的な国連加盟だけに固執し、北朝鮮は国連に加盟するよう一貫して主張し、統一が実現する場合には二つの議席でそれぞれ加盟するのでなく、一つの議席で共同加盟する合理的な提案を打ち出した。

一、われわれは国連加盟問題を北がまず合意した後、統一した二つの朝鮮が国連に加盟するという提案を国連に提出した。

一、南朝鮮当局者は、これに対する責任を歴史と民族、次の世代の前で永遠に免れなく

（中略）

一、南朝鮮当局者が提が非でも国連に単独で加盟すると主張している状況の下、これを放置するなら国連で全南朝鮮民族の利益と関連した重大問題が固執をもって

一、朝鮮の南北が国連に個別に加盟せざるを得なくなった今日の事態は、決して固定化されてはならない。われわれは今後も、変わることなく国連で一つの国号で…（以下略）

一、南朝鮮政府は、南朝鮮の各離散人民と在野勢力がわが国の国連加盟を国の統一の問題と関連させながら、南朝鮮の国連単独加盟に反対して戦ってきたのは、国と民族の永久分裂を…

北朝鮮外務省声明の全文

0084

「2つの朝鮮」を選択

北朝鮮の国連加盟表明

現実路線に転換

韓国在野勢力の声を考慮

【解説】朝鮮民主主義人民共和国（北朝鮮）が二十八日、韓国と北朝鮮の国連加盟問題について韓国と同時加盟を容認する声明を発表したことは、北朝鮮がこれまで主張してきた一つの朝鮮（南北朝鮮）を象徴的、理念的な方向で位置付け、現実的、外交政策で大きな転換を示したことを意味する。

朝鮮民主主義人民共和国外務省は二十八日、韓国と北朝鮮の国連加盟問題について、北朝鮮側が同時加盟に応じない場合は一問題や国連加盟問題で微妙な路線修正を行ってきた。金日成主席はことしの新年のあいさつで「（南北の）地域的自治政府により多くの権限を与え、次第に中央政府の機能を高めていく方向で連邦制統一を段階的に完成させる問題を慎重に検討する用意がある」と述べ、北朝鮮がこうした現実路線を選択した背景には、韓国の……

さらに北朝鮮は深刻な経済危機に直面しており、これを打開するには日本との国交同時加盟を主張しており、北朝鮮としても南側の姿勢を考慮しなければならなかったという事情もある。

平和統一委副委員長は「地域政党や国連加盟で微妙な日本との国交樹立の前提として、「南北同時加盟」から、クロス承認実現に向けての現実的選択と歓迎している。

孤立脱却への宣伝か
米政府分析

【ワシントン二十七日共同】米政府筋は北朝鮮外務省の声明を入手した上で慎重に対応する見込みだが、検討・分析の焦点は、北朝鮮が国際的孤立から脱却するための外交的な論評していない。しかし、あか、あるいは文字通りの単独加盟なのか全く分からない、と説明した。

ブッシュ米大統領は昨秋の国連総会演説で、韓国と北朝鮮の同時加盟を支持する立場を表明しており、北朝鮮の発表が同時加盟の考えを示すものであれば、前向きに対応、宣伝ではないかどうか、という点に絞られよう。米政府はまだ北朝鮮外務省の声明発表について、公式に

南北同時加盟 可能性高まる

【ニューヨーク二十七日共同】朝鮮民主主義人民共和国（北朝鮮）がこれまでの方針を大転換し、単独で国連加盟を申請するとの発表は、当地では意外な動きと受け取られていると同時に、これによって南北朝鮮の国連加盟に近く、まず安保理がこれを承認する決議を採択し、次いで総会の三分の二以上の賛成多数を得て実現する。安保理の表決では米、中、英、仏の五常任理事国が拒否権を持っており、いずれも拒否権を発動した場合、拒否権を行使する理由は特にないといわれる。

対韓国交樹立へ加速
中国

【北京二十八日共同】中国は二十八日、朝鮮民主主義人民共和国（北朝鮮）が韓国との国連同時加盟を申請する方針を明らかにしたことについて、正式には論評していないが、南北双方の解決を訴えてきただけに、歩みが一段と加速されること。

クロス承認 実現を模索
ソ連

【モスクワ二十八日共同】韓国との友好を進め現実的な単一議席共同加盟から、クロス承認実現に内けての現実的選択と歓迎している。

0085

'91. 5. 29

（조선1면）

来月にも同時申請

韓国政府、国連加盟で方針

【ソウル二十八日共同】朝鮮民主主義人民共和国（北朝鮮）が二十八日、国連加盟申請の方針を発表したことを受け、韓国政府は同日、南北が同時に国連に加盟する方向で加盟申請書を六月中にも国連に提出する方針を固めた。

柳宗夏外務次官は「北側が同時加盟に応じるなら、できるだけ早く単一の申請書を出すことになるし、北側が単一の「朝鮮」へと政策転換し、南北国連同時加盟実現の道を

も、安全保障理事会では同一案件として処理される可能性が大きい」と述べた。

北朝鮮が今回「一つの朝鮮」という従来の主張を放棄、「二つの朝鮮」をベースに今後、急速に進展しそうだ。

北朝鮮の今回の決定は、深刻化している経済危機、国際的孤立から脱却するための選択とみられ、北朝鮮は「国連加盟」をバネに、日米など西側諸国との関係改善に一層力を入れることになろう。特に「李恩恵問題」や核査察受け入れ問題で難航している日朝国交正常化交渉の難問のひとつが解決されたことで、北朝鮮は日朝国交正常化交渉の促進を図ることは確実だ。

中断状態になっている南北対話も早急に再開に向かうと予測される。ただし北朝鮮は、韓国の政局が掃乱状況にあるだけに、六月二十日前後に予定されている地方議会選挙の結果を見て、南北首相会談など一連の会談を再開させるとみられる。

開いたことは、統一問題を含む南北関係、日朝、米朝関係の改善などに大きな影響を与え、朝鮮半島情勢は南北共存を前提とした新秩序の形成に向かうとみられる。

北朝鮮が「一つの朝鮮」を将来目標という形で事実上、棚上げしたことから、韓国との関係改善を進める中国にとっても大きな障害が取り除かれた。このため、経済面に限定されてきた中韓関係は「二つの朝鮮」をベースに今後、急速に進展しそうだ。

海部首相は二十八日午前、朝鮮民主主義人民共和国（北朝鮮）が国連に加盟申請することとの報道について「すべての国が国連に加盟することは結構なことだ」と述べ、基本的に歓迎する意向を表明した。

国連加盟申請で、北朝鮮が「二つの朝鮮」を認めたことになる点について、首相は「これまでの北朝鮮との政府間交渉でも、そういう兆しは見えていた」と述べた。

首相官邸で記者団の質問に答えた。

0086

외 무 부

종   별 :

번   호 : SVW-1896   일   시 : 91 0530 2130

수   신 : 장 관(국연,동구일)

발   신 : 주 쏘 대사

제   목 : 유엔가입

　　　연 : SVW-1839

　　주재국 5.30자 프라우다지는 북한의 유엔가입결정관련 TIKHOMIROV평양 특파원의 논평기사를 게재한바 요지 아래 보고함.

　　- 유엔가입 신청을 공표한 평양 당국의 발표는 불시에 터진 폭탄과같은 효과를 지닌 것으로서 주요국가및 한국 정부와 야당으로 부터 긍정적인 평가를 받았음.

　　- 남북한 동시 가입은 분단 영구화라고 반대하면서 단일의석하 유엔가입을 주장해온 북한이 '일반적 조건' (GENERAL CONDITIONS)에 따라 즉 남북한의 별도 강비을 결정한 것은 특기할만함.

　　- 금번 북한의 결정은 남한을 주권 국가로 승인하는 것을 의미하는 것 (어제까지만 하여도 이같은 견해는 매국 역도의 행위로 인정되었음)으로서 한반도 및 동북아의 긴장 완화에 도움이 될 것임.

　　- 북한의 금번 조치는 종래의 고립화 정책으로부터 탈피, 국제사회에 있어서의 자신의 위치를 찾고자 하는 의도임.

　　- 북한 지도부의 입장 변화가 어떤 게기로 또한 누구에 의해 구체적으로 이루어졌는가가는 말하기 어려우나 일설에는 이붕 중국총리가 방북시 남북한 동시 유엔가입을 설득시켰다고 함.

　　- 북한이 유엔가입 관련 한국 FORMULA를 사실상수락함으로써 자신의 체면을 손상시켰다는 일부지적도 있음. 그러나 독일, 예멘의 별도 유엔 MEMBERSHIP이 통일에는 아무런 장애가 안된점을 상기하면, 이것은 중요한 것이 아님.

　　- 평양의 금번 조치는 북한이 변화하고 있는 국제적 현실을 점차 인식 (RECOGNITION)하고있다는 것을 보여주는 것으로써 주목할만 함.끝

　　　(대사공로명-국장)

국기국　　　장관　　　차관　　　1차보　　　구주국　　　외정실　　　청와대　　　안기부

PAGE 1   91.05.31   10:08 WG

                                                        외신 1과 통제관

                                                        0087

'소득은 정당하게, 소비는 알뜰하게'

주 인 도 대 사 관

인도(정)20311-373   1991.5.31.

수신 : 외무부장관

참조 : 국제기구조약국장, 아주국장

제목 : 북한 유엔가입 태도 변경관련 기사

        연 : NDW-0905

    연호로 기보고한 바 있는 북한 유엔가입태도 변경관련 기사를 별첨과

같이 송부합니다.

첨부 : 관련기사 3종. 끝.

주 인 도 대 사

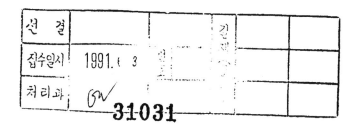

31031

0088

THE TIMES OF INDIA

MAY 26, 1991

North Korea to seek UN membership

By HARVEY STOCKWIN
The Times of India News Service

HONG KONG, May 28,
IN a major reversal of policy, North Korea has announced its decision to seek membership of the United Nations alongside South Korea later this year. While the world's most isolated communist regime is bending to pressure from the Soviet Union and China, Pyongyang has also made it clear that, despite the policy shift, North Korean hostility towards South Korea will continue, along with the belief that Korea should be unified under North Korean leadership.

The reversal came in a North Korean foreign ministry statement issued by the North Korean central news agency. Previous North Korean policy has been that there should be only one Korean seat at the United Nations, shared by the North and South, but implicitly with North Korea deciding who should represent Korea. The North Koreans also tied UN membership to their plan for reunifying Korea into the confederal republic of Koryo, another device for securing North Korean hegemony over the Korean peninsula.

In the talks which began last September in the South Korean capital of Seoul, between the two Korean prime ministers, South Korea's insistence that both Koreas should join the United Nations pending reunification was one of the issues on which the two sides could not agree. Now that the prime ministerial talks have been suspended, South Korea has decided to file its own separate application for UN membership.

SOVIET SUPPORT: The Soviet Union clearly indicated support for the South Korean move, prior to the Soviet president, Mr Mikhail Gorbachov's visit to South Korea last month. No Soviet president has ever visited South Korea.

The only doubt remaining was whether or not the Chinese prime minister, Mr Li Peng, promised to veto South Korea's application when he recently went to Pyongyang. The clear indication from today's statement is that Mr Li Peng made no such promise. China is also trying to improve economic ties with South Korea, although it has not gone as far as the Soviet Union, and recognised South Korea diplomatically.

Today, as North Korea bowed to the Russian and Chinese failure to support its previously dogmatic posture, the North Koreans bitterly attacked the South Korean policy. As is usual, the North Korean statement never once referred to the South Korean government.

"The South Korean authorities," the statement said, "have committed the never-to-be-condoned treason to divide Korea into two parts through the United Nations arena, by trying to force their way into the United Nations against the desire of the entire Korean nation for reunification."

"As South Korea insists on their membership," the statement went on, "if we leave this (decision) alone, important issues related to the interests of the entire Korean nation would be dealt with in a biased manner on the UN rostrum, and this would entail grave consequences."

'NO ALTERNATIVE': "We can never let it go that way. North Korea has no alternative but to enter the UN at the present stage as a step to tide over the temporary difficulties created by the South Korean authorities, proceeding from (their) splittist moves." But, it concluded, "the new situation must never remain unchanged permanently".

While North Korea has bowed to international pressure, it has not changed its policy.

The statement clearly indicates that, once the two Koreas are admitted, North Korea will use the UN platform to carry on its continuing cold war with South Korea.

COMPLICATIONS: An additional complication will come from the fact that the United Nations command, set up to reverse North Korean aggression against South Korea in 1950, still opposes the North at the truce village at Panmunjom. Very likely the North will seek to get the UN command disbanded once it becomes a UN member. North Korea is already boycotting the meetings of the military armistice commission (MAC) at Panmunjom because a South Korean was appointed for the first time to head the United Nations truce team at the MAC.

The South Korean and Japanese governments quickly welcomed the North Korean decision. South Korea hoped it would ease tension while the Japanese hoped that it was a positive step. Many other nations will adopt a similar posture.

But there is no guarantee that the North Korean president, Mr Kim Il Sung, will end North Korea's pervasive personality cult and communist policies any time soon. North Korea has reversed its policy merely to keep up with the South Koreans and not because it is planning to end its longtime isolation from the rest of the world.

N-Korea to seek separate U.N. seat

BEIJING, May 26.

North Korea today announced its decision to seek separate membership of the United Nations following its failure to convince the South to go along with a plan for joint seat.

The announcement also implied North Korea's failure to extract any assurance from close ally, China, of a security council veto of South Korea's bid for a separate seat. The North Korean Foreign Ministry's statement yesterday announcing its application for U.N. membership also said the move was vital to national reunification, according to a report received here today.

Pyongyang had tried for the past several months to dissuade Seoul from seeking a separate seat but its own decision yesterday resulted from changes in the world arena, especially in the agendas of its previously closest of allies, the Soviet Union and China.

Decision welcomed: South Korea welcomed the North Korean decision on Tuesday to apply for a separate United Nations seat and said Pyongyang's reversal of its previous position would contribute to peace and stability in North-East Asia.

"The application of the two Koreas is a temporary measure pending reunification," a South Korean Foreign Ministry statement said. The statement said the applications would contribute to the relaxation of tensions on the Korean peninsula and to peaceful reunification.

U.S. mission: A large U.S. delegation headed by the former Defence Secretary, Mr. Donald Rumsfeld, will visit North Korea next month for unofficial contacts on improving ties between the two countries. Mr. Li yong-ho, Disarmament Chief at the North Korean Foreign Ministry, told the Japanese daily, *Tokyo Shimbun*, in an interview on Monday that the delegation would also include Mr. Richard Stilwell, a retired General and former commander of the U.N. forces command in South Korea, and other military and security experts. Mr. Li is in Kyoto, Japan, for the second U.N. conference on disarmament. — PTI Reuter, Yonhap.

Roh guarantees right to protest

SEOUL, May 28.

South Korea's President, Mr. Roh Tae-Woo said today the Government would guarantee the right of peaceful protest but vowed a new crackdown on anti-government violence. It was the President's most forceful statement in a month of nationwide protests triggered by the fatal beating of a student by police on April 26.

Mr. Roh made his remarks in a 20-minute national television address flanked by members of the Cabinet, including the new Prime Minister, and top ruling Democratic Liberal Party leaders.

He said communist leaflets were publicly scattered during the protests.

"We are now at an important phase in our national development," Mr. Roh said. He said he regretted the killing of the student and that the Government share the responsibility. "But whatever the cause, the demonstrations have grown larger in Seoul and the provinces due to discontent and discord among some people," Mr. Roh said.

"Violent, destructive acts such as throwing rocks, firebombs and wielding clubs and metal pipes cannot be justified under any excuse or reason and the government will never tolerate them," he said.

Mr. Roh said that in the future free and peaceful demonstrations would be guaranteed to legitimate groups. Under the current law, such demonstrations are allowed but the police will use their discretion in giving permission.

Rally: Thousands of angry students rallied at a university in Seoul on Tuesday to denounce the death of a fellow student who died during a demonstration, snubbing a warning by the President, Mr. Roh Tae-Woo against violence. An estimated 3,000 students turned out at the rally at Sungkyunkwin University, where they chanted slogans denouncing the Government as a "murderous regime" and calling for the ousting of Mr. Roh. — AP

Roh vows new crackdown

SEOUL, May 28 (AP)— President Roh Tae-Woo said on Tuesday, the government would guarantee the right of peaceful protest but vowed a new crackdown on anti-government violence.

It was the President's most forceful statement in a month of nationwide protests triggered by the fatal beating of a student by police on April 26.

"The majority of the people want the government and the ruling party to resolve complicated problems our society faces with firm vision and conviction and build a true stability," Mr Roh said in an appeal to middle-class Koreans.

He said the government would "scrap out the leftist, class revolutionary forces bent on overthrowing our democratic system with violence".

Mr Roh made his remarks in a 20-minute national television address flanked by members of the Cabinet including the new Prime Minister and top ruling Democratic Liberal Party leaders.

He said Communist leaflets were publicly scattered during the protests.

"North Korea is showing demonstration scenes on television every day as if Commuist revolution is about to occur in the south," he said.

Nationwide anti-government protests triggered by the death of a student have spread to more than 75 cities. More than 3,000 people have been injured and nine people have committed self-immolation and six have died.

Dissidents, students, workers and opposition politicians have demanded that Mr Roh dismiss the Cabinet, jail senior government officials for the student's killing and make sweeping political and economic reforms.

World briefs

N. Korea bids for separate UN seat

BEIJING, May 28 (PTI)— North Korea on Tuesday announced its decision to seek separate membership of the United Nations following failure to convince the south to go along with a plan for joint seat.

The announcement also implied North Korea's failure to extract any assurance from close ally, China, of a Security Council veto of South Korea's bid for a separate seat.

The North Korean Foreign Ministry's statement on Monday announcing its application for UN membership also said the move was vital to national reunification, according to a report received here.

Chinese role seen in N Korea applying for UN membership

Associated Press

WASHINGTON 29 MAY

NORTH KOREA'S surprise announcement it will apply for its own UN seat was welcomed here as a momentous development that could speed unification of the two Koreas, eliminating another remnant of the Cold War.

Experts within and outside the US government said China must have played a role in what amounted to a diplomatic defeat for North Korea. Pyongyang announced Tuesday that it would agree to dual Korean memberships in the United Nations.

The experts regarded the action as a reluctant but inevitable shift from Pyongyang's long insistence on a shared membership on the grounds that separate Korean UN seats would perpetuate the 45-year division of the country.

The two Koreas are expected to apply in time to take their seats at the start of the regular general assembly in September.

"UN membership for both Koreas will contribute to inter-Korean dialogue and eventual unification," state department spokeswoman Margaret Tutwiler said Tuesday.

"Accordingly, we welcome this announcement, and ... will support UN admission of both Koreas," she said. UN entry requires approval of the general assembly and the security council, where it is subject to veto by any of the five permanent council members.

The Soviet Union and China backed communist North Korea in the 1950-53 Korean War against the US-led allies. Over the years they supported Pyongyang's UN position through the threat of vetoing sole membership for South Korea.

Information from Korean specialists here squared with Seoul diplomatic reports, saying North Korea was forced to move after China told the Pyongyang government that because of international pressure it could not veto South Korean admission.

"That must have been a tough message from Li Peng" to prompt Pyongyang to reverse its UN policy, said a US official.

The official, speaking on condition of anonymity, was referring to Chinese Premier Li Peng's May 4 Pyongyang meeting with North Korean President Kim Il-sung. Radio Pyongyang said Li brought assurances of full support to his increasingly isolated ally.

Two weeks earlier, Soviet President Mikhail Gorbachev on a visit to South Korea expressed Moscow's support for a seperate South Korean membership.

0092

외 무 부

종 별 :

번 호 : STW-0244

일 시 : 91 0531 1600

수 신 : 장 관(국연 정홍 미북)

발 신 : 주 시애틀 총영사

제 목 : 남북한 유엔가입 언론보도

1. 당지 유력 일간지 SEATTLE POST-INTELLIGENCER 는 5.30 사설을 ' TWO KOREAS IN U.N. 제하로 북한의 태도변화는 세계를 놀라게 하였으며 북한은 남한과함께 유엔가입을 신청할것이라고 보도함.

2. 동사설은 또한 북한의태도 변화는 북태평양 지역에서의 군사적 긴장완화에 기여할것이며 북한은 40년동안 한국을 합법정부로 인정하지않고 유엔에서 단일의석 가입입장을 견지하여 왔으나 북한의 태도변화는 남북한 봉일 외교가 본격적으로 시작될 것이라는 희망을 불러일으킨다는 요지를 피력함

(총영사-차관)

국기국   1차보   미주국   문협국   안기부

91.06.01   11:34 WG

외신 1과 통제관

0093

외 무 부

종 별 :

번 호 : COW-0249   일 시 : 91 0531 1140

수 신 : 장관(국연,정홍,미중,해기)

발 신 : 주 코스타리카 대사

제 목 : 남북한 유엔가입관련 언론보도

대:AM-0121, 0112, 0114, 0115, 0117
연:COW-0245

1. 주재국일간 "LA PRENSA LIBRE"(5.30 일자)지는 표제 관련기사를 노대통령 존영(8.5 센치 10 센치크기)과 함께 아래요지 보도하였음. (동 기사 파편 송부함)

0 북한의 뜻밖의 유엔가입 신청결정은 남북한 통일을 매우 용이케 할 것이며, 지금까지 별도 유엔가입을 신청코저하는 아측을 비난하여 왔던 북한 공산정권의 정책에 갑작스러운 변화를 예상케함.

0 대부분의 남, 북한문제 전문가들은 한반도 통일 성취에 상당한 시일이 소요될 것이라고 생각하고는 있으나, 남북한 유엔가입이 통일에 이르는 중요 관건이라는데 의견을 같이하고 있음.

0 이와관련, 노대통령은 한반도 통일은 언제라도 이루어질 수 있을 것이라고 말하였음.

0 한국측은 여사한 새로운 정세변화로 북한정권의 강력한 우방국인 중국과의 외교관계 수립이 용이할 것으로 생각하고 있음.

2. 또한 5.31 일자 "LA REPUBLICA"지는 상기 "1"항 한반도 통일관련 말씀요지 사실 보도함. 끝.

(대사 김창근-국장)

국기국 공보처	장관	차관	1차보	2차보	미주국	문협국	청와대	안기부

PAGE 1

외 무 부

종 별 :

번 호 : PUW-0450   일 시 : 91 0531 1700

수 신 : 장 관(국연,정홍,미남,기정,해공)

발 신 : 주 페루 대사

제 목 : 남.북한 유엔 가입 관련 언론 반응보고

　　1.금 5.31 주재국 EL COMERCIO 지는 5.30 자 서울 및 평양발 AP, EFE 통신 종합 보도를 인용, 남북한 동시 유엔가입에 대해 각각 상이한 입장을 보이고 있는 남북한측 주장을 대통령 및 김일성 사진과 함께 소개하면서, 편집자주를 통해 동독과 예멘통일 과정의 역사적 전래에서 볼때 남북한 동시 유엔가입이 북한의 주장처럼 결코 한반도 통일에 장애가 되지않고 통일을 촉진하게 될것이라고 아측 입장을 지지하였음.

　　2.또한 동일자 LA REPUBLICA 지는 유엔 본부발 EFE 통신을 인용, 남북한 유엔 동시 가입, 통일을 지연 제하, 남북한 동시가입은 통일을 지연 시키는 중대한 장애요인이 될수 있다고, 북한이 유엔에서 배포한 선전물 주장 내용을 게재함.끝

　　(대사 윤태현-국기국장)

국기국　　1차보　　미주국　　문협국　　안기부　　안기부　　공보처

PAGE 1   91.06.01   09:30 WG

외신 1과 통제관

0095

원 본

외 무 부

종 별 :

번 호 : SZW-0288   일 시 : 91 0531 1740

수 신 : 장 관(국연,구이,아이,정이)

발 신 : 주 스위스 대사

제 목 : 북한 유엔가입 신청관련 중국반응(자료응신 15호)

1. 주재국 금 5.31.자 NEUE ZURICHER ZEITUNG 지는 북경발 JUERGEN KAHL 특파원을인용, 북한유엔가입 신청관련 중국 반응을 하기요지로 보도함.

가. 중국은 북한의 유엔가입 신청결정 관련 만족 및 안도감을 표명하면서 외교부대변인발표를 통해 이는 남북 대화 진전에 유리한 영향을 미칠것이라고 언급함.

나. 북경의 정통한 소식통에 의하면 91.5.초 이붕총리 방북시, 남북한 유엔가입문제가 주요논의 의제중 하나였던바, 이총리는 한국의 유엔가입 신청시 중국으로서는안보리 거부권행사의사가 없음을 북한 정부측에 분명히 말하였다고함.

다. 한편 지난 91.4.초 북경에서 열린 중.소외무장관 회담시 중.소 양국 외무장관은 남북한 동시 유엔가입이 바람직하다는 점에 대해 일치를 본것으로 알려짐.

라. 오는 91.9.월 남북한 유엔 동시가입이 이루어진다면, 중국이 한국과 외교관계를 수립할날도 멀지 않을것으로 전망되는바, 현재까지 중국은 소련과는 달리 궁지에 몰린 북한과의 관계를 고려, 한국과 상주무역 대표부 교환만을 동의 하였던것임.

마. 또한, 중국 외교소식통에 의하면 북한은 미국 및 남북한간 3차 회의 개최에 동의하는 조건으로 더이상 주한 미군철수를 주장하지않을 것으로 보이는바, 이 역시 북한태도 완화의 하나임. 그러나, 동 소식통은 남북한간 신뢰구축 및 상호군축을 위한 북한의 방향 전환을 원활히 하기 위하여는 미국이 조속한 시일내에 한국내 핵무기를 포함, 4만여명의 주한 미군중 적어도 일부를 감축하여야할 것이라는 것이 중국의 입장이라고 하고 있음.

바. 남북한의 별도 유엔가입은 통일의 첫단계로서 공동외교 및 국방정책을 가진연방제 구성을 규정한 북한의 통일개념을 더이상 유지할수 없게 되었음을 의미함.

2. 동 기사 사본을 차정파편 송부 예정임.끝

(대사 이원호-국제기구조약국장)

국기국   1차보   아주국   구주국   외정실   안기부

북한 유엔가입 신청 결정 관련 언론보도 분석

91. 5

국제기구조약국

0097

목   차

0098

1. 북한 유엔가입 신청 배경

가. 대내적 요인

1) 외교적 고립탈피 (동아, 5.28/한국, 5.29/조선, 6.1)

o 단일의석가입 주장 및 하나의 조선정책은 대 중국.소련관계의 입지를
어렵게 하고, 대일수교 나아가 대미관계 개선의 걸림돌로 작용

o 한국의 UN가입을 저지하기 어려운 상황에서 유엔 가입 반대시 고립
자초

o 국제정세가 다극체제로 바뀜에 따라 외교장으로서 UN의 중요성이
부각되어 UN 가입에 따른 외교적 고립 탈피 효과인식

o 김일성, "우리의 단일의석 가입방안이 실현되지않아 실망스러웠지만
현실을 인정하지 않을 수 없었기 때문"이라고 직접 언급

2) 경제난 해소 (한국, 5.29)

o 70년대 말이후 경제사정 악화를 대외경제협력 및 외국원조에 의해
극복코자 함

o 대외경제관계 확대를 위해 UN 같은 국제평화기구의 일원국이라는
외교담보 필요

3) 단일의석 가입 논리의 퇴색 (조선, 5.29/동경,동아, 5.28)

o 「하나의 조선」 논리의 한계

o 분단국의 복수 의석에 의한 UN 가입이 국제평화유지와 궁극적 통일
달성에 효과적이었다는 역사적 사례

o 단일의석 가입안은 외교무대에서 국제현실을 도외시한 강경노선이란
비난 및 비현실적이라는 평가를 받음

4) 한국의 단독 가입 우려 (국민, 5.28)

o 한국은 91년 UN 가입 의사를 강력히 표명

o 국제정세변화에 따라 한국의 단독 가입 가능성 확보

o 외교무대에서 남한에게 일방적 패배우려

5) 권력이양의 환경 조성 (동경, 조선, 5.29)

— 1 —

0099

o UN 가입을 통해 서방의 경제원조를 끌어들임으로써 북한 경제를 재건,
  권력이양 기반을 다짐

o 외교면에서 부진해온 김정일이 대외정책에서도 전면으로 나설 가능성
  예상

나. 대외적 요인

  1) 국제 정세 변화 (국민, 5.29)

     o 신데탕트의 국제정세 조류에 편승 한반도를 둘러싼 동북아 4강관계의
       변화

     o 80년대 말 이후 동구권 개혁 확산

  2) 한.소 및 한.중관계 개선 (세계, 5.30/중앙, 6.2)

     o 한.소수교 및 3차의 한.소정상회담 실현

       - 공보처 전화여론 조사, 77.6%가 한.소 수교 및 제주정상회담이
         북한 유엔정책에 결정적 영향

     o 한.중 경제분야 교류 확대 및 정치분야 진전예상

     o 한국과 관계개선에 따라 중.소는 북한의 주장을 일방적으로 지지하기
       곤란

     o 강택민 - 고르바쵸프 정상회담에서 한국의 UN가입 불반대 확인

  3) 중.소 압력 (세계, 조선, 5.29)

     o 대한국 관계진전 및 국제정세 변화로 중.소의 거부권 행사가 곤란
       해짐에 따라 북한 설득

     o 이붕총리는 평양방문시 북한의 단일 의석 가입안은 비현실적이며,
       한국의 UN가입에 대해 반대 않겠다는 의사 표명

  4) 대일 및 대미 관계 개선 필요 (한국, 5.29)

     o 일본은 대북한 수교 회담에서 수교의 전제조건의 하나로 남북한
       UN 동시가입을 요구

     o UN 가입을 대미 교섭의 징검다리로 활용의도

  5) 핵사찰 회피 수단 (중앙, 5.31/일본외교소식통)

     o 한국의 단독 가입에 의해 대북한 핵사찰 결의가 유엔에서 채택되는
       것 막기 위한것임.

- 2 -

0100

2. 북한 유엔가입신청의 대내외적 영향

가. 남북한 관계에의 영향

o 북한의 유엔가입 희망은 대남전략에 대한 근본적인 틀의 전환을 의미 하지는 않겠지만, 한반도의 안정구조 구축을 위한 전향적인 사태발전 으로 간주될 수 있음 (동아, 5.29)

o 북한의 유엔가입 결정이 개방조류라고 볼때 그만큼 평화통일의 길은 가까워졌다고 볼 수 있음 (세계, 5.30)

o 유엔동시 가입을 통한 평화공존 체제의 정립은 일단 한반도에서의 전쟁 억지라는 긍정적 효과를 거둘 수 있을 것으로 보임 (한겨레, 5.30)

o 남북한 유엔동시 가입이 이루어질 경우 남북한 관계의 변화는 물론 북한 내부의 엄청난 질적 변화가 예상됨 (국민 5.30)

o 북한은 단기적으로는 대남정책을 크게 전환하지는 않을 것이나, 사실상 하나의 조선논리를 포기함으로써 대남 혁명 전략보다는 남북공존을 꾀하는 방향으로 노선 전환이 불가피할 것으로 보임 (한국, 5.30)

o 적십자회담은 인적 교류에 따른 개방물결 유입으로 체제에 위협이 되리 라고 보기 때문에 전망이 어두우나, 남북정상회담은 북측이 그간 유엔 가입 철회를 전제조건의 하나로 내세운만큼 실현 가능성이 더욱 높아짐 (조선, 5.30)

o 남북한 유엔동시 가입은 남북통일과 지역 안정에 긍정적으로 작용할 것임 (외신종합, 5.30)

o 북한 평양 방송, 북한의 유엔 가입결정으로 통일 정책이 변한 것은 아니 라고 강조 (연합, 5.30)

나. 대외관계에의 영향

o 한반도 주변 관계

 - 미.일.중.소등 한반도 주변 4강의 남북한 교차 승인 시기가 앞당겨질 전망이며, 4강의 역학 구조에도 미묘한 변화가 예상됨 (매경, 5.29)

- 3 -

0101

- 남북한과 미·중·일·소간의 급격한 변화는 외교, 군사적 측면뿐 아니라 상호경제협력 강화에도 매우 좋은 계기가 될 전망임 (매경, 5.29)

- 남북한 유엔 동시가입은 유엔 안보리 5개 상임이사국이 남북한을 국가로 인정하는 것이므로 이는 한반도 주변 4강의 남북한 교차 승인과 맥이 연결됨 (중앙, 5.29)

- 유엔 동시가입으로 북한은 국제 사회에서의 신뢰회복, 서방국가로 부터 경제원조등으로 실리를 얻을 것임(세계, 5.31)

o 북한 - 일본 관계

- 북한의 유엔 가입 발표는 북·일관계 진전을 위한 큰 장애물의 제거로 평가되고 있음 (국민, 5.29)

- 일본은 북한·미국의 접근 속도, 남북대화 진전상황, 핵사찰 문제등을 주시하면서 수교시기를 조절하겠지만 북한의 정책전환으로 말미암아 수교를 앞당기는게 유리하다는 판단을 할 것으로 보임 (매경, 5.29)

- 대일 수교 회담에서의 걸림돌 하나가 제거됐기 때문에 일본과의 경협을 보다 희망적으로 볼 수 있게 됨 (조선, 5.30)

- 남북한 유엔 동시가입은 난항하고 있는 일·북 국교 정상화에도 좋은 영향을 미칠것으로 보이며, 그렇게 되면 동북아의 긴장은 크게 완화될 것임 (닛께이, 5.29)

o 북한 - 미국 관계

- 북한·미 관계 개선은 한반도의 비핵지대화 또는 북한의 핵사찰 문제와 밀접하게 관련되있어 문제가 단순치 않음 (매경, 5.29)

- 미·북한간의 학술 및 인적교류와 함계 IAEA 핵안전 협정 가입에 대한 북한의 입장도 유연해지고 있는 사실을 감안한다면 북한의 유엔가입은 미·북한 관계의 개선에도 하나의 청신호가 되는 것이 분명함 (국민, 5.29)

- 어쩔수 없이 유엔 카드를 내놓았다 하더라도 북측은 이를 최대한 활용, 대일 수교 및 대미관계 개선의 호재로 이용하려 할것이 분명함 (세계, 5.30)

- 4 -

- 핵사찰 문제가 해결되면 북한, 미국간의 수교는 무난할 것으로 보임
  (중앙, 5.29)

o 한국 - 중국 관계

  - 남북 동시가입은 우리측 북방정책의 마지막 과녁이라할 대중국 수교에서
    가장 큰 걸림돌이 제거됨을 의미함 (조선, 5.29)

  - 중국으로서는 북한의 유엔가입문제가 풀린이상 한국과의 수교를 계속
    미룰 필요가 없어졌다고 할 수 있음 (매경, 5.29)

  - 남북한 동시가입 실현이 결과적으로 한중 국교정상화의 기반이 될 가능
    성이 있음 (요미우리, 5.29)

o 북한의 인권문제제기 (경향, 5.30)

  - 그동안 「국경」의 폐쇄라는 방법으로 버텨왔던 북한이 유엔가입으로
    국제사면위원회등을 비롯한 서방제국의 수많은 인권단체의 입국을
    저지한 명분이 없을것

  ※ 북한은 81년 인권규약에 가입

o 북한 - 중국관계 (조선, 6.1)

  - 이붕총리의 평양방문시 중국측은 한국 유엔가입관련 북한의 거부권행사
    요청 거부, 중국측의 북한 개방 및 경제개혁 요구를 북한측 거부

  - 김일성-등소평의 인간적 관계가 좌우한 북한-중국 관계에 한계 입증

  - 중국, 한반도를 분단상태로 두는 것이 중국에 이익이 된다고 판단

o 핵안전 조치협정 체결문제

  - 북한은 유엔동시가입으로 일본측과의 협상 분위기를 트면서, 핵사찰
    문제는 대미교섭의 카드로 남겨놓을 가능성이 큼 (한국, 5.29)

  - 유엔은 북한의 인권, 핵문제등에 대해 간섭할 수 있는 위치를 더욱
    확보하는 셈이며, 반대로 북한은 이를 수용하는 쪽으로 움직일 것으로
    전문가들은 보고 있음 (경향, 5.30)

  - 북한은 유엔가입 결심과 함께 IAEA의 의무도 받아들일 결심을 하지
    않았겠느냐는 관측과 반대로 유엔에 가입한 뒤 유엔을 무대로 한반도
    비핵지대화를 내세울 수도 있다는 전망도 있음 (중앙, 5.29)

- 5 -

0103

3. 주요국가 반응

가. 미국

1) 공식논평

o 북한의 유엔가입신청 결정을 환영하며 유엔의 보편성 원칙에 의거 남북한 유엔가입을 지지할것임

o 단, 북한의 핵사찰 거부등으로 인해 미.북한 관계개선을 속단할 수 없음

2) 언론보도 및 비공식 논평

o 북한외교의 중요한 반전, 북한이 성명서에서 한국단독가입의 폐해를 강조함으로써 명분확보에 고심했음이 역력(워싱턴 포스트지)

o 북한의 입장변화에는 중.소의 압력과 설득이 주효, 중국은 미.중 통상관계에서 최혜국 대우의 연장등을 위해 미.중 관계 개선이 필요했기 때문에 북한설득에 힘을 기울였을 것임

o 북한의 정책변화를 계기로 미국이 북한의 핵문제에 신축적 자세를 보일 필요가 있으며 미.소.중.일은 한반도 비핵지대화 방안을 적극 검토해야함 (카네기 평화재단 셀릭 해리슨 수석연구원)

나. 소련

1) 공식논평

o 북한의 결정은 건전한 사고의 발로이며 향후 남북대화의 촉진에 기여할 것으로 기대

2) 모스크바방송

o 북한의 유엔가입결정은 한국의 단독 유엔가입 결의가 확고함에 따른 어쩔수 없는 선택의 결과임

3) 푸라우다지

o 북한이 유엔에 가입하기로 결정한것은 한국을 자주국가로 인정하는것

- 6 -

다. 일본

1) 공식논평

o 북한 유엔가입 결정을 환영하며 남북 동시 유엔가입실현으로 한반도
긴장완화가 촉진되기를 기대

o 북한 유엔가입은 일.북정상화 교섭에 긍정적 역할을 할것임
(단, 일외무성은 핵사찰 수용문제 및 이은혜문제등에 대한 북한의
태도변화가 없는한 회담의 급진전을 낙관할 수 없다고 전망)

2) 사회당 논평

o 북한의 결정을 환영하며 남.북정부가 금후 유엔가입을 통해 평화통일을
실현하기를 기대

3) 언론보도

o 요미우리

- 북한은 향후 후속조치로서 남북대화를 재개하고 일본 및 서방선진국
과의 관계개선에 적극적 자세를 취할 가능성 큼

- 북한의 결정은 한반도에 2개의 국가가 존재하는 현실을 공식적으로
인정한 것으로 한반도의 정세안정화에 크게 기여할 것임

o 아사히

- 금후에도 남북한간 주도권 쟁탈이 계속되겠지만 유엔에 가입하게 되면
국제사회의 룰속에서 행해지게 되어 아시아정세의 긴장완화에 기여
할 것임

- 일본을 위시한 주변국은 북한의 문호개방 위해 협력해야 할 것임

o 닛께이

- 북한의 결정은 한반도의 평화와 안정에 기여하는 역사적인 결단

- 북한의 결정에는 중국 이붕수상의 5월 방북시 "한국의 유엔가입에
반대하지 않는다"는 태도 표시가 결정적 이었음

- 일.북 국교정상화에도 긍정적 영향 미칠것임

- 7 -

- 북한이 핵사찰 수용에 대한 태도를 변경하지 않는한 유엔가입신청시
  미국의 거부권행사 포기 여부는 불투명
- 남·북한 유엔가입은, 기존의 한·소 국교수립, 일·북 수교교섭등으로
  사실상 진행되고 있는 남북한 교차승인을 더욱 가속화 시킬 것임

  o 동경신문
  - 북한의 유엔가입 결정은 김정일의 권력승계와 밀접한 관계있음
  - 유엔가입으로 서방제국의 경제원조를 획득, 파탄직전의 경제를 재건
    하여 권력이양을 위한 원활한 환경조성
  - 유엔가입 신청을 계기로 그간 외교면에서 실적부진이 지적되어온
    김정일이 대외정책의 전면에 나설 가능성이 예상됨

  o 산케이 신문
  - 금번 유엔정책전환은 북한으로서는 어쩔 수 없는 고육책에 불과
    하므로 이것이 다른 현안의 해결로 연결될것으로는 낙관할 수 없음

라. 중국
  o 북한의 결정이 남북한간의 대화, 한반도의 평화와 안정축진에 기여하는
    적극적인 의의가 있음
  o 이서환 중국 공산당 정치국 상무위원, '남북한 유엔 동시가입은 현실적
    이며 한반도 안정에 도움이 될것'이라고 환영 입장 표명

마. 프랑스
  1) 공식논평
    o 북한의 결정이 한국의 외교활동과 국제적 압력에 직면한 북한의 굴복
      이라는 측면도 있으나 외교적 고립의 탈피와 서방국과의 관계개선을
      위한 북한의 실질적 계산에 따른 선택이라는 점도 평가되어야 함
  2) 언론보도
    o 북한은 유엔 외교정책 전환의 대가로 중국으로 부터는 경제원조와
      김정일의 방중을 얻어낸것 같으며, 모스크바로 부터는 새로운 무기
      공급을 약속받은것 같음(리베라시옹)

- 8 -

0106

바. <u>영국</u>

1) 공식논평

　o 한반도 문제해결을 위한 긍정적 발전임

2) 언론보도

　o The Guardian

　　- 북한의 분별있는 현실적 결정은 축하받을 만함

　　- 북한의 국제적 위치가 중.소 2대 인접국에 의해 더이상 제한받거나

　　　관여당하지 않게 된것은 바람직한 진전임

　o Financial Times

　　- 북한의 유엔가입 신청 발표는 냉전 종식의 명확한 신호

　　- 단, 이는 자발적 조치가 아니라 냉전 동맹관계의 와해와 평양의

　　　외교적 고립등 불리한 여건의 타개 방안으로 보여지므로 향후 남.

　　　북 관계의 급속한 진전기대는 성급함

4. 외교적 성과 및 평가

가. 북방 정책이 거둔 성과(경향, 5.30)

　　o 한국의 「이성의 힘」이 북한의 「우상의 논리」에 승리

　　o 지정학상의 불리한 위치에도 불구 북방정책의 정력적인 추진결과, 소련과
　　　중국의 지지확보로 북한의 태도 변화 유도

　　o 북한은 남북한 교차 승인을 받아들여, 한국정부의 통일정책이 보다 큰
　　　실효성을 발휘할것

나. 개방향한 「순리의 전환」(경향, 5.29)

　　o 북한의 변화는 탈 냉전, 사회주의 몰락, 개방, 개혁을 중심으로 한 대
　　　변화의 국제조류를 타기 시작했다는 신호

　　o 세계의 거의 모든 나라들이 한국의 유엔 동시가입 정책을 현실적인 정책
　　　으로 지지하는 반면, 북한의 단일의석 가입 주장은 설득력을 잃음

　　o 북한의 UN가입 신청 발표는 냉전 종식의 명확한 신호

다. 남북한 문제해결의 전기(국민, 5.29/세계, 한겨레, 5.30)

　　o 한반도에 두개의 주권 국가가 존재하고 있다는 현실을 북한이 수용
　　　- 남북한의 동시가입은 소극적인 의미에서 상호승인이라고 볼 수도 있음
　　　- 「하나의 조선정책」을 포기하는 결과로 볼 수는 없음

　　o 남북한이 유엔에 같이 가입하게 되면 국제적 의사결정에 양측이 직접
　　　참여하게 됨으로써 한 민족 전체를 위해 상당한 실익
　　　- 독일 통일 과정에서 보는 바와 같이 유엔가입이 남북한 평화공존 및
　　　　통일 달성에 기여할 것임

　　o 향후 남북한 신뢰회복과 남북관계 개선에 긍정적 효과를 미칠것
　　　- 긴장완화, 통일전망고양, 테러위협 감소등의 의미

- 1Ø -

라. 한국의 외교력 평가(국민,5.30/조선,5.31/홍콩 사우스차이나 모닝포스트,5.31)

   o 정부의 유엔가입 노력을 단독 가입 움직임으로 보는 다소 부정적인 시각이
      있었으나, 남쪽이 먼저 가입후 시차를 두고 북한의 동반 가입을 유도하였던
      노력이 효과를 거둠

   o 일부에서는 북방외교가 정권적 차원에서 추진 됨으로써 부작용도 적지
      않았다고 비판해 왔지만, 3년의 성과를 놓고 볼 때 급변하는 세계정세의
      변화를 기민하게 포착 북한의 문을 여는 지렛대로 활용
      - 6.23 선언이 실현성이 없는 희망에 불과했던 점과 비교 6공 정부의 정책
        판단에 대한 긍정적 평가에 인색할 필요가 없음

   o 앞으로 북방외교는 4강의 교차승인 구도로 강대국의 주도가 아닌 우리의
      주도로 남북한 통일을 조성해 나갈것임

   o 야당의원들도 "남의 팔을 비튼감은 있으나, 어쨌든 현 정부의 노력을 치하
      한다"고 평가

   o 북한의 유엔가입신청 결정은 한국의 대북한 포위 전략에 북한이 굴복한
      것을 의미

마. 성급한 과잉기대는 금물(한겨레, 5.30)

   o 북한의 정책 변화는 사회주의 체제를 고수하면서 변화하는 정세에 능동적
      으로 대처한다는 차원에서 제한적인 개방추진
      - 북한이 우리가 기대하는 동구식 개방을 선택하지는 않을것임

   o 북한이 유엔정책을 바꾼것은 통일선전술을 포기한 것이 아니라, 국제적
      명분을 얻기 위해 일시후퇴한 것으로 보아야 함

   o 남북관계를 민족공동체 내의 특수관계로 파악, 유엔가입은 남북통일에
      이르는 과도적 조치로 보아야 함
      - 순수 국제법적 측면에서도 현재의 유엔가입은 유엔-남한, 유엔-북한
        관계로 나타나고 있으며 남북한의 상호 승인을 의미하는 것은 아님

- 11 -

0109

5. 유엔 동시가입과 관련 제기되는 문제

가. 유엔 회원국이 됨으로써 발생하는 권리, 의무(한국,6.3/중앙,6.2/동아,5.29)

    o 국제사회의 의사결정에 발언권과 투표권을 갖고 국제문제 해결의 주체로
      참여

      - 남북한이 국제사회의 책임있는 일원으로서 역할 수행기대, 남북한의
        소모적인 장외 외교전 종식계기

      - 국제문제, 인도적문제, 군축, 환경보호, 마약, 해양학, 국제평화유지군
        참여등에 관한 우리입장을 밝혀야 함

      - 년 2백만불 상당의 유엔분담금 부담

    o 유엔 가입으로 인해 외교력 강화와 국익증진의 실효를 기대

      - 유엔산하 각종기구 및 회의에 자동으로 참석, 우리의 국제적 위상에
        걸맞는 외교적 지위 확보(가입신청만으로 ILO 자동가입)

      - 교역관계등 세계질서속에서 우리가 접하는 비중을 볼때 안보리 비상임
        이사국으로 피선 가능성이 있을정도로 국제적 발언권이 강해짐

      - 우방국들에게 「부탁」을 일삼아오던 전례를 탈피 「주고 받는 관계」
        의 대등한 외교 전개가능

      - 남북한이 유엔에서 환경, 경제개발등 국제적 이슈에 공동대처 여지가
        넓어지고, 이같은 과정의 축적을 통해 남북한 통일과정을 급속히 추진

    o 유엔대표부 직원의 외교관 특권부여 및 유엔 사무국에 대한 아국인의
      진출도 늘어날 전망

    ※ 정부, 8.9까지 유엔 가입 신청서 제출 방침

      - 9.17 유엔 총회 개막시 남북한 유엔 가입이 확정될 예정

      - 북한, 한국과는 별도로 유엔가입 의사를 밝힘

나. 남·북한의 국제법적 지위 문제(민주, 5.31/ 서울, 6.3)

o 외무장관, "남북이 유엔에 동시 가입할 경우 각각 국가로서의 국제적인 법적인 지위를 갖게되나, 이는 대유엔 관계에 국한되는 것으로 남북한 관계와는 별개"

  - 국제법상 국가승인이나 수교문제는 회원국 당사국간의 문제이지 유엔 회원국 가입과는 직접 관계가 없으며 남.북한 관계는 유엔 가입후에도 국가관계가 아니라 '민족 공동체간의 특수관계'로 봄

  - 북한의 「하나의 조선」논리는 대남 혁명노선에 의해 대내적 필요에서 내세운것인 만큼 현실적으로 수정이 불가피

o 휴전협정의 평화협정으로의 전환, 북한과의 군축협상, 불가침선언 채택 문제등은 유엔가입과는 별개의 문제이며, 유엔 가입후 다른 각도에서 남북 대화의 추이를 보아가며 검토해야할 문제

다. 국내법적, 정치적 해결 문제제기 (동아,세계,5.31/국민,민주,6.2/경향6.3)

  o 헌법 제3조의 영토 규정 문제

   - 영토문제는 법률적 차원에서 다루기 보다는 분단현실과 한반도의 특수 성을 고려, 접근해야함

  o 남북 불가침 선언 수용 문제

   - 남북한 상호 신뢰구축의 한 측면이 충족됨에 따라 불가침선언 채택에 적극 노력필요

   - 군축 문제도 상호신뢰구축의 선행, 검증등 기술적 문제 고려 신중히 검토할 사항

  o 국가 보안법 폐지, 임수경등 방북인사 석방

   - 북한의 유엔 가입이 대남 전략의 기본적 변화를 의미하지 않기 때문에, 보안법 폐지를 현실적인 문제로 제기하는 자체가 바람직하지 않음

  o 휴전협정의 평화협정으로의 대체 및 주한 유엔군 사령부의 존폐 문제

   - '남북한 기본관계 합의서'와 같은 남북한 기본 협정이 체결되어야만 이를 기초로 한반도의 휴전체제를 남북한 평화체제로 이행하는 문제 검토

- 13 -

0111

- 새로운 제도적 장치가 마련될때까지 휴전협정의 운영주체인 유엔사의 존속에는 변화가 있을수 없다는 입장

- 주한 유엔사의 지위 변경은 남북한의 유엔 가입과는 법적으로 관련이 없는 별개의 문제

- 마르코 총회의장, 남북한이 유엔에 가입하더라도 주한유엔사의 법적 지위나 휴전협정의 효력에 직접적인 영향을 미치지는 않을것이라함

라. 남북한 「화해.협력 기본합의서」 체결 추진 (동아, 5.29/조선, 5.31)

  o 유엔 동시 가입후 남북한이 상호간에 주장하고 있는 통일 방식의 차이를 확대 재생산할 가능성이 큼

    - 즉, 유엔에 가입했다 하여도 남.북한간의 문제는 또다시 당사자간의 문제로 되돌아와 분단의 고착화로 갈 소지가 없지 않음

  o 이의 방지를 위해 그동안 남북고위급 회담에서 논의해온 남-북한간의 「화해와 협력에 관한 기본합의서」를 빨리 조인후, 북한이 제의 해놓고 있는 「불가침선언」문제 해결 필요

    - 합의서에는 현존 경계선 인정, 어떤 형식으로든 국가적 실체인정, 상호 내정불간섭, 무력불사용, 서신 및 물자의 자유로운 왕래, 군축회담개최 포함

마. 남북한 「대결외교」지양 (서울, 5.30/ 중앙, 6.1, 6.2)

  o 유엔과 비동맹을 겨냥해온 남북한 소모성 대결외교를 지양

    - 아.중동 공관 인원등을 축소, 외교 요충지역등 거점 공관을 보강하는 실리.경제외교 전개

  o 중국과의 수교 및 이집트등 북한 단독 수교국과의 외교관계 정상화 노력 집중

    - 그러나, 성급한 한.중관계 정상화 추진이 우리측 입장을 약화시킬것을 우려, 중국의 대한 차별관세 철폐등 경제.실리 외교 위주로 나갈것임

- 14 -

0112

o 남북한 관계는 새로운 국민으로 전환

  - 남북에서의 성숙된 통일체제 구축과 통일 기반으로 안정된 민주질서
    마련 필요

o 노대통령 유엔 연설에서 "한반도 냉전종식"선언 예정

  - 88.10 「한반도에 화해와 통일을 여는 길」이라는 제하의 연설이후 동
    북아에서 진전된 화해와 평화에 따라 한반도 냉전종식을 위한 남북한
    및 주변 관련국의 적극적인 역할 제창 예정

바. 남북정상회담 개최, 남북 상주대표부 설치 및 교류확대 (민주, 세계, 5.31/
    중앙, 5.30, 6.1/ 서울, 6.3)

o 남북정상회담이 통일의 돌파구를 마련하는 계기가 될것이지만 언제, 어떤
  형태로 될지는 앞으로 사태진전에 따라 결정

  - 외무장관, 남북정상회담의 실현은 남북관계 전반의 발전에 따라 결정될
    문제이며, 현재로서는 시기상조

o 제4차 남북고위급 회담, 7월 평양개최 제의

o 북한의 김정일 체제에 대비, 막후채널을 통한 대화 모색

  - 현재 실무급에서 이루어지고 있는 「88라인」의 격을 높이는 방안 검토

o 유엔 동시 가입후 유엔 내에서의 남북한간 협의를 위해 「남북 대표부간
  협의」체제를 구축 제의

o 남북한간 상주대표부 설치가능성

  - 우리정부가 이미 과거에 제의한 바 있으며, 남북한이 국가관계가 아닌
    특수관계인 점을 감안, 연락대표부 설치 문제를 특수한 형태로 유엔
    가입후 진지하게 검토

  - 남북 고위급회담이나 주 유엔 남북대사간 접촉을 통해 교섭 방침

o 비정치적 분야 교류확대 치중

  - 남북 교향 악단 첫교류 추진

  - 정부 8.15, 광복절을 기해 판문점을 개방, 남북주민 쌍방간의 자유로운
    왕래를 허용하고, 추석, 한식, 설날등 민속명절을 전후한 이산가족 방문
    의 정례화를 북측에 제의 방침

- 북한의 대남정책 변화의 기대가 어렵다고 판단, 당분간 경제-체육등 비
  정치적 교류확대 추진을 통해 북한의 대남 정책 자체의 변화 유도
- 6월중 남북 경제회담 재개촉구예정, 남북 체육교류문제도 「체육교류
  협정」등의 형태로 제도화
- 남북협력기금을 1조 규모로 확충, 북한에 자금지원검토

o 남북 직교역 및 남북 제조업 합작투자 추진

- 남북 경제지원 강화, 한국 생필품, 컬러 TV등을 싸게 반출하고 북한의
  광물, 농수산물을 고가로 반입할 계획 검토

o 한국, 독일 통일후 경제혼란을 고려 통일정책 신중대처(뉴욕타임즈, 5.30)

- 악화된 북한의 경제상황등에 비추어 남북통일의 한국경제가 수십년 후퇴
  가능성 우려

사. <u>노대통령 유엔방문 및 미,소.일과 연쇄 정상회담</u> (조선, 5.31/서울, 6.3)

o 9월하순 유엔가입직후 노태우 대통령은 유엔총회에서 기조 연설후 미.소.
  일의 정상과 회담개최 계획

o 외무장관은 유엔가입 전후로 미.소.일 외상과 연쇄회담 추진, 중국 외교
  부장과도 회동 시동

o 9월 유엔총회에서 남.북한.미.일.소.중등 동북아 6개국 외무장관 회담
  추진

- 동북아 평화 협력의 관건인 한반도에서의 냉전종식을 위한 분위기 조성
  유도
- 이를 계기로 6개국 외무장관 회의를 정례화, 나아가 6개국 정상들이
  참여하는 「동북아 평화 협의회의」로 확대 발전시킴

o 정상 및 외무회담에서 정부는 유엔가입 이후 한반도 문제해결 방안에 대한
  일련의 합의를 도출해낼 계획

- 북한의 개방 및 국제 원자력기구(IAEA)핵 사찰 수락의 조기 실현 방안
- 북한-일본 수교 및 북한-미국간의 관계정상화 문제, 한-중국 수교의
  조기 실현 방안등을 폭넓게 협의

- 16 -

0114

아. __북한의 핵사찰 수락 문제__(한국, 6.2/ 워싱톤 포스트, 6.1/ 민주, 5.31)

    o 북한과 미국의 막후교섭 시작

      - 6월중 미 전 국방장관과 군사관계자들로 구성된 대규모 대표단 북한 방문

      - 미측은 북한의 핵사찰 거부땐 관계정상화 교섭에 진전 없을것이라고 전제

    o 북한, 유엔가입의사 천명후, IAEA 사무국에 핵안전조치협정 문제에 대해
      교섭용의가 있다고 공문 발송

      - 북한의 이러한 움직임을 유엔가입의사와 함께 국제적 고립을 피하기 위한
        북한의 정책 변화라는 분석도 있으나,

      - 91.6 IAEA 이사회에서의 비난을 방지하기 위한데 있다고 봄

    o 북한의 주한 미군 보유 핵사찰요구 연계 문제

      - 북한이 NPT 당사국으로서 IAEA와의 핵안전협정에 조인한다면 우리도 다시
        검토할 방침이나 북한이 먼저 핵 안전협정에 조속히 서명해야함

자. __한.중 수교제의__(세계, 5.31/ 동아, 5.30)

    o 한-중 수교의 가장 큰 장애물이되온 최근 북한이 유엔에 가입키로 함에
      따라 7월 말레이시아 개최 아세안 확대 외무장관 회의때 한.중 외무장관
      회담을 추진, 수교제의 예정

      - 수교교섭 개시 날짜와 절차, 노대통령의 방중문제가 구체적으로 논의될
        예정

    o 이상옥장관, 주한 미대사를 불러 한.중 수교를 위해 미국측이 한.중
      유엔대사간의 접촉을 주선해 주도록 요청

      - 주유엔 대표부간의 한.중 접촉을 대사급으로 격상, 중국측과 교섭 방침

외 무 부

종 별 :

번 호 : BAW-0301
일 시 : 91 0601 1300

수 신 : 장 관(정홍,국연,아서)

발 신 : 주 방 대사

제 목 : 유엔가입 문제(언론보도)

당지 BANGLADESH OBSERVER 지(6.1)는 유엔가입 문제에 관해 하기 요지로 보도함.

0 노태우 대통령은 민자당 회의연설을 통해 북한의 유엔가입 신청결정으로 통일의
시기가 앞당겨 졌다고 말했음.

0 한국은 금년중 남북 정상회담 개최를 희망함.

(대사 이재춘-국장)

문협국   아주국   국기국

91.06.01   21:56 FO

외신 1과 통제관

0116

외 무 부

종 별 :

번 호 : SBW-1049

수 신 : 장 관(정홍,국연,해기)

발 신 : 주 사우디 대사

제 목 : 기사보고(북한유엔가입신청)

일 시 : 91 0601 1400

대:AM-112,115

1. 5.30 RIYADH DAILY는 북한의 유엔가입신청 결정과 관련하여 ''RIGHT MOVE''라는 제하의 아래요지의 사설을 게제하였으며, 5.31 자에는 북한이 유엔 건물의 문플노크하 는 내용의만화를 제 6면에 3단 크기로 게제함(관련기사 파편송부예정임)

- 시대에 뒤떨어진 교리에 집착하려 함으로서 더욱고립에 빠지고 있다는 것을 깨달은 북한은진작 했어야할 조치를 취하였음

그동안 북한은 수차에 걸친 남한의 유엔동시 가입제의를 거부하며, 머지않아 동.서 대립이 재개될것이라는 헛된 희망에 사로잡혀 있었음

- 남한의 유엔가입 추진은 북한 정권을 흔들어놓은 지렛데의 역활을 하였음, 과거에 남한의 유엔가입을 저지해 왔던 소련, 중국의 태도변화는 북한을 크게 당황케 하였음

- 북한의 후견국가들은 아시아, 태평양 지역의안전과 안정을 위협하는 요소들을제거할 필요를 인식하게 되었음, 남한과의 신뢰구축을 위한대화를 거부하는 북한의고집 을 감안할때, 그들이일방적으로 조치를 취해 나가는것은 환영할만한움직임 임,북한은 이제 선택의 여지가 없게됨

- 남한은 한반도의 통일이라는 목표달성을 위해유엔에서 북한과 긴밀히 노력해 나 갈 의사를여러차례 표시한바 있음, 현재 북한은 동독의 경우처럼 경제 강국인 남한에 흡수될 운명에처해있는 현실을 두려워 하고 있음

따라서 한국 민족의 염원을 달성하기 위하여남한은 앞으로 북한 공산주의 자들이겪게될쇼크를 완화해 주어야 할 필요가 있음

2. 당관은 5.29 RIYADH DAILY 편집국장 (주필겸임) 에게 북한의 유엔가입 문제에 대한우리측 입장을 설명하는 한편, 대호 외무부대변인의 논평내용을 PRESS RELEASE로

문협국   국기국   안기부   공보처

PAGE 1

91.06.01   23:43 FO

외신 1과 통제관

0117

각언론서에 FAX를 통해 송부한바 있음. 끝

(대사 주병국-국장)

외 무 부

종 별 :

번 호 : CGW-0492　　　　　　　　　　　일 시 : 91 0603 1530

수 신 : 장 관(정일,국연,미북)

발 신 : 주 시카고 총영사

제 목 : 주요 외교동향 보고(북한 유엔가입 신청)(자료응신 91-13호)

　　　대 : AM-0111,0121
　　　1.본직은 북한의 유엔가입 신청관련, 5.30LIETER 시카고 트리뷴 논설위원을
접촉함. 6.1자동지의 사설 (표제 : NORTH KOREA'S ABOUT - FACE) 요지아래와 같음

　　　O 스탈린주의, 유교사상 및 민족주의를 혼합시킨 김일성의 독재 체제는 냉전 종식
및 공산주의 붕괴로 이념적 기반이 위협받고 있음. 중,소등주요 지원국의
관심이적어지고 있으며, 한국과 이들 국가와의 경제관계가 대북한 관계를 훨씬
능가하고 있음.

　　　O 북한은 한반도 분단의 고착화라는 명목하에 유엔 가입을 거부하여 왔으나, 상황
변화로 인해 한국의 유엔가입 신청에 뒤따라감. 한국의 유엔가입에 대해 중,소는 더
이상 거부권을 행사치 않을것으로 보임.

　　　O 북한은 이번 조치로 마지못해 고립주의를 약간 벗어났지만, 북한이 부득이
이번조치를 취하게된데 오히려 고맙게 생각해야함. 남.북한은 유엔가입으로
통일관련대화의 기회가 많아질것임.

　　　O 북한이 동북아의 주요 정치,경제 흐름에 동참하지 못하는 점과 대남 적대관계
분출구의 수단으로 유엔을 활용할수 있는점이 중요함.

　　　2.동 기사 FAX 송부 예정임. 끝
　　　(총영사 강대완-국장)

외정실　　　　　차관　　　1차보　　　미주국　　　국기국

PAGE 1　　　　　　　　　　　　　　　　　　91.06.04　　08:55 CT
　　　　　　　　　　　　　　　　　　　　　　외신 1과 통제관
　　　　　　　　　　　　　　　　　　　　　　　　0119

외 무 부

종 별 :

번 호 : JMW-0293

일 시 : 91 0603 1600

수 신 : 장 관(국연,정홍)

발 신 : 주 자메이카 대사

제 목 : 유엔 가입

1. 금 6.3 주재국 일간지 DAILY GLEANER는 6.2외무부장관의 북한 유엔가입 결정관련 KBS와의 기자회견 내용을 서울발 REUTER 기사를 인용 보도함.

2. 또한 작 6.2 주재국 J.RECORD 지는 유엔가입관련 북한 외교부 성명을 논평없이 게재함.끝

(대사 김석현-국장)

국기국   1차보   문협국   안기부

PAGE 1

91.06.04   09:12 WG

외신 1과 통제관

0120

외 무 부

증   별 :

번   호 : GVW-1025   일   시 : 91 0603 1730

수   신 : 장관(해신,정홍,기정동문)

발   신 : 주 제네바 대사

제   목 : 북한. UN 가입 관련 언론 반응

JOURNAL DE GENEVE 지는 6.2 '노태우 대통령: 한반도 통일 머지 않았다' 제하 표재 관련 해설 기사를 게재한 바 동 요지를 아래 보고함. (R. SOLA 기,외신란 2단)

요지: 노대통령은 북한의 U.N 별도 가입 결정에대한 반응에서 한반도의 통일은 다가오고 있다고 논평했음.

북한은 상기 결정을 발표하면서 한국의 UN 단독 가입 움직임으로 다른 대안이 없음을 시인하였음. 일년 전만 같아도 북한은 한국의 UN 단독 가입을 중.소의 거부권행사를 통하여 막아보려 하였겠지만 한.소, 한.중간의 무르익는 해빙 무드는 북한의그러한 꿈을 좌절시킨것임.대일 수교를 통해 고립에서 탈피하려는 기도마져 IAEA 협정 체결 거부등 북한의 경직성으로 인하여 제동이 걸리고 있음.

북한의 UN 가입 결정은 일단 상황에 적응하기 위한 것으로 보아야 하며, 근본적인 정책변화는 아닐 것임. 북한은 일국가, 이체제의 병존을 요구하는 고려연방제 통일방안을 철회할것 같지 않음. 또한 불가침 협정 체결 요구등 북한의 주장은 남.북한관계의 장애 요소로 계속 작용할 것임. 끝

(대사 박수길-국장)

공보처   1차보   문협국   외정실   안기부

PAGE 1   91.06.04   03:36 DQ

외신 1과   통제관

0121

외 무 부

종 별 :

번 호 : SVW-1940

일 시 : 91 0603 1810

수 신 : 장 관(국기,동구일)

발 신 : 주 쏘 대사

제 목 : 북한의 유엔가입

　　91.6.1자 이즈베스치야지는 '북한이 왜 UN에 가입키로 결정했는가' 제하의 단신기사를 게재한바 동내용(전역) 하기 보고함.

　　- 아래 -

　　데마르코 유엔총회 의장은 많은 사람들을 놀라게 한 북한의 유엔가입 신청 결정의 강한 압력으로 인한 것이라고 언급하였다. 데마르코 의장은 '나는 김일성 주석 자신이 이러한 결정을 했다고 확신하지 못한다'고 말하였다. '개인적으로 나는 중국이 북한으로 하여금 과거의 입장을 바꾸도록 강한 영향력을 행사했다고 생각한다.' 이러한북한의 결정은 이미 전년도에 개별적인 유엔가입을 결정한바 있는 남한의 커다란 외교적 승리가 될 것이다.끝

　　(대사공로명-국장)

국기국　　1차보　　　구주국　　　외정실　　　안기부

PAGE 1

91.06.04　　03:40 DQ

외신 1과 통제관

0122

외 무 부

종 별 :

번 호 : SZW-0291

일 시 : 91 0603 1820

수 신 : 장 관(국연,구이)

발 신 : 주 스위스 대사

제 목 : 북한 유엔가입 신청관련 보도(자료응신 17호)

1. 주재국 6.1,2.자 JOURNAL DE GENEVE 지는 RICHARDSOLA 기명 기사로 북한 유엔가입 신청관련 하기요지 보도함.

가. 북한의 유엔가입 신청관련 노대통령은 민자당에서 한반도 분단에 있어서 중대한 변화가 시작되었으며, 북한의 유엔가입 신청은 시작에 불과하다고 언급함.

나. 북한은 일년전까지만 해도 한국 유엔 가입신청시 안보리에서 중국및 소련의거부권 행사를 기대할수 있었으나, 소련및 중국과 한국간의관계 정상화로 예시될수있는 냉전의 종식은 북한의 이러한 희망을 무산시켰음. 한편,북한정권의 경직성및국제원 자력 기구(IAEA)핵사찰 거부는 북한의 외교적 고립을 깨려고하는 일본외교를 좌절케 하였음.

다. 북한 당국은 북한의 유엔가입 신청이 한국측의 유엔 단독가입으로 '분단을고착화하려는 범죄적 행위'에 직면하여 취해진 조치라고 북한주민에게 설명하면서,1국가 2정치 체제를 내용으로 한 고려연방제 실시를 계속주장하고 있음. 한편, 한국은 오는 9월 UN 총회이전 남북한 총리회담 개최를 희망하고있으나, 북한도 주도권을 잃지 않기 위해 오는 7월이후 회담 개최를 제안한바 있음.

라. 그밖에 북한은 남북한 관계 정상화의 필요 불가결한 조건으로 불가침 협정체 결을 주장하나, 한국은 동 협정은 평화(정착)과정의 결과이며,동 과정에 선행할수없다는 입장임.

마. 또한 북한은 남북대화의 한국내 정치 자유화 문제를 집요하게 연계 시키려고 하나, 한국은 이를 내정간섭및 범민족 대표를 이용하려는 북한의 상투적인 의도로 해석하고 있음.

2. 상기 기사를 차정파편 송부위계임.끝

(대사 이원호-국제기구조약국장)

국기국   1차보   구주국   외정실   정와대   안기부

PAGE 1

91.06.04   05:15 BU

외신 1과 통제관

0123

외   무   부

종   별 :

번   호 : LAW-0792   일   시 : 91 0604 0900

수   신 : 장 관(해신,국연,기정,정홍)

발   신 : 주 라성 총영사

제   목 : 북한 유엔가입 결정관련 기사보고

    LA TIMES 6.1.자는 표제관련 'IF YOU'RE GOING, GUESSI WILL, TOO'제하 사설 게제함. 요지 아래 보고함

    0 서울의 정통한 북한 관측통들 조차 김일성의 생전에는 이와같은 북한의 변화를 기대하지 않았었음. 그러나 화가치민 북한이 자신의 긴자폐정책을 곧 끝내야만 한다는 사실을 받아들이지 않을수 없게 되자 돌연 변화의 가능성이 돌기 시작하고 있음

    0 유엔의석을 갖게된다고 그 자체가 김일성의 국제테러지원과 한국전체를 하루아침에 손아귀에 넣겠다는 꿈을 포기하게 하지는 않을것임. 그러나 이는 평양으로 하여금 우려스러운 핵무기 개발계획에 대한 국제사찰을 받아야 한다는 더욱 거센 압력에 직면 케 할것임. 끝

    (문화원장-해공관장)

공보처   1차보   국기국   문협국   정와대   안기부

PAGE 1   91.06.05   08:53 WG
                                                            외신 1과 통제관
                                                            0124

외 무 부

종 별 :

번 호 : ITW-0844   일 시 : 91 0604 1850

수 신 : 장관(구이,국연,문홍,해기,기정)

발 신 : 주 이태리 대사대리

제 목 : 몰타 외상 방한(자응 91-65호)

연:ITW-0832

1. DE MARCO 몰타 외상 방한관련 연호 몰타 일간지 THE TIMES 의 6.1.자 기사내용을 아래 요약 보고함.

0 데 마르코 외상의 방북 수시간전에 북한은 종래의 태도를 변경,유엔가입을 추진 하겠다고 결정하였음.

0 동북한의 결정은 유엔동시가입을 추구하여온 한국의 외교적인 성과임.

0 데 마르코 외상은 북한의 갑작스런 유엔가입신청 결정이 김일성이 자진 결정하였는지는 분명치 않으나 개인적으로는 중국의 영향이 컷던 것으로 생각된다고 밝히고 북한 당국은 유엔총회 의장으로서 최초로 방문하는 손님에게 동문제를 미리결정하여 환영하고 싶었던것 같다고 언급하였음.

0 이상옥 외무장관은 동외상에게 유엔가입 문제해결을 위한 몰타의 공헌에 사의를 표하고 이는 양국간의 관계증진에 기여할 것이라고 언급하였음.

0 한.몰 양국관계는 지난해 FENECH ADAMI 수상의 방한이후 더욱 활발히 발전되고 있음.

2. 또한 6.2(일)자 SUNDAY TIMES 지는 대통령의 몰타외상에 대한 훈장수여 장면 사진과 함께, 한국 대통령은 유엔가입 문제에 관한 데 마르코 외상의 개인적인큰 공헌을 치하 하였다고 보도하는 한편, 이상옥 장관은 만찬사에서 한국인의 장래에 가장 중요한 때에 동외상이 방한 하였다고 언급하면서 동외상의 외교노력 덕택으로 오랜 숙원이었던 유엔가입 문제가 해결되었음을 치하 하였다고 보도하였음.

끝

(대사대리 황부흥-국장)

구주국   1차보   국기국   안기부   문화부   공보처

외 무 부

종 별 :

번 호 : SGW-0340   일   시 : 91 0606 1400

수 신 : 장 관(국연,정이,아동)

발 신 : 주 싱가폴 대사

제 목 : 평양 어렴풋이 보이다

　　북한당국의 유엔가입 신청에 관한 최근 성명발표와 관련, 당지 유력 영자지
스트레이트 타임지는금 6.5. ''PYONGYANG PEERS OUT'' 제하의 사설을게재했는바,
별첨 송부함.

　　첨부: 동 사설전문 FAX 1매.끝.

　　(대사-국장)

국기국   아주국   외정일 /차보 안기부

외신 1과 통제관

0126

PAGE 24

The Straits Times

WEDNESDAY, JUNE 5, 1991

Pyongyang peers out

AFTER decades of insisting that it was "the only legitimate government" of Korea and adamantly rejecting the notion of separate seats at the United Nations for itself and South Korea, Pyongyang suddenly reversed itself last week and announced that it was applying for separate UN membership after all. Although North Korean officials claim that it was entirely their own decision, it is clear from the bitter wording of the announcement that if they had their choices, nothing would have changed at all. The hated "puppet regime" in Seoul could seek entry into the UN all it wished, as it did eight times before, but would be safely kept out by Pyongyang's old allies in the Security Council, the Soviet Union and China. And North Korea could have gone on pretending that the South was mired in poverty and dreaming of eventually absorbing it into the "people's paradise" that it was building under the Great Leader, Kim Il-Sung.

But if the North Koreans were able to keep their own country completely sealed off from the world and frozen in its Stalinist past, they could not keep the world from changing — and affecting them. They could rail against alleged imperialist plots to weaken socialism as they watched the collapse of communism in Eastern Europe, but they could do little as South Korea's President Roh Tae Woo skilfully wooed their old socialist partners away from them, by dangling the carrot of aid, investments and trade. The most humiliating betrayal, from Pyongyang's point of view, came from the Soviet Union, which not only declared that it would no longer veto a South Korean application to join the UN, but also looked ready to support Seoul's bid. Worse, China too apparently sent the same message, although in a less public manner, when Prime Minister Li Peng visited Pyongyang last month. Although Beijing has yet, unlike Moscow and the East Europeans, to establish diplomatic ties with Seoul, it has substantial economic and unofficial links with the South Koreans which it evidently values.

Pyongyang might well have decided to live with diplomatic isolation were it in better shape economically. But its rigid adherence to communist doctrine, which made the North Korean economy the most highly centralised in the world even before its erstwhile fraternal allies pronounced socialism a failure, has produced only austerity, if not outright poverty, for its 21 million people. Given the extreme secretiveness of the regime, reliable figures on the economy are hard to come by. But all indications are of an economy falling apart. Diplomats speak of primitive factories that are decades behind world levels and operating at less than half of capacity because of fuel shortages. And despite having nearly 40 per cent of the working population engaged in agriculture, a series of bad harvests has evidently created grave food shortages, forcing Pyongyang to import rice from Thailand and from the South.

The situation threatens to worsen with the reduction of economic assistance from its former friends and their refusal to conduct trade under old socialist rules. Instead of barter or payments in each other's non-convertible currencies, they now insist that all trade be in hard, convertible currencies, something North Korea has very little of. It is thus in desperate straits, which explains not only its turnaround on the UN, but also its current overtures to the United States and Japan. But dramatic as these changes are, they do not necessarily signal any fundamental shift in its policies, especially its intent towards the south. The true test is whether it will allow international inspection of its nuclear facilities, which it insists are strictly non-military, and whether it begins cutting its enormous defence budget. If and when Pyongyang does move on these, a real change would have taken place — and not only South Koreans, but the rest of Asia as well, would breath easier for it. And North Koreans themselves might be able to hope for a relaxation of the regime's iron grip over their lives.

(1-1)

0127

외 무 부

종 별 :

번 호 : UNW-1498   일 시 : 91 0607 1800

수 신 : 장관(국연,해신,문홍,기정)

발 신 : 주 유엔 대사

제 목 : 유엔가입

연:UNW-1477

연호관련 JOHN METZLER 기고문이 6.7. 자 THE JOURNAL OF COMMERCE OP-ED PAGE 에 "KOREA'S UN RAPPROCHEMENT" 제하로 게재된바 별전보고함.

첨부:1 매:UNW(F)-249 끝

(대사 노창희-관장)

예고:91.12.31. 까지

종 료 필 (1991.6 30.)

19Pl. 12. 3l 대 예그문에
대기 일반문서로 분하긴

국기국   차관   1차보   문협국   청와대   안기부   공보처

PAGE 1   91.06.08   07:25
                                                 외신 2과 통제관 DO
                                                    0128

The Journal of Commerce
and Commercial
A Knight-Ridder Business Information Service

Founded in 1827 by Samuel F.B. Morse
ERIC RIDDER, Publisher Emeritus

FRIDAY, JUNE 7, 1991

Korea's UN Rapprochement

BY JOHN J. METZLER

It is richly ironic that South Korea, a country whose sovereignty was preserved by multinational United Nations forces in the early 1950s, is still not among the 159 members of that world body. That may soon change.

The Republic of Korea, as it is officially known, has announced that it will seek formal membership in the United Nations in July. In a bitter diplomatic demarche, North Korea has likewise announced its intention to join the world body separately.

That may seem to present a problem for world diplomats; in fact, it offers an opportunity. There is no reason why both Koreas cannot concurrently join and serve in the United Nations, just as the two Germanys did for years.

Not surprisingly, the complicated case of Korean U.N. membership is mired in a political imbroglio.

That the Republic of Korea is a socioeconomic power is undisputed. South Korea is the world's 12th largest trading nation. It also maintains diplomatic ties with 148 countries and successfully hosted the 1988 Seoul Olympiad.

North Korea, until now, has opposed the idea of both Koreas entering the United Nations simultaneously. It has insisted that a single Korea, led by long-time Marxist dictator Kim Il-sung, be admitted to the United Nations.

While the glacial rapprochement between the two Koreas will not conclude anytime soon, U.N. membership offers a rare chance to encourage detente on a divided peninsula.

The Korean peninsula remains a geopolitical flashpoint. The massive military buildup along the demilitarized zone that divides the country is a constant threat. Even more troubling is North Korea's emerging nuclear weapons potential. There is ample reason to defuse this time bomb before it explodes.

White critics will argue that separate membership of the Koreas will underscore their disunity, quite the opposite is true. In 1973, East and West Germany were concurrently admitted into the United Nations. The two states had different political systems, were members of opposing military alliances and pursued distinctly different foreign policies.

Although Seoul will not make its formal application for U.N. membership until next month, the stage already is prepared. Both countries have observer status at the United Nations and participate in its fifteen specialized agencies. Only recently, the U.N. Economic and Social Commission for Asia and the Pacific met in Seoul.

Each of the Koreas should be considered for U.N. membership on its own merits, based on the requirements in the U.N. charter: a recommendation from the 16-member Security Council and a two-thirds vote in the General Assembly.

Seoul's desire to join the United Nations is not new. Between 1949 and 1955, the infant nation made eight applications for membership. Each request was either vetoed by the Soviets or fell by the wayside.

The possibility of either a Soviet or Chinese veto of Seoul's latest application has diminished greatly with the end of the Cold War. With the growing business and political ties between Seoul, Moscow and Beijing, it has become increasingly unlikely that the Soviet Union or China would do North Korea's bidding and block South Korea's application.

Only recently, Soviet President Mikhail Gorbachev obtained $3 billion in aid while visiting South Korea. He subsequently gave Seoul a green light to apply for a U.N. seat. This comes in the wake of closer economic ties between the two countries. Two-way trade stood at $600 million in 1989 and will reach $1.5 billion this year.

During a recent visit to Pyongyang, North Korea's capital, Chinese Premier Li Peng signaled Beijing's intent not to block South Korea's U.N. application. He told his intransigent North Korean allies that a "one people, one nation, two governments, two systems" formula should be applied to Korea.

Only days later, Kim's son and dictator designate, Jong-li, made a secret trip to China in a last ditch bid to convince Beijing to use its Security Council veto.

It seems to have failed, and it's little wonder. Trade between South Korea and China topped $3.8 billion last year. China has no interest in souring these burgeoning economic ties with a U.N. veto. Meanwhile, trade between China and North Korea barely reached $480 million.

By favoring separate U.N. membership for North Korea, China is helping its ally save face and avoid bitter isolation by the world community. Washington and Tokyo firmly endorse Seoul's membership and are right to support a bid by North Korea, knowing the Kim dynasty is nearing its end.

The aging Kim Il-sung has lived long enough to see both the Soviet Union and China desert him. With the departure of these one-time allies, Kim's regime has lost much of its leverage in world affairs. That makes it all the more likely that Seoul, now firmly in control of the diplomatic, political and economic agenda, can eventually forge union on the divided Korean peninsula.

John J. Metzler is a New York writer who covers diplomatic and defense issues at the United Nations.

長 官 報 告 事 項

報 告 畢

1991.　6.　7.
國際機構條約局
國際機構課 (38)

題 目 : 북한 유엔가입신청 결정관련 언론보도 분석

북한의 유엔가입 신청 결정 관련 91.5.28-6.3간 국내외 언론보도
내용와 분석 자료를 별첨과 같이 보고드립니다.

자 료 별 첨

0130

북한 유엔가입 신청 결정관련 언론보도 분석(요약)

1. 북한 유엔가입 신청 결정 배경

가. 대내적 요인

: 외교적 고립 탈피, 국내 경제난해소, 단일의석 가입논리의 퇴색, 한국의
단독가입 우려, 김정일 체제로의 권력이양 환경 조성

나. 대외적 요인

: 신 데탕트의 국제정세변화, 한.소 수교 및 한.소 정상회담 개최, 한.중
관계 개선, 중.소의 압력, 대일 및 대미 관계 개선 필요, 핵사찰 회피
수단등

2. 북한 유엔가입 신청의 대내외적 영향

가. 남북한 관계에의 영향

o 한반도내 남북한 평화 공존과 전쟁억지의 안정구조 구축

o 남북한 관계 변화와 북한 내부의 질적 변화 예상

o 북한의 통일정책 및 대남혁명 전략이 변한것은 아님

나. 대외 관계에의 영향

o 한반도 주변 관계

- 미.일.중.소 4강의 남북한 교차 승인 시기 도래

o 북한 - 일본 관계

- 북한, 일본 수교교섭에서 걸림돌 하나가 제거

- 1 -

0131

ㅇ 북한 - 미국 관계

　- 북한, 미국관계 개선은 한반도 비핵지대화, 핵사찰 문제로 인해 단순치

　　않을 것임

ㅇ 한국 - 중국관계

　- 남북한 유엔 동시가입 실현이 한,중 국교 정상화의 기반이 될 가능성

ㅇ 북한 -중국관계

　- 김일성 - 등소평의 인간적 관계가 좌우한 북한-중국관계의 한계

ㅇ 핵안전조치협정체결 문제

　- 협정체결과 관련 유엔가입후 유엔을 무대로 한반도 비핵지대화 공세

　　강화 예상

ㅇ 북한 인권문제

　- 국제사면 위원회등 서방제국 인권단체들의 입국을 수락해야 함

3. 주요국가 논평

　가. 미국

　　ㅇ 북한 유엔가입 신청 결정 환영, 남북한 유엔가입 지지

　　ㅇ 북한의 핵사찰 거부등으로 미.북한 관계개선을 속단할 수 없음

　나. 소련

　　ㅇ 북한의 결정은 건전한 사고의 발로이며, 향후 남북대화 촉진에 기여

　다. 일본

　　ㅇ 남북한 유엔가입으로 한반도 긴장 완화의 촉진기대, 일.북한 관계

　　　정상화 교섭에 긍정적 역할

- 2 -

라. 중국

  ㅇ 남북한 유엔 동시가입은 현실적이며 한반도 안정에 도움이 될것

4. 외교적 성과

  ㅇ 북방 정책이 거둔 성과

  ㅇ 개방향한 「순리의 전환」

  ㅇ 남북한 문제 해결의 전기

  ㅇ 한국의 외교력 평가

    - 급변하는 세계정세의 변화를 기민하게 포착, 북한의 문을 여는 지렛대로
      활용

    - 야당의원들도 현정부의 노력을 치하

  ㅇ 성급한 과잉기대는 금물

    - 북한이 우리가 기대하는 동구식 개방을 선택하지 않을 것임

5. 유엔 동시 가입과 관련 제기되는 문제

  가. 유엔 회원국으로 발생하는 권리.의무

    ㅇ 의사결정 발언권과 투표권을 갖고 국제문제해결 주체가 됨

    ㅇ 년 2백만불 상당의 유엔 분담금 부담

  나. 남.북한의 국제법적 지위 문제

    ㅇ 남북이 유엔에 동시 가입후 각각 국가로서의 국제법적인 지위를 갖게
      되나, 이는 대유엔 관계에 국한되는 것으로 남북한 관계와는 별개

- 3 -

0133

다. 국내법적, 정치적 해결 문제

　ㅇ 헌법 제3조의 영토규정문제

　ㅇ 남북 불가침 선언 수용문제

　ㅇ 국가 보안법 폐지, 방북인사 석방

　ㅇ 휴전협정의 평화 협정으로의 대체 및 주한 유엔군사령부 존폐문제

라. 남북한 「화해. 협력 기본합의서」 체결 추진

마. 남북한 대결 외교 지양

　ㅇ 노대통령 유엔 연설에서 "한반도 냉전 종식" 선언 예정

바. 남북정상회담 개최, 남북 상주 대표부 설치 및 교류확대

사. 노대통령 유엔방문 및 미.소.일과 연쇄 정상회담 추진

　ㅇ 남.북한, 미.일.소.중국등 동북아 6개국 외무장관 회담도 추진

　ㅇ 6개국 외무장관 회의를 정례화, 6개국 정상간의 「동북아 평화 협의회」

　　로 확대 발전

아. 북한의 핵사찰 수락 문제

　ㅇ 북한, 유엔가입 의사 천명후 IAEA와 핵안전협정 체결 교섭 용의가 있다고

　　공문 발송

자. 한.중 수교제의

　ㅇ 91.7월 말레이시아 「아세안 확대외무장관 회의」 때 한.중 외무장관

　　회담을 추진, 수교제의 예정

- 4 -

0134

428　남북한 유엔 가입 북한 유엔 가입 신청 및 대응 2

長 官 報 告 事 項

題 目 : 북한 유엔가입신청 결정관련 언론보도 분석

북한의 유엔가입 신청 결정 관련 91.5.28-6.3간 국내외 언론 보도
내용의 분석 자료를 별첨과 같이 보고드립니다.

자 료 별 첨

0135

북한 유엔가입 신청 결정관련 언론보도 분석(요약)

1. 북한 유엔가입 신청 결정 배경

   가. 대내적 요인

      : 외교적 고립 탈피, 국내 경제난해소, 단일의석 가입논리의 퇴색, 한국의
        단독가입 우려, 김정일 체제로의 권력이양 환경 조성

   나. 대외적 요인

      : 신 데탕트의 국제정세변화, 한.소 수교 및 한.소 정상회담 개최, 한.중
        관계 개선, 중.소의 압력, 대일 및 대미 관계 개선 필요, 핵사찰 회피
        수단등

2. 북한 유엔가입 신청의 대내외적 영향

   가. 남북한 관계에의 영향

      ㅇ 한반도내 남북한 평화 공존과 전쟁억지의 안정구조 구축

      ㅇ 남북한 관계 변화와 북한 내부의 질적 변화 예상

      ㅇ 북한의 통일정책 및 대남혁명 전략이 변한것은 아님

   나. 대외 관계에의 영향

      ㅇ 한반도 주변 관계

        - 미.일.중.소 4강의 남북한 교차 승인 시기 도래

      ㅇ 북한 - 일본 관계

        - 북한. 일본 수교교섭에서 걸림돌 하나가 제거

- 1 -

0136

o 북한 - 미국 관계

  - 북한. 미국관계 개선은 한반도 비핵지대화, 핵사찰 문제로 인해 단순치

    않을 것임

o 한국 - 중국관계

  - 남북한 유엔 동시가입 실현이 한.중 국교 정상화의 기반이 될 가능성

o 북한 -중국관계

  - 김일성 - 등소평의 인간적 관계가 좌우한 북한-중국관계의 한계

o 핵안전조치협정체결 문제

  - 협정체결과 관련 유엔가입후 유엔을 무대로 한반도 비핵지대화 공세

    강화 예상

o 북한 인권문제

  - 국제사면 위원회등 서방제국 인권단체들의 입국을 수락해야 함

3. 주요국가 논평

  가. 미국

    o 북한 유엔가입 신청 결정 환영, 남북한 유엔가입 지지

    o 북한의 핵사찰 거부등으로 미.북한 관계개선을 속단할 수 없음

  나. 소련

    o 북한의 결정은 건전한 사고의 발로이며, 향후 남북대화 촉진에 기여

  다. 일본

    o 남북한 유엔가입으로 한반도 긴장 완화의 촉진기대, 일.북한 관계

      정상화 교섭에 긍정적 역할

- 2 -

라. 중국

　　ㅇ 남북한 유엔 동시가입은 현실적이며 한반도 안정에 도움이 될것

4. 외교적 성과

　ㅇ 북방 정책이 거둔 성과

　ㅇ 개방향한 「순리의 전환」

　ㅇ 남북한 문제 해결의 전기

　ㅇ 한국의 외교력 평가

　　- 급변하는 세계정세의 변화를 기민하게 포착, 북한의 문을 여는 지렛대로 활용

　　- 야당의원들도 현정부의 노력을 치하

　ㅇ 성급한 과잉기대는 금물

　　- 북한이 우리가 기대하는 동구식 개방을 선택하지 않을 것임

5. 유엔 동시 가입과 관련 제기되는 문제

　가. 유엔 회원국으로 발생하는 권리·의무

　　ㅇ 의사결정 발언권과 투표권을 갖고 국제문제해결 주체가 됨

　　ㅇ 년 2백만불 상당의 유엔 분담금 부담

　나. 남·북한의 국제법적 지위 문제

　　ㅇ 남북이 유엔에 동시 가입후 각각 국가로서의 국제법적인 지위를 갖게 되나, 이는 대유엔 관계에 국한되는 것으로 남북한 관계와는 별개

- 3 -

0138

다. 국내법적, 정치적 해결 문제

　ㅇ 헌법 제3조의 영토규정문제

　ㅇ 남북 불가침 선언 수용문제

　ㅇ 국가 보안법 폐지, 방북인사 석방

　ㅇ 휴전협정의 평화 협정으로의 대체 및 주한 유엔군사령부 존폐문제

라. 남북한 「화해, 협력 기본합의서」 체결 추진

마. 남북한 대결 외교 지양

　ㅇ 노대통령 유엔 연설에서 "한반도 냉전 종식" 선언 예정

바. 남북정상회담 개최, 남북 상주 대표부 설치 및 교류확대

사. 노대통령 유엔방문 및 미.소.일과 연쇄 정상회담 추진

　ㅇ 남.북한. 미.일.소.중국등 동북아 6개국 외무장관 회담도 추진

　ㅇ 6개국 외무장관 회의를 정례화, 6개국 정상간의 「동북아 평화 협의회」
　　로 확대 발전

아. 북한의 핵사찰 수락 문제

　ㅇ 북한, 유엔가입 의사 천명후 IAEA와 핵안전협정 체결 교섭 용의가 있다고
　　공문 발송

자. 한.중 수교제의

　ㅇ 91.7월 말레이시아 「아세안 확대외무장관 회의」 때 한.중 외무장관
　　회담을 추진, 수교제의 예정

- 4 -

0139

정 리 보 존 문 서 목 록

기록물종류	일반공문서철	등록번호	2020070023	등록일자	2020-07-10
분류번호	731.12	국가코드		보존기간	영구
명 칭	남북한 유엔가입, 1991.9.17. 전41권				
생 산 과	국제연합1과	생산년도	1990~1991	담당그룹	
권 차 명	V.28 북한의 유엔가입 신청서 제출(7.8)				
내용목차	* 7.8 박길연 주유엔 북한대사, 유엔가입 신청서 제출 * 7.11 유엔문서로 배포(A/46/295,S/22777)				

0001

관리 번호	91 -3786

외 무 부

종   별 :

번   호 : UNW-1467   일   시 : 91 0605 1845

수   신 : 장관(국연,기정)

발   신 : 주 유엔 대사

제   목 : 북한대표부 동향

1. 금 6.5. 미대표부 RUSSEL 담당관이 서참사관에게 제보해온바에 의하면 북한대사 박길연은 6.4. 오후 유엔로비에서 큐바대사와 약 25 분간 면담했는바 동면담에는 양측에서 다수 관계관이 배석하였다함.

2. 큐바가 7 월중 안보리의장임에 비추어 상기 면담에서 북한측은 큐바측과 7 월중 가입문제처리 방안을 협의하였을 가능성이 없지 않을것으로 추측됨.

3. 북한측 동향에 대하여는 계속 추보하겠음. 끝

(대사 노창희-국장)

예고:91.12.31문에... 반
... 서 ... 분됨

검토필(1991. 6. 30.)

국기국   1차보   2차보   분석관   안기부

91.06.06   09:50
외신 2과   통제관 DO
0002

외 무 부

관리번호 91 -3820

종 별 :

번 호 : UNW-1511　　　　　　　　　　일 시 : 91 0610 1800

수 신 : 장 관(국연,기정)

발 신 : 주 유엔 대사

제 목 : 주유엔 북한대사 동향

연:UNW-1500

금 6.10(월) 불란서 대표부 LACROIX 아주 담당관은 윤참사관에게 연호 박길연 북한대사와 MERIMEE 불란서 대사간의 면담결과를 아래와같이 알려옴.

1. 양 대사간은 면담은 약 10 여분간 유엔에서 행하여진바 불측에서는 LACROIX 담당관이, 북한측에서는 이성진 참사관이 배석하였음.

2. 박길연대사는 먼저 5.28 북한외교부의 유엔가입 신청결정 발표내용을 상기시킨후 향후 가입신청서 처리과정에서 불란서측의 협조를 요청하였음. 가입신청서 제출시기에 대한 불측의 문의에 대해 박대사는 아직 구체적인 일시를 확정하지는 않았다고 하면서 안보리 의사규칙 소정절차에 비추어 늦어도 8 월중순 이전에는 신청해야되지 않겠는가라고 말함.

3. 향후 가입절차문제와 관련, 박대사는 가입신청서는 남북한이 각각 제출하되 안보리에서는 단일 결의안으로 처리하는 독일 방식이 좋을것으로 본다고 언급함.

4. MERIMEE 대사는 북한측 설명을 주로 청취한후, 남북한의 유엔가입 문제에대한 불란서측의 기존입장을 밝히고 북한의 유엔가입에 반대하지 않음을 분명히 확인(ENSURE) 시켜 주었음.

5. LACROIX 담당관은 상기 면담시 북측 태도 관련 특기할만한 점은 없었으나, 북측이 향후 안보리 심의에 대비하여 안보리 이사국들의 태도를 타진함과 아울러 필요한 협조를 도모코자 부심하는 인상을 받았다고 부연함. 끝

(대사노창희-국장)

예고:91.12.31 군월반

검토필(1791. 6. 30.)

국기국	장관	차관	1차보	2차보	분석관	청와대	안기부

관리 번호	91 -604

외 무 부

종 별 :

번 호 : UNW-1510　　　　　　　　　　　　　일 시 : 91 0610 1800

수 신 : 장 관(국연,해신,정북,기정)

발 신 : 주 유엔 대사

제 목 : 유엔가입

　　당지 뉴욕 한국일보 송혜란기자는 6.10 11:30 분경 유엔사무국 건물 3
층로비(PRESS WORKING AREA) 에서 북한대사 박길연을 우연히 만나 대화도중, 북한의
유엔가입 신청시기를 문의하자 박대사는 신청시기등 절차문제를 남쪽과 얘기해
보겠다면서 노창희대사와 협의할 용의가 있다고 대답했다고 알려왔음을 참고로
보고함.(송기자는 동 사실을 본사에 송고했다함.).끝.

　　(대사 노창희-관장)

검토필(1991. 6. 30)

국기국	장관	차관	1차보	2차보	외정실	청와대	안기부	공보처

외 무 부

종 별 : 지 급

번 호 : UNW-1523   일 시 : 91 0611 1600

수 신 : 장관(국연,국기,해신,정북,기정)사본:주미(직송필),주오지리대사(중필)

발 신 : 주 유엔 대사

제 목 : 북한대사 기자회견

관리번호 91 -3836

대:WUN-1661

연:UNW-1521

1. 북한대사 박길연은 6.11 갑자기 유엔출입기자를 대상으로한 회견을 요청, 11:40 부터 약 20 분간 회견을 갖고, 핵사찰 문제관련 북한에 대해서만 사찰을 할것이 아니라 남한에 있는 핵기지공개와 사찰을 동시 실시해야 한다고 주장하는 내용의 미리준비된 성명을 읽은후 질의에 응답한바, 동성명 FAX 타전함.

2. 동 회견에는 AP, UPI, TASS, XINHUA, BBC 등 유엔 외신기자 약 15 명이 참석했으며 질의 응답요지 다음보고함.

문:북한이 유엔가입에 동의해온바 앞으로 주한 미군철수를 계속 주장할 것인지 그리고 남북한간 화해를 위한 노력은 ?

답: 유엔가입후라도 북한의 통일정책과 외국군이 한반도에 주둔해서는 안된다는 기존정책에도 변함이 없다. 남북한관계에 있어서도 대화를 통해 통일을 달성한다는 일관된 정책이다

문:동시가입 신청을 위해 남북한 유엔대사간 접촉이 있었는가

답: 현재까지는 유엔가입의 특정문제를 놓고 접촉은 없었다. 그동안 리셉션등 여러기회에 접촉은 있었다. 남한대사와 만날 기회가 있으리라는 점을 배제하지는 않는다. 그기회 (LATER STAGE) 가 일주 또는 수주일 후일지도 모르지만, 그러나 현단계에서는 사전준비된 접촉계획은 없다.

문:북한은 유엔가입을 위해 곧 단독신청할 것인지 아니면 남한과 동시가입 신청에 관심이 있는지

답: 신청시기 문제는 언제라도 제출 준비가돼 있다. 안보리 일정및 안보리와의 편의등을 고려해서 제출할 생각으로 현재 안보리 이사국들과 개별 접촉중이다.

국기국	장관	차관	1차보	2차보	국기국	외정실	분석관	정와대
안기부	공보처							

남한과 동시가입 신청여부는 현재까지 남한 유엔대사와 시기, 형식등 신청절차문제에 관해 협의가 없는 상황이므로 그것이 가능할수 있을지 모르겠다.(DOUBTFUL)

문:그렇다면 북한대표부에서 한국대표부에 만나자고 먼저 전화로 연락 할수도 있는것 아닌가 ?

답: 그렇다.

남한 대사와의 접촉기회를 배제하는 것은 아니다.

문:한국은 국회등의 절차등을 밟아야 하는데 북한에도 그러한 의회 절차가 있는지

답: 외교부에서 이미 유엔가입 결정을 발표했으므로 정부지시만 있으면 즉시 조치를 취할수 있다.

첨부:FAX 3 매:UNW(F)-253

끝

(대사 노창희 관장)
19 . . 에 고문에
의해고:91.12.31.문 일반

검토필(1)91.6.30.)

변청   : :

Ladies and gentlemen,

I would like to take this opportunity this morning to inform
of the latest situation on the Korean peninsula.

As was known,the Democratic People's Republic of Korea
has put forward an anti--nuke and denuclearation policy and has
consistently advocated prohibiting the deployment,production
and storage of nuclear weapons and abolishing them.

When the Soviet Union and the United States took some
measures to abolish a number of nuclear weapons the DPRK
supported them and hoped that such nuclear reduction measures
would be also enacted on the Korean peninsula.

However, the US nuclear threat against the DPRK is daily
growing.As is known to the world,more than 1000 nuclear weapons
are deployed   in the south of the Korean peninsula,ready for
operation.Now that the whole territory of south Korea has been
turned into a nuclear arsenal,our people can never free at ease.
And there can be no guarantee for peace and security in Asia.

Top level officials and military bosses of the United
States declared more than once that they would use nuclear
weapons on the Korean peninsula,if necessary.They threaten us
every year by mobilizing large military forces armed with means
of nuclear attack in the "Team Spirit" nuclear war military
manouvres.

More recently they are escalating the tensions,noisily
crying over our "nuclear capabilitées".

The DPRK Government has declared more than once that it
has neither intention nor capacity to manufacture nuclear weapons;
that it is ready to sign the nuclear safeguards accord any time
according to the nuclear non--proliferation treaty and that it
does not oppose nuclear inspection.

The question lies in the removal of US nuclear threat to
the DPRK and Asia.   -1-

3 - 1

If the nuclear inspection should be made it must not be forced upon us alone with no nuclear weapons but the US nuclear bases in south Korea must be opened to the public and an international inspection of them be made at the same time.

This is fair and is necessary not only for our country but also for the Asian countries.

The nuclear weapons deployed in south Korea threaten the very existence of all the Korean nation.

Eliminating the nuclear threat to our country is an unavoidable duty which the United States assumes as a nuclear power,in accodrance with the nuclear non--proliferation treaty. Our country's demand that the United States eliminate nuclear threat to it is also a right which is vested in us,a non-nuclear nation,in the spirit of that treaty.

TheDPRK has joined the treaty,for the purpose of having the US nuclear weapons pulled out of the Korean peninsula, ending the nuclear threat to our country and ,furthermore, making the Korean peninsula a nuclear free zone.

However,after we joined this treaty,the United States' nuclear threat has increased still more.

There is no reason why the United States cannot withdraw more than 1000 nuclear weapons from south Korea,if they have no intention to threaten and attack our country and other Asian countries with nuclear weapons.

It is as clear as noonday that the aim of the United States in keeping its nuclear weapons in south Korea is to maintain its "policy of strength" and thus obstruct the independent development of the Asian countries and gratify its dominationist desire.

From our vital demand for the rights to national dignity and survival and from our high sense of responsibility for the cause of peace in Asia and the rest of the world,we who are under the constant threat of nuclear weapons will make

-2-

3-2

0008

every possible effort to get the US troops and nuclear weapons
withdraw from south Korea,make the Korean peninsula a nuclear
free,peace zone and ensure peace and security in Asia and the
world.

Withdrawing the US nuclear weapons from south Korea and
making the Korean peninsula a nuclear-free zone are the
fundamental requirement for removing the danger of a nuclear
war from Asia..

We hope that all the peaceloving countries will pay due
attention to the ever -growing nuclear threat of the US in
Korean peninsula and express their solidarity for the effort
to remove the nuclear threat and make the Korean peninsula a
nuclear free,peace zone.

3-3

0009

외 무 부

종 별 : 지 급

번 호 : THW-1327   일 시 : 91 0624 1900

수 신 : 장 관(정특,아동,국연,국기)

발 신 : 주 태 국 대사

제 목 : 북한 부총리 방태활동(자료응신 43호)

1. 정참사관이 6.24(월) MRS.CHOLCHINEEPAN 외무성 동아과장을 접촉,6.21(금) 오후 김달현 북한 부총리의 주재국 수상및 외무장관 예방시 거론된 사항을 타진하였는바, 동과장 언급요지 아래보고함

　　가. 북한의 유엔가입문제

　　0 김달현은 북한은 남.북한이 단일 의석으로 유엔에 가입하기를 희망하였으나 남한의 단독가입추진에 따라 북한도 단독가입키로 결정했다고 설명

　　0 김달현은 북한이 언제 유엔에 가입신청 할것인지에 대해 언급하지 않았다고함

　　0 북한은 태국측에 대해 아직 유엔가입관련 공식지지요청을 하지 않았다고 함

　　0 태국측은 남.북한의 유엔가입을 지지한다고 언급하고 북한에 대해서 유엔가입이 주요 국제, 지역문제에 관한 북한입장을 전세계에 보다 명확하게 설명할수 있는 기회를 제공할 것이라고 설명

　　나. IAEA 핵안전 협정체결문제

　　0 태국측은 최근 북한이 IAEA 와의 핵안전협정체결의사 표명등 긍정적 움직임이 일고 있는것을 환영한다고 제기하고, 본건은 IAEA 이사국으로서의 태국의 당연한 관심사임을 강조

　　0 김달현은 북한은 군소국에 불과하므로 핵무기를 개발할 의사도 능력도 없다고 언급

　　0 김달현은 미국이 남한에 북한을 겨냥한 많은 핵무기를 보유하고 있으므로미.북한간에 직접협상을 통해 남한에서 미국 핵무기 철거및 남.북한 동시 IAEA 핵사찰 문제등을 협의하기를 희망한다고 언급

　　0 김달현은 미.북한간 핵무기관련 협상을 위해 미국대표단이 평양을 방문할예정이라고 설명. 미국 대표단 명단및 방북시기등은 언급치 않았다고함

외정실　　장관　　　　차관　　　1차보　　　2차보　　　아주국　　　국기국　　　국기국　　　분석관
정와대　　안기부

PAGE 1   91.06.24   22:28

　　　　　　　　　　　　　　　　　　　　　　　　　　　외신 2과 통제관 FE

                                                                    0010

다. 남.북한 통일문제

0 김달연은 북한이 남.북한 통일실현을 위해 여전히 많은 노력을하고 있다고 언급

0 태국측은 남.북한간 협의가 좋은 결실을 이루기를 기대한다고 언급

0 김달연은 통일문제를 조심스럽게 설명하고 정치적 선전은 하지 않았다고 함

0 태국측은 정치적 선전을 해도 소용이 없는것으로 알고 있었기 때문에 신중한 태도를 견지한 것으로 해석

라. 북한의 외교정책방향

0 김달연은 북한의 외교정책방향이 과거애는 유럽중심이었으나 최근에는 아시아 태평양 특히 아세안에 우선 순위를 부여하고 있음을 강조하고 대일, 미 관계 정상화 희망 표명

0 김달연은 또한 필립핀과 외교관계를 수립키로 합의한 사실을 언급하고 아.태지역 주요국가로서 북한과 외교관계를 수립치 않고 있는 나라는 브루나이뿐이라고 설명했다고함

0 태국측은 상기 유럽중심이라는 표현이 쏘련을 지칭하는 것으로 해석

마. 태-북한 양자관계

0 김달연은 주태 북한 상주대사관개설및 시린돈공주 방북이 양국관계 강화의 계기가 되었다고 평가

0 김달연은 금번 방태목적이 연형묵 총리 방태시 합의된 사항에 대한 후속조치를 협의하는데 있다고 설명하고 북한산 시멘트와 태국산 쌀의 구상무역 추진관련 태국 민간기업인을 별도로 만나 협의할 예정이라고 언급

0 태국과 북한은 양국간에 경제협력및 무역증진키로 합의

2. CHOLCHINEEPAN 과장에 의하면 김달연의 금번 방태에는 김룡문 전 주태 북한통상대표부대표(현 주싱가폴 북한대사관 상무참사관)가 수행중이라고 알려왔음

3. 김달연 북한 부총리의 여타 주요활동상황은 파악되는대로 보고예정임

(대사 정주년-국장)

예교: 91.12.31. 일반

검토필(1991.6.30.)

외 무 부

종 별 :

번 호 : UNW-1650   일 시 : 91 0626 1800

수 신 : 장관(국연,해신,정북,기정)

발 신 : 주유엔대사

제 목 : 북한 프레스릴리스

　　1. 당지 북한대표부는 6.26 남북한간 불가침선언이 조속 채택되어야 한다는 내용의 프레스릴리스를 유엔 출입기자에게 배포했음.

　　2. 동자료는 북한 외교부 명의로 불가침선언 채택이 남북한간의 신뢰구축의 출발점 이며 현상황하에서 시급히 요청된다는 내용과 북한의 불가침선언 제안내용 및아측 입장등 3부분으로 작성된바 전문 FAX 송부함.

　　첨부:동 FAX 8 매: UNW(F)-282

　　끝

　　(대사 노창희-관장)

국기국	장관	차관	1차보	외정실	분석관	청와대	안기부	공보처

PAGE 1   91.06.27   09:24 DF

외신 1과 통제관

0012

Democratic People's Republic of Korea

PERMANENT OBSERVER MISSION

총 선대

TO THE UNITED NATIONS

225 E. 86th St., 14th Floor, New York, N. Y. 10028 – Tel. (212) 722-3536

Press Release

No.22
June 25, 1991

NON-AGGRESSION DECLARATION SHOULD BE ADOPTED AS EARLY AS POSSIBLE BETWEEN THE NORTH AND SOUTH OF KOREA

1. The adoption of the non-aggression declaration between the north and the south of Korea is the starting point in confidence-building process between the north and the south and the urgent requirement of the prevailing situation.

2. The contents of the proposal of the Government of the Democratic People's Republic of Korea for the adoption of the non-aggression declaration.

3. The south side's stand towards adoption of non-aggression declaration.

1. The adoption of the non-aggression declaration between the north and south of Korea is the starting point in confidence-building process between the north and the south and the urgent requirement of the prevailing situation

The adoption of the non-aggression declaration between the north and the south of Korea is the starting point in removing the mistrust and confrontation between the north and the south and opening a new phase for peace and peaceful reunification.

The urgent priority in realizing the cause of Korea's reunification is to reduce the tension on the Korean peninsula, remove the military confrontation and create a peaceful climate for the reunification.

At present massive armed forces stand in sharp confrontation against one another along the Military Demarcation Line on the Korean peninsula.

According to official statistics, south Korean armed forces are composed of one million servicemen, over 1,300 tanks, 8,800 artillery, over 450 military aircrafts, and other up-to-date military hardware, which are continually replaced and reinforced with the latest ones.

0013

Particularly, nearly 50.000 US troops are constantly present and 130 US military bases and installations and over 1,000 US nuclear weapons have been deployed in south Korea.

The density of nuclear weapons deployed in south Korea is four times that of the NATO area, with one nuclear weapon in every 100 square kilometres.

Such an acute military confrontation on the Korean peninsula creates a constant tension that may lead to the outbreak of an armed conflict or nuclear war due to any trifling accidental factor, and this is the rootcause spawning misunderstanding and mistrust between the north and south.

The process of the previous dialogue between the north and the south of Korea shows that without removing the rootcause of such tensions it is impossible to achieve peace and reunification through dialogue and negotiations.

The Government of the Democratic People's Republic of Korea has advanced detailed proposals on over 200 occasions to the United States and the south Korean side and initiated a serious of measures to remove the military confrontation, relax the tension on the Korean peninsula and create a peaceful climate for the reunification of the country.

In recent years alone, the Democratic People's Republic of Korea diverted 150,000 servicemen of the People's Army to the peaceful economic construction projects in 1987 and unilaterally reduced the armed forces by 100,000 in the same year.

In 1984 and again 1988 the north side of Korea put forth package proposals for disarmament which envisaged the adoption of the non-aggression declaration between the north and south, the conclusion of a peace agreement between the DPRK and the US, the drastic reduction of the armed forces of the north and the south and the phased withdrawal of the US troops and nuclear weapons from south Korea.

At the north-south high level talks the north made important proposals including non-aggression issue and other matters to remove practically the military confrontation.

However, these realistic proposals have failed to receive any positive response from the US and the south Korean side.

Sidetracking all these peace-loving efforts and overtures of the DPRK, the United States and the south Korean authorities have increased arms reinforcements in south Korea and annually conducted the "Team Spirit" joint military exercises and other large scale war exercises under various pretexts.

In view of the nature and implication of these war exercises, there is no guarantee that these war manoeuvres will not switch over to a real war.

All these developments urgently call for the adoption of the non-aggression declaration which would decisively militate in favor of the removal of the military confrontation, detente and confidence-building process in order to avert the danger of nuclear war, secure a durable peace on the Korean peninsula and solve the question of Korea's reunification through dialogue and negotiations.

A-2

0014

2. The contents of the proposal of the Government of the Democratic People's Republic of Korea for the adoption of the non-aggression declaration.

The Government of the DPRK has put forth the concrete proposals concerning the adoption of the non-aggression declaration at the north-south high-level talks and made persevering efforts for their materialization.

-- At the first round of the north-south high-level talks in September, 1990, the DPRK advanced the proposal on removing the political and military confrontation and reiterated its proposal on adopting the non-aggression declaration under which the north and the south should pledge not to attack the other.

It also proposed the conclusion of a peace agreement between the DPRK and the US, the termination of the present status of confrontation and armistice and the development of the north-south and the DPRK-US relations on a new basis.

The north side proposed the following point as the components of the non-aggression declaration to be adopted by the north and the south, which envisage the pledge not to attack each other by force of arms and the practical guarantee for its realization.

Firstly, the north and the south shall not resort to the force of arms against the other.

Secondly, the north and south shall seek a peaceful solution of their differences and disputes through dialogue and negotiations.

Thirdly, the north and south shall delineate the demarcation line of non-aggression.

Fourthly, the north and south shall refrain from joining in any foreign invasion and armed intervention against the other side.

Fifthly, the north and south shall confirm arms reduction of the north and south and the withdrawal of the US troops and other basic military measures as the steps to firmly guarantee the non-aggression.

-- At the second round of the north-south high-level talks in October 1990, the DPRK proposed the following draft declaration on non-aggression for adoption as the agreed document, which incorporates only those mutually acceptable points from the respective proposals advanced by the two sides at the first round of the talks and would give even more clarification to the common desire for peace and reunification at home and abroad and reliably guarantee the common starting-point in practical terms.

North-South Declaration on Non-Aggression
(Draft)

The north and the south, being unanimous in their desire to remove the tension on the Korean peninsula avert war and achieve the peace and peaceful reunification of the country, pledging to reaffirm

8-3

0015

and strictly observe the three principles of national reunification --independence, peaceful reunification and the great national unity -- as set out in the July 4 Joint Statement, to recognize and respect each other's ideology and systems and to refrain from interfering in internal affairs of the other side, the north and the south solemnly declare as follows:

1. The north and the south shall in no case resort to force of arms against the other or infringe upon the other by force of arms.

2. The north and the south shall seek peaceful solution of any possible differences and disputes through dialogue and negotiations.

3. The north and the south shall designate the Military Demarcation Line established by the Korean Armistice Agreement dated July 27, 1953 as the demarcation line of non-aggression.

4. In order to firmly guarantee the pledge on non-aggression, the north and the south shall halt their arms race and phase down their respective armed forces.

5. For the present, the north and the south shall install and operate a hot line between the military authorities of the two sides in order to prevent the outbreak and escalation of any accidental armed conflict.

6. This non-aggression declaration can be revised and supplemented under the agreement to be reached by the north and the south.

7. This declaration shall come into force on the day when the north and the south exchange their respective notices through necessary procedures and will remain valid until the country will have been reunified unless one side informs the other of its intention to abrogate the declaration.

The Non-aggression Declaration put forward by the north side, takes into full consideration the principled questions which the two sides and the south side, in particular, presented as the common starting-point and clearly reflects the common will towards peace and the peaceful reunification.

This declaration, as the new regulations on the north-south relations to be adhered to by the north and the south in the process of peace and the peaceful reunification, serves as the basic document which confirms the peaceful north-south relations.

Accordingly, this declaration connotes more practical significance than any other form of agreement merely regulating general principles and directions. Its release will evidently evoke great responses from the peoples at home and abroad.

The north side believed that the south side would have no dissenting opinions with regard to adopting the declaration with its draft as the common basis and as the starting-point, since the declaration reflects the principled issues indicated in the "Basic Agreement for the Improvement of North-South Relations" proposed by the south side and the south side, too, proposed to conclude the "Non-Aggression Agreement" and install a hot line between the military authorities.

ℐ—4

0016

The north side has proposed to cease to abuse and slander the other side in political field, too, which are common in the proposals made by the two sides, in an effort to make the first step of the north and the south more fruitful if the south side so desires.

--At the third north-south high-level talks held in December 1990, the DPRK, taking into consideration the viewpoints of the south side, made another flexible proposal to adopt one document of the north side's draft non-aggression declaration and the south side's draft declaration on reconciliation and cooperation.

The north side proposed to name this document "Declaration on North-South Non-Aggression, Reconciliation and cooperation", whose text should read as follows:

Declaration on North-South Non-Aggression, Reconciliation and Cooperation (Draft)

"Reaffirming the three principles of national reunification--independence, peaceful reunification and great national unity--set out in the July 4 Joint Statement in keeping with the desire of the entire nation for peace and peaceful reunification of the country and seeking to ease the tension, remove the danger of war, promote national reconciliation and unity, and create favourable environment for the reunification of the country, the north and the south solemnly declare as follows:

1. The north and the south shall recognize and respect each other's ideologies and social systems and refrain from interfering in the internal affairs of the other side, settle any differences and disputes between them peacefully through dialogue and negotiations and cease to abuse and slander the other side.

2. The north and the south shall not use arms against the other side under any circumstances, nor shall they infringe upon the other by force of arms,and, in order to guarantee it, shall halt their arms race, build up military confidence in the other side and reduce their armed forces state by stage.

3. The north and the south shall designate the Military Demarcation Line established in the agreement on the Military Armistice in Korea dated July 27, 1953 as the demarcation line of non-aggression and convert the Demilitarized Zone of the Military Demarcation Line into a peace zone.

4. The north and the south shall install and operate a hot line between the military authorities of the two sides in order to prevent the outbreak and escalation of accidental armed conflicts.

5. The north and the south shall ensure free travels and contacts between the personages and other people from all walks of life of both sides.

6. The north and the south shall effect economic cooperation and exchange of goods and share informations on the successes and experiences and co-operate with each other in all sectors of science, technology, education, culture, public health, sports, publication and press, for the common interests and prosperity of the nation.

$\partial - 5$

0017

7. The north and the south shall restore the severed network of transport and communications between the two sides.

8. The north and the south shall discontinue competition and confrontation, promote cooperation between them in the international arena and jointly conduct external activities.

9. The north and the south shall set up sub-committees within the framework of the present talks to discuss measures for the implementation and assurances of this declaration.

10. This declaration shall come into force on the date when the north and the south sign it and exchange its text and it shall remain valid until the reunification of the country, unless one side informs the other of its abrogation.

The "Declaration on North-South Non-Aggression, Reconciliation and Cooperation", both in its title and contents, not only contains fairly the assertions of both sides, but also fully reflects the principled questions and the practical matters which should be solved in removing misunderstanding and mistrust and promoting reconciliation and unity between the north and the south and in achieving peace and the peaceful reunification.

Besides, this proposal did not include the questions like the withdrawal of the US troops and its nuclear weapons, which the south side finds hard to accept, and the north side made clear that it is willing to either add or cross out certain questions in the draft of this Agreement, taking the south side's position into consideration.

3. The South Side's Stand towards Adoption of Non-Aggression Declaration

It was the side side that was the first to propose the adoption of a non-aggression declaration between the north and the south.

The south side advocated the north-south non-aggression as early as in 1974 and the person now in the highest authority of south Korea proposed on several occasions to consult the question of a non-aggression.

In October, 1988, he said in his speech at the session of the UN General Assembly "I propose the agreement on non-aggression or non-use of force and its joint declaration in the context of the establishment of framework for the basic mutual confidence and security."

At the second round of the north-south high level talks the south side also said that the question of non-aggression was what they themselves had already proposed and that it had no dissenting opinions on the contents of the north's proposal except the "procedural matters", and they would examine it "positively" at the third round of the talks.

However, the course of the talks shows that the south Korean authorities object to the adoption of a non-aggression declaration, which is their own idea.

"The proposal for political and military confidence-building" put forward by the south side at the first round of the talks envisages mutual visit and exchanges between the military personal and exchange of and public access to the military information, the installation and operation of a hot line between the military authorities of the two sides, and the like. The "direction for the promotion of disarmament between the north and the south" consisted of five points including the conversion of the offensive structure of armed forces into a "defensive" structure.

Seen above, the south side sidestepped the basic issues, ignoring essential ones such as the non-aggression and putting forward only side issues.

At the second round of the talks, too, the south side stressed the priority of the confidence-building efforts, referring to the removal of the political and military confrontation, but never advanced any new proposal in their regard.

The north side proposed, at the contacts of working-level representatives held three times prior to the third round of the talks, the adoption of the two documents such as the "North-South Non-Aggression Declaration" and the "Declaration on North-South Exchange and Cooperation" by respecting the south side's opinions.

The south side, however, insisted at the third round of the talks on the adoption of the "basic agreement for the improvement of north-south relations" only backing away from their position they had expressed at the second round of the talks.

The "basic agreement" put forward by the south side is a sheer replica of the pact concluded in a European country to legalize the division of a country into two states and aims in essence at the fabrication of "two Koreas" by the recognition of "real entities".

Besides, the south side even said that though a non-aggression declaration might have been adopted, there would be no firm guarantee for its strict adherence and its implementability be in question.

This shows clearly that the south Korean authorities conduct themselves incoherently in order to deny even the remarks of the person in highest authority and dodge the adoption of a non-aggression declaration.

In retrospect, the south Korean authorities said at the preliminary contacts for the north-south parliamentary talks that the question of adopting a non-aggression declaration was the responsibility of the "government", not the parliament and at the second round of the north-south high-level talks, they claimed this matter was out of the Prime Minister's terms of reference relegating it again to the parliament and at the third round of the north-south high-level talks they again relegated it to the yet non-existent junior-level sub-committee of the high-level talks.

$\partial - 7$

0019

8

All these facts cannot be construed but as meaning that the previous calls by the south side for the adoption of a non-aggression declaration are no more than empty words and the "threat of the southward invasion from the north" is just a fiction and that also the south side is not interested in preventing war.

It goes down with nobody that the south side avoids the adoption of a non-aggression declaration while insisting on the priority of the confidence-building process through exchanges and cooperation.

Exchange and cooperation can be successful only when they are carried out on the basis of mutual understanding and trust, national reconciliation and unity. With a knife in the bosom, the talks cannot go in an open-hearted manner and exchanges and cooperation cannot be successful.

This was clearly demonstrated by the previous course of the dialogue, cooperation and exchanges.

Confidence-building process is not a matter to be solved before the adoption of a non-aggression declaration but its adoption constitutes the most solid and reliable confidence-building measure.

The non-aggression declaration, as a document of the highest form for creating confidence, will, if adopted, create a new phase in the north-south relations, activate exchange and cooperation in all fields and establish a reliable foundation for reunification.

It is impossible to talk about confidence-building process while avoiding the adoption of a non-aggression declaration that affirms solemnly at home and abroad that neither side will attack or conquer the other.

If the south side called into question even the views of the north side on the adoption of a non-aggression declaration, there would be nothing, in fact, to be solved between the north and the south.

The south Korean authorities should neither sidestep nor relegate to the background the question of removing the military confrontation in Korea. but unhesitatingly respond to the adoption of a non-aggression declaration.

Ministry of Foreign Affairs

Democratic People's Republic of Korea

Pyongyang, June 1991

0020

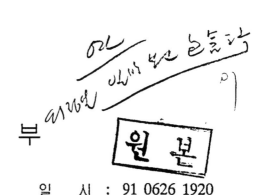

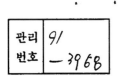

외　　무　　부

종　별　:

번　　호　:　UNW-1662　　　　　　　　　　일　시　:　91 0626 1920

수　　신　:　장 관(국연,정특,기정)

발　　신　:　주 유엔 대사

제　　목　:　북한대사 사무총장 면담

1. 북한대사 박길연은 6.26 16:00 시 약 20 분간 케야르 유엔사무총장을 면담하였는바, 동면담에 배석한 KAVANAGH 총장 보좌관이 오운경 공사에게 알려준 면담요지를 아래보고함.

　가. IAEA 안전협정체결문제

　0. 박은 현안중인 IAEA 와의 핵안전협정체결을 위하여 북한전문가들이 비엔나에 파견될 것이라고 언급함.(상세는 밝히지 않아, 사무총장도 이를 듣기만하였다함.)

　나. 한반도 비핵지대화 문제

　0. 박은 한반도가 비핵지대화 되어야 한다는 종래의 주장을 되풀이 함.

　0. 이에대하여 사무총장은 유엔의 철학도 지상에서 핵을 제거하는 것이므로이러한 취지에서 박의 언급에 유의(TAKE CAREFUE NOTE OF THE REMARKS) 하겠다고 답함.

　다. 남북한 불가침선언 문제

　0. 박은 신뢰구축방안의 일환으로 남북한간 불가침선언의 채택이 시급하다고 주장하며, 이는 노태우 대통령이 88 년 유엔총회연설에서 제안한 것을 수용한것이라고 주장함.

　0. 이에 대하여 사무총장은 나항에서와 같은 취지로 답함.

　라. 북한의 유엔가입시기

　0. 박은 아직 정확한 신청일자는 결정되지 않았으나, 7 월말전에 가입신청서를 안보리에 제출하는 것이 가장 좋을것 같다는 조언을 유엔내 우방으로 부터 듣고있다고 밝히고, 9 월 정기총회 개회첫날 가입되기 바라며, 동서독의 선례에 따라 처리되기를 희망함.

　0. 이에대하여 사무총장은 북한의 유엔가입을 환영하며, 가능한 협조를 아끼지 않겠다고 답함.

국기국	장관	차관	1차보	2차보	외정실	분석관	청와대	안기부

2. KAVANAGH 총장보좌관에 의하면, 박의 금일 태도는 종전에 비하여 매우 부드러웠으며 특히 한반도 비핵지대화 문제와 관련하여서는 종전과 달리 매우 온건한 표현을 사용한것이 대조적이었다고함. 끝.

(대사 노창희-국장)

주유엔 북한대사 유엔사무총장 면담

1991.6.27.
국제연합과

> 6.26(수) 주유엔 북한대사 박길연의 「케야르」유엔사무총장 면담시(20분), 주요 언급내용은 다음과 같음.

o IAEA 와의 협정체결을 위해 북한전문가를 비엔나에 파견할 계획임.

o 한반도가 비핵지대화 되어야 함.

o 한반도 신뢰구축 방안의 일환으로 남북한간 불가침선언 채택이 시급함.
  - 이는 노대통령의 88년 유엔총회 연설시 제안내용을 수용할 것임.

o 7월말전 유엔가입신청서를 제출할 것으로 보며, 동 신청서 처리는 동서독의 선례를 따르게 될 것을 희망함.

양 고 재	91년 6월 29일	담 당	과 장	국 장

0023

외 무 부

종 별 :

번 호 : UNW-1665

일 시 : 91 0627 1700

수 신 : 장 관(국연,해신,정특,기정)

발 신 : 주 유엔 대사

제 목 : 북한 프레스릴리스

　　당지 북한대표부는 6.27 대량의 핵무기가 남한에 배치되어있고 미국에 의한 핵위협이 계속되고 있다는 내용의 6.24 자 북한 반핵 평화위원회명의 발간자료를 프레스릴 리스로 작성, 유엔출입 기자에게 배포한바, 별전 보고함.

　　첨부:동 FAX 4 매: UNW(F)-290

　　끝

　　(대사 노창희-관장)

국기국　　1차보　　외정실　　분석관　　안기부　　공보처

91.06.28　　09:27 WG

외신 1과 통제관

0024

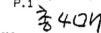

Democratic People's Republic of Korea

PERMANENT OBSERVER MISSION

TO THE UNITED NATIONS

225 E. 86th St., 14th Floor, New York, N. Y. 10028 – Tel. (212) 722-3536

Press Release

No.23
June 26, 1991

INFORMATION OF THE KOREAN ANTI-NUKE PEACE COMMITTEE ON DEPLOYMENT OF NUCLEAR WEAPONS IN SOUTH KOREA AND CONTINUED NUCLEAR THREAT BY U.S. IN ASIA

The Korean Anti-Nuke Peace Committee on June 24 issued an information on the deployment of huge nuclear weapons in south Korea and continued nuclear threat by the United States.

The information in its first part points out that south Korea is a nuclear arsenal of the United States.

It says: The United States has deployed more than 1,000 nuclear weapons of different types in south Korea with an area of less than 100,000 square kilometers.

Ronald Dimlongz, a member of the House of Representatives of the U.S., said the United States has 1,000 nuclear weapons and 54 nuclear-capable planes in south Korea. ("Hapdong" of south Korea, June 3, 1975)

Laroque, Director of the U.S. Defense Information Center, said that a mere glance is enough to see that there are 1,000 tactical nuclear weapons in south Korea. In addition to them, we should take into account emergency transport of nuclear weapons by aircraft carriers and "B-52" strategic bombers from Guam. (Japanese Magazine Gendai, October 1975)

Laroque told a subcommittee of the Atomic Energy Joint Committee of both Houses of U.S. Congress in September 1975 that U.S. nuclear warheads and nuclear shells in south Korea are kept in circular concrete storages. (Washington October 6, 1975 "AP")

The Japanese Magazine Kunji Minron No. 27, 1982 said: Among the weapons in south Korea, nuclear mines are deployed in the area along the Military Demarcation Line. The second engineering battalion of the U.S. second division has a special unit in charge of nuclear mines.

UNW-665
첨부물

4-1

0025

2

Nuclear she ls are deployed in the field artillery and air defence battalions of the U.S. second division, the fourth missile unit and the 38th anti-aircraft artillery brigade, and there are chemical, biological and radioactive warfare training setups in Tongduchon (U.S. Second Division). Chemical biological and radioactive detachments took part in the "Team Spirit 81". The ground-based nuclear weapons are mostly deployed in the area near the Military Demarcation Line and their storage and control facilities are located in Taegu (the 19th Support Unit).

Nuclear bombs are deployed in Kunsan and Osan bases and Kwangju serves as the storage, logistic and control base.

The information says that the United States is shipping latest-type nuclear weapons to south Korea.

Former U.S. Defense Secretary Weinberger told a press conference concerning the deployment of neutron bombs that their deployment in south Korea cannot be excluded. (The south Korean Kyunghyang Shinmun, August 2, 1981)

U.S. military analyst Jack Anderson said that the U.S. Defense Department was producing neutron shells for 8 inch howitzers of the south Korean army and stepping up the plan of producing neutron shells for 155 mm guns for the purpose of effective use of neutron bombs in south Korea. (The south Korean Choong-Ang Ilbo, October 21, 1983)

Joseph Abbado, member of the U.S. House Appropriations Committee, in his speech on the deployment of Pershing missiles in south Korea at a plenary meeting of the House of Representatives on September 30, 1975 said that "we are talking about the transfer of a new missile unit. This missile will shortly be deployed in south Korea, too." (Japanese Jiji Press, Washington October, 1975)

The United States is trying to keep hold on south Korea as its nuclear forward base.

Former U.S. Defense Secretary Weinberger at a press conference after the 16th "south Korea-U.S. annual security council meeting" on May 10, 1984 said that there was no change in the U.S. policy of continuously protecting south Korea with a more modernized nuclear umbrella. (The south Korean Dong-A Ilbo, May 11, 1984)

U.S. Assistant Secretary of State Solomon officially expressed the U.S. stand against the denuclearization of the Korean peninsula on March 6, 1991, saying that "because the demand for the withdrawal of U.S. nuclear weapons in reward for any measure might do harm to the 'nuclear deterrent', we oppose it." (The south Korean Hangyore Shinmun, March 8, 1991)

The information cites data to expose the increasing nuclear threat of the United States. It notes that the United Sates openly announced its intention to use nuclear weapons deployed in south Korea any moment.

4—2

0026

3

Former U.S. Defense Secretary Schlesinger said a nuclear attack would be made on the heart of north Korea in the event of contingency on the Korean peninsula. (Japanese Magazine Kunji Minron, May, 1982)

Weinberger, former U.S. Defense Secretary, said at a TV interview on August 10, 1981, that the areas for the use of neutron bombs cover not only the European region but also the Asian region including Korea. (south Korean newspaper Choson Ilbo, August 11, 1981)

The information notes that the United States transferred the power to use nuclear weapons to local commanders.

Elsberg, a former staffer of the U. S. Defense Department, said in June, 1981, the power to press the button of nuclear weapons was transferred from the U.S. President to army commanders including the Commander of the U.S. Forces in the Pacific and, as a result, many fingers were hanging on the button of nuclear weapons in the Pacific region. (Japanese Mainichi Shimbun, June 9, 1981)

Edward Meyer, former U.S. Army Chief of Staff, said on January 22, 1983, that local field commanders can use nuclear weapons under the command of the U.S. forces Commander in south Korea and that to decide whether nuclear weapons will be used or not in Korea is a less complicated matter than the case of the NATO which must undergo a consultation of 15 countries. (South Korean newspaper Tong-A Ilbo, January 24, 1983)

The information points to the ceaseless nuclear war games of the United States.

The United States annually stages military exercises in south Korea simulating a nuclear war actually against the background of the deployment of nuclear weapons.

An instance of this can be seen in the 'Team Spirit', U.S.-south Korea joint military exercises which have been staged annually in the areas of south Korea from the spring of 1976. The exercises involve 'Midway', a carrier belonging to the Seventh Fleet, F-15, F-16 and F-111 fighter bombers, B-52 strategic bombers and E 4B nuclear warfare commanding planes. (Japanese Magazine Toitsu Hyoron, October, 1982)

The information cites data to prove that the U.S. nuclear weapons deployed in south Korea are the source of menace to peace and security in Korea and the rest of Asia.

Ex-U.S. President Eisenhower said on March 30, 1953: If we are to go over to a more practical action in Korea, we should escalate the war beyond Korea and use an atomic bomb. (Diplomatic document of the U.S. State Department "1953-1954 International Relations of the United States")

The May, 1982, issue of the Japanese Magazine Gendainome, commenting on the nuclear strategy of the United States, wrote that "the United States does not intend to make Europe a

4-3

0027

4

theater of nuclear war but intends to turn Asia, Korea in particular, into a nuclear battlefield at a time when either Japan or China comparatively feels at ease."

The magazine Toitsu Hyoron in its June issue in 1982 said should a nuclear war break out in the world it would do in Korea, above all, and Japan cannot help being involved in the war, whether she likes it or not.

The July 26, 1976, issue of the U.S. paper Christian Science Monitor said in case another war should break out on the Korean peninsula its influence would perhaps spread to a global war involving even nuclear weapons. (South Korean radio Tongyang, July 27, 1976)

The information says: The United States' clamor about the DPRK's non-existent "nuclear facilities" is intended to veil the dangerous nature of its nuclear weapons deployed in south Korea and justify its nuclear policy which is being promoted in Asia with the Korean peninsula as its stronghold.

If the danger of nuclear war is to be removed from the Korean peninsula and peace and security in Asia and the rest of the world be ensured, the United States must withdraw all its nuclear weapons from south Korea without delay.

4-4

0028

<読後破棄>

```
┌─────────────────────────────────┐
│  남북고위급회담 북측 대표단       │
│  대변인 담화                     │
│                                  │
└─────────────────────────────────┘
```

1991. 6. 27. 07:00. 중방

북남고위급회담 북측 대표단 대변인은 남조선 당국이 대화와 통일을 바라는 온 겨레의 염원에 배치되게 분열주의적 책동을 더욱 노골화 하면서 북남고위급회담 앞에 장애를 더 쌓아놓고 있는것과 관련 해서 다음과 같은 담화를 발표했습니다.

" 북남고위급회담 북측 대표단 대변인 담화 "

도발적인 팀스피리트 합동군사연습에 의하여 북남고위급회담이 중단 된지도 벌써 반년이 가까워오고 있다.

우리는 그동안 회담의 조속한 재개를 위하여 남측의 반통일적이며 반대화적인 자세를 바꾸기를 거듭 촉구하고 그들의 긍정적인 태도 표시가 있기를 기대하여 왔다.

그러나 남조선 당국은 오히려 대화와 통일을 바라는 온 겨레의 염원 에 배치되게 분열주의적 책동을 더욱 노골화 하면서 북남고위급회담 앞에 장애를 더 쌓아놓고 있다.

살기어린 공안통치를 펼쳐놓고 참혹한 유혈사태까지 빚어낸 남조선

- 1 -

0029

당국은 최근 방북 애국인사인 고령의 문익환 목사를 8개월만에 다시 수감하였다.

그들은 의로운 반 파쑈민주화투쟁에 나선 청년학생들과 인민들을 터무니 없이 북과연계된 좌익용공세력으로 몰고 있으며 지어는 간첩신고 집중홍보 기간이니 뭐니 하면서 황당한 반공 반북광대놀음까지 벌여놓고 있다.

노 목사의 연행에 겁을 먹은 자들의 분별없는 과대반응이나 비명에 쓰러진 선행 군사파쑈독재자들의 말기증상을 연상케 하는 미친듯한 반공 반북히스테리는 현집권자들이 직면한 위기의 심각성을 보여주는 것이다.

여기에서 우리가 커다란 우려를 가지고 관심을 돌리지 않을수 없는 것은 남조선 당국자들이 정치적 위기와 궁지에서의 출로를 인위적인 반공대결소동에서 찾고 있다는 데 있다.

만일 그들이 집권유지를 위하여 북남관계를 희생시켜야 한다는 입장이라면 남조선 당국의 존재자체가 벌써 통일의 장애로 될수밖에 없는 것이며 나라의 통일과 양립될수 없는 것이다.

오늘 남조선 당국자들이 자기들의 시대착오적인 반공파쑈 반공대결 정책을 통하여 우리에게 보여주고 있는것은 바로 이점이다.

우리는 남조선 당국자들이 스스로 나라의통일과 양립될수 없는존재 임을 드러내보이면서도 감히 대화니 통일이니 하고 떠드는 그 철면

- 2 -

0030

피에 참으로 놀라움과 격분을 금할수 없다.

최근 통일문제와 관련한 남조선 당국의 동향에서 특히 용납될수 없는 것은 독일식 흡수통일에 대한 그들의 환상적태도이다.

보도에의하면 지난 17일 남조선의 최고당국자는 통일관계장관회의라는 것을 열어놓고 통일 독일을 연구하라고 하면서 통일에 철저히 대비하라는 것을 강조하였다고 한다.

이 발언이 무엇을 의미하는가 하는 것은 명백하다.

우리는 이미 제2차 제3차 북남고위급회담에서 남측이 다른 나라의 통일 방식을 모방하려는데 대해서 경고하였으며 특히 그들이 내비치고 있는 흡수통일론에 대하여서도 응당한 경고를 한바도 있다.

그럼에도 불구하고 오늘 남조선의 최고당국자라는 사람이 관계장관회의에서 독일의흡수통일방식을 연구하고 그러한 통일에 대비할것을 공공연히 지시하였다는 사실은 참으로 언어도단이 아닐수 없다.

흡수통일론은 이미 파산된지 오랜 승공통일론의 변종이다.

남조선 당국자들이 오늘날에 와서도 승공통일의 환상에 사로잡혀 우리나라에 맞지도 않는 남의 나라의통일 방식을 본따려하는 것도 문제이지만 현실문제로 되는 것은 상대방을 먹는 방법으로 통일하자는 그들과도 대체 무슨 대화를 하며 과연 무엇을 합의할수 있겠는가

0031

- 3 -

하는 것이다.

흡수통일에 승공통일을 추구하는 것은 상대방과의 대화도 통일을 위한 그 어떤 합의도 배제하는 극히 도발적이며 반민족적인 범죄행위이다.

그럼에도 불구하고 남조선 당국자들이 끝내 이길로 나가려 한다면 그들은 고위급회담이 영영파산되고 통일문제의 길이 지연되는데 대하여 전적인 책임을 지게될 것이다.

우리는 고위급회담을 조속히 재개하고 통일문제해결에서 새로운 국면을 열어놓기 위하여 남조선 당국이 자기의 반통일적 반대화적인 자세를 근본적으로 바로잡을 것을 다시금 강력히 요구한다.

남조선 당국자들이 통일할 의사가 있다면 반공대결정책을 정권유지의 수단으로 이용함으로서 자기 자신을 반통일적 전제로 만드는 것과 같은 자가당착에 빠지지 말아야할것이며 상대방을 없애고 통일하자는 허황한 승공통일 야망을 버리고 누가 누구를 먹거나 누구에게 먹히우지지도 않는 공명정대한 연방제통일의 길에 응해 나서야 한다.

이러한 입장전환은 무엇보다도 반민족적이며 분열주의적인 반공규시와 국가보안법을 철폐하고 모든 방북인사들 우리와 해외에서 만나

- 4 -

0032

통일 논의를 한사람들 모든 애국적 통일민주인사들을 석방하는 데서 표시 되어야할 것이다.

이와함께 남조선 당국은 팀스피리트 합동군사연습을 중지하고 북남 불가침 선언을 채택하는 데 더는 주저하지 말아야할 것이다.

이러한 태도 표명이 없이는 아무리 남조선 당국자들이 대화와통일 에 대하여 떠든다 하여도 그 진실성을 믿을 사람은 아무도 없을 것 이며 오히려 온 겨레는 그들의 표리부동한 언행에 침을 배을 것이다.

이제 북남대화가 빨리 열리는가 못열리는가하는 것은 전적으로 남조 선 당국의 태도 여하에 달려있다.

우리는 온 겨레와 함께 남조선 당국의 태도를 계속 인내성 있게 지켜볼 것이다.

1991년 2월 26일 평양

통일원 대변인 논평

(1991. 6. 27)

북한은 6월 26일 남북고위급회담 북한측 대표단 대변인의 담화를 통해 남북고위급회담의 재개에 부정적인 입장을 밝혔다.

지난 4월 8일 우리측이 전화통지문을 통해 제4차 남북고위급회담의 재개를 촉구한데 대해 아무런 회답조차 보내오지 않은 북한이 이제와서 돌연 이같은 반응을 보인 것은 온 겨레의 여망과 기대를 저버린 처사로서 심히 유감스럽다고 하지 않을 수 없다.

북한측은 담화에서 대화중단의 책임을 우리측에 전가하면서 남북고위급회담의 재개 조건으로 또다시 ① 반공국시·국가보안법 철폐 ② 불법방북자 석방 ③ 팀스피리트 합동군사 훈련 중지 ▇▇▇▇▇▇▇▇▇ 등을 들고 나왔다.

더구나 북한측은 마치 우리측이 『흡수통일』을 기도하고 있는양 운운하면서, 우리정부의 존재자체가 '통일의 장애'니 '통일과 양립될 수 없다'느니 하는 등 터무니 없는 비방을 하기까지 했다.

남북고위급회담은 처음부터 그 개최에 조건이 없었던 것과 마찬가지로 어떠한 조건도 회담중단의 구실이 될 수 없다는 것이 우리측의 확고한 입장이다.

- 1 -

0034

회담의 재개를 위한 장애물은 북한측이 말하듯 우리의 대화자세에 있는 것이 아니라 아직도 대화상대방을 타도의 대상으로 삼고 있는 그들의 적대적 자세에 있다.

지금은 남과 북이 화해와 협력의 새로운 국제질서를 주도적으로 수용하는 한편, 이땅에 대결과 불신의 관계를 청산하고 함께 번영하며 평화통일에 이르는 길이 무엇인지를 진지하게 논의해야 할 때이다.

그러기 위해서는 평양에서 개최하기로 합의되어 있는 제4차 남북고위급회담을 조속히 개최하여 남북관계 개선의 기본틀을 마련하고 평화공존체제를 구축할 방안을 모색해야 할 것이다.

또한 남과 북은 함께 유엔에 가입하는 것을 계기로 서로 돕고 ████████████████ 민족공동의 이익을 넓히는 등 한반도에 평화와 통일의 새시대를 열어갈 주당사자로서의 책임과 의무를 다해야 한다.

우리는 『7.7 특별선언』과 『한민족공동체·통일방안』 등에서 누차 밝혀온 바와 같이 남과 북이 서로를 존중하고 상호교류와 협력을 통해 공존공영 관계를 도모하면서 통일의 기반을 조성해 나가자는 일관된 입장을 견지해 오고 있다.

북한측도 유엔가입을 결정하여 이제 국제사회의 책임있는 일원이 될 것을 약속한 만큼 남북관계 면에서도 현실인정의 겸허한 자세로 민족의 화해와 협력을 위한 노력에 동참해 나와야 할 것이다.

- 2 -

0035

북한측은 더이상 적대적 자세를 지양하고 남북의 책임있는 쌍방 당국간 대화에 지체없이 호응해 나옴으로써 남북관계를 정상화하고 7천만 온 겨레의 공동번영을 추구하는데 성의를 보여야 할 것이다.

우리는 앞으로도 남북고위급회담의 조속한 재개를 위해 최선을 다하고자 하며, 북한측이 하루속히 이에 상응한 태도를 취할 것을 강력히 촉구하는 바이다.

- 3 -

0036

통일원 대변인 논평

(1991.6.27)

남북고위급회담은 처음부터 그 개최에 조건이 없었던 것과 마찬가지로 어떠한 조건도 회담중단의 구실이 될 수 없다는 것이 우리측의 확고한 입장이다.

회담의 재개를 위한 장애물은 북한측이 말하듯 우리의 대화자세에 있는 것이 아니라 아직도 대화상대방을 타도의 대상으로 삼고 있는 그들의 적대적 자세에 있다.

지금은 남과 북이 화해와 협력의 새로운 국제질서를 주도적으로 수용하는 한편, 이땅에 대결과 불신의 관계를 청산하고 함께 번영하며 평화통일에 이르는 길이 무엇인지를 진지하게 논의해야 할 때이다.

그러기 위해서는 평양에서 개최하기로 합의되어 있는 제4차 남북고위급회담을 조속히 개최하여 남북관계 개선의 기본틀을 마련하고 평화공존체제를 구축할 방안을 모색해야 할 것이다.

또한 남과 북은 함께 유엔에 가입하는 것을 계기로 서로 돕고 ▆▆▆▆▆▆▆▆▆▆▆ 민족공동의 이익을 넓히는 등 한반도에 평화와 통일의 새시대를 열어갈 주당사자로서의 책임과 의무를 다해야 한다.

우리는 『7.7 특별선언』과 『한민족공동체·통일방안』 등에서 누차 밝혀온 바와 같이 남과 북이 서로를 존중하고 상호교류와 협력을 통해 공존공영 관계를 도모하면서 통일의 기반을 조성해 나가자는 일관된 입장을 견지해 오고 있다.

0037

북한측도 유엔가입을 결정하여 이제 국제사회의 책
임있는 일원이 될 것을 약속한 만큼 남북관계 면에서
도 현실인정의 겸허한 자세로 민족의 화해와 협력을
위한 노력에 동참해 나와야 할 것이다.

　　북한측은 더이상 적대적 자세를 지양하고 남북의 책
임있는 쌍방 당국간 대화에 지체없이 호응해 나옴으로
써 남북관계를 정상화하고 7천만 온 겨레의 공동번영을
추구하는데 성의를 보여야 할 것이다.

　　우리는 앞으로도 남북고위급회담의 조속한 재개를
위해 최선을 다하고자 하며, 북한측이 하루속히 이에
상응한 태도를 취할 것을 강력히 촉구하는 바이다.

0038

주 국 련 대 표 부

주국련(공)35260- **520**   1991. 6. 27.

수신 장 관

참조 해외공보관장, 국제기구조약국장, 외교정책기획실장

제목 북한 프래스릴리스 송부

   1. UNW - 1650 및 1685의 관련입니다.

   2. 연호 보고한 북한대표부 프래스릴리스를 별첨과 같이
송부합니다.

   첨 부 : 동자료 2종 각 1부. 끝.

선 결			주 국 련 결 재 (공람)	국 련 대 사		
접수일시	1991. 7. 1.	편 호		.		
처리과	36555					

0039

Democratic People's Republic of Korea

PERMANENT OBSERVER MISSION

TO THE UNITED NATIONS

225 E. 86th St., 14th Floor, New York, N. Y. 10028 – Tel. (212) 722–3536

Press Release

No.22
June 25, 1991

NON-AGGRESSION DECLARATION SHOULD BE ADOPTED
AS EARLY AS POSSIBLE BETWEEN THE NORTH AND SOUTH OF KOREA

1. The adoption of the non-aggression declaration between the north and the south of Korea is the starting point in confidence-building process between the north and the south and the urgent requirement of the prevailing situation.

2. The contents of the proposal of the Government of the Democratic People's Republic of Korea for the adoption of the non-aggression declaration.

3. The south side's stand towards adoption of non-aggression declaration.

1. The adoption of the non-aggression declaration between the north and south of Korea is the starting point in confidence-building process between the north and the south and the urgent requirement of the prevailing situation

The adoption of the non-aggression declaration between the north and the south of Korea is the starting point in removing the mistrust and confrontation between the north and the south and opening a new phase for peace and peaceful reunification.

The urgent priority in realizing the cause of Korea's reunification is to reduce the tension on the Korean peninsula, remove the military confrontation and create a peaceful climate for the reunification.

At present massive armed forces stand in sharp confrontation against one another along the Military Demarcation Line on the Korean peninsula.

According to official statistics, south Korean armed forces are composed of one million servicemen, over 1,300 tanks, 8,800 artillery, over 450 military aircrafts, and other up-to-date military hardware, which are continually replaced and reinforced with the latest ones.

0040

Particularly, nearly 50,000 US troops are constantly present and 130 US military bases and installations and over 1,000 US nuclear weapons have been deployed in south Korea.

The density of nuclear weapons deployed in south Korea is four times that of the NATO area, with one nuclear weapon in every 100 square kilometres.

Such an acute military confrontation on the Korean peninsula creates a constant tension that may lead to the outbreak of an armed conflict or nuclear war due to any trifling accidental factor, and this is the rootcause spawning misunderstanding and mistrust between the north and south.

The process of the previous dialogue between the north and the south of Korea shows that without removing the rootcause of such tensions it is impossible to achieve peace and reunification through dialogue and negotiations.

The Government of the Democratic People's Republic of Korea has advanced detailed proposals on over 200 occasions to the United States and the south Korean side and initiated a serious of measures to remove the military confrontation, relax the tension on the Korean peninsula and create a peaceful climate for the reunification of the country.

In recent years alone, the Democratic People's Republic of Korea diverted 150,000 servicemen of the People's Army to the peaceful economic construction projects in 1987 and unilaterally reduced the armed forces by 100,000 in the same year.

In 1984 and again 1988 the north side of Korea put forth package proposals for disarmament which envisaged the adoption of the non-aggression declaration between the north and south, the conclusion of a peace agreement between the DPRK and the US, the drastic reduction of the armed forces of the north and the south and the phased withdrawal of the US troops and nuclear weapons from south Korea.

At the north-south high level talks the north made important proposals including non-aggression issue and other matters to remove practically the military confrontation.

However, these realistic proposals have failed to receive any positive response from the US and the south Korean side.

Sidetracking all these peace-loving efforts and overtures of the DPRK, the United States and the south Korean authorities have increased arms reinforcements in south Korea and annually conducted the "Team Spirit" joint military exercises and other large scale war exercises under various pretexts.

In view of the nature and implication of these war exercises, there is no guarantee that these war manoeuvres will not switch over to a real war.

All these developments urgently call for the adoption of the non-aggression declaration which would decisively militate in favor of the removal of the military confrontation, detente and confidence-building process in order to avert the danger of nuclear war, secure a durable peace on the Korean peninsula and solve the question of Korea's reunification through dialogue and negotiations.

0041

2. The contents of the proposal of the Government of the Democratic People's Republic of Korea for the adoption of the non-aggression declaration.

The Government of the DPRK has put forth the concrete proposals concerning the adoption of the non-aggression declaration at the north-south high-level talks and made persevering efforts for their materialization.

-- At the first round of the north-south high-level talks in September, 1990, the DPRK advanced the proposal on removing the political and military confrontation and reiterated its proposal on adopting the non-aggression declaration under which the north and the south should pledge not to attack the other.

It also proposed the conclusion of a peace agreement between the DPRK and the US, the termination of the present status of confrontation and armistice and the development of the north-south and the DPRK-US relations on a new basis.

The north side proposed the following point as the components of the non-aggression declaration to be adopted by the north and the south, which envisage the pledge not to attack each other by force of arms and the practical guarantee for its realization.

Firstly, the north and the south shall not resort to the force of arms against the other.

Secondly, the north and south shall seek a peaceful solution of their differences and disputes through dialogue and negotiations.

Thirdly, the north and south shall delineate the demarcation line of non-aggression.

Fourthly, the north and south shall refrain from joining in any foreign invasion and armed intervention against the other side.

Fifthly, the north and south shall confirm arms reduction of the north and south and the withdrawal of the US troops and other basic military measures as the steps to firmly guarantee the non-aggression.

-- At the second round of the north-south high-level talks in October 1990, the DPRK proposed the following draft declaration on non-aggression for adoption as the agreed document, which incorporates only those mutually acceptable points from the respective proposals advanced by the two sides at the first round of the talks and would give even more clarification to the common desire for peace and reunification at home and abroad and reliably guarantee the common starting-point in practical terms.

North-South Declaration on Non-Aggression
(Draft)

The north and the south, being unanimous in their desire to remove the tension on the Korean peninsula avert war and achieve the peace and peaceful reunification of the country, pledging to reaffirm

0042

and strictly observe the three principles of national reunification --independence, peaceful reunification and the great national unity -- as set out in the July 4 Joint Statement, to recognize and respect each other's ideology and systems and to refrain from interfering in internal affairs of the other side, the north and the south solemnly declare as follows:

1. The north and the south shall in no case resort to force of arms against the other or infringe upon the other by force of arms.

2. The north and the south shall seek peaceful solution of any possible differences and disputes through dialogue and negotiations.

3. The north and the south shall designate the Military Demarcation Line established by the Korean Armistice Agreement dated July 27, 1953 as the demarcation line of non-aggression.

4. In order to firmly guarantee the pledge on non-aggression, the north and the south shall halt their arms race and phase down their respective armed forces.

5. For the present, the north and the south shall install and operate a hot line between the military authorities of the two sides in order to prevent the outbreak and escalation of any accidental armed conflict.

6. This non-aggression declaration can be revised and supplemented under the agreement to be reached by the north and the south .

7. This declaration shall come into force on the day when the north and the south exchange their respective notices through necessary procedures and will remain valid until the country will have been reunified unless one side informs the other of its intention to abrogate the declaration.

The Non-aggression Declaration put forward by the north side, takes into full consideration the principled questions which the two sides and the south side, in particular, presented as the common starting-point and clearly reflects the common will towards peace and the peaceful reunification.

This declaration, as the new regulations on the north-south relations to be adhered to by the north and the south in the process of peace and the peaceful reunification, serves as the basic document which confirms the peaceful north-south relations.

Accordingly, this declaration connotes more practical significance than any other form of agreement merely regulating general principles and directions. Its release will evidently evoke great responses from the peoples at home and abroad.

The north side believed that the south side would have no dissenting opinions with regard to adopting the declaration with its draft as the common basis and as the starting-point, since the declaration reflects the principled issues indicated in the "Basic Agreement for the Improvement of North-South Relations" proposed by the south side and the south side, too, proposed to conclude the "Non-Aggression Agreement" and install a hot line between the military authorities.

0043

The north side has proposed to cease to abuse and slander the other side in political field, too, which are common in the proposals made by the two sides, in an effort to make the first step of the north and the south more fruitful if the south side so desires.

--At the third north-south high-level talks held in December 1990, the DPRK, taking into consideration the viewpoints of the south side, made another flexible proposal to adopt one document of the north side's draft non-aggression declaration and the south side's draft declaration on reconciliation and cooperation.

The north side proposed to name this document "Declaration on North-South Non-Aggression, Reconciliation and cooperation", whose text should read as follows:

<u>Declaration on North-South Non-Aggression,
Reconciliation and Cooperation
(Draft)</u>

"Reaffirming the three principles of national reunification--independence, peaceful reunification and great national unity--set out in the July 4 Joint Statement in keeping with the desire of the entire nation for peace and peaceful reunification of the country and seeking to ease the tension, remove the danger of war, promote national reconciliation and unity, and create favourable environment for the reunification of the country, the north and the south solemnly declare as follows:

1. The north and the south shall recognize and respect each other's ideologies and social systems and refrain from interfering in the internal affairs of the other side, settle any differences and disputes between them peacefully through dialogue and negotiations and cease to abuse and slander the other side.

2. The north and the south shall not use arms against the other side under any circumstances, nor shall they infringe upon the other by force of arms,and, in order to guarantee it, shall halt their arms race, build up military confidence in the other side and reduce their armed forces state by stage.

3. The north and the south shall designate the Military Demarcation Line established in the agreement on the Military Armistice in Korea dated July 27, 1953 as the demarcation line of non-aggression and convert the Demilitarized Zone of the Military Demarcation Line into a peace zone.

4. The north and the south shall install and operate a hot line between the military authorities of the two sides in order to prevent the outbreak and escalation of accidental armed conflicts.

5. The north and the south shall ensure free travels and contacts between the personages and other people from all walks of life of both sides.

6. The north and the south shall effect economic cooperation and exchange of goods and share informations on the successes and experiences and co-operate with each other in all sectors of science, technology, education, culture, public health, sports, publication and press, for the common interests and prosperity of the nation.

0044

7. The north and the south shall restore the severed network of transport and communications between the two sides.

8. The north and the south shall discontinue competition and confrontation, promote cooperation between them in the international arena and jointly conduct external activities.

9. The north and the south shall set up sub-committees within the framework of the present talks to discuss measures for the implementation and assurances of this declaration.

10. This declaration shall come into force on the date when the north and the south sign it and exchange its text and it shall remain valid until the reunification of the country, unless one side informs the other of its abrogation.

The "Declaration on North-South Non-Aggression, Reconciliation and Cooperation", both in its title and contents, not only contains fairly the assertions of both sides, but also fully reflects the principled questions and the practical matters which should be solved in removing misunderstanding and mistrust and promoting reconciliation and unity between the north and the south and in achieving peace and the peaceful reunification.

Besides, this proposal did not include the questions like the withdrawal of the US troops and its nuclear weapons, which the south side finds hard to accept, and the north side made clear that it is willing to either add or cross out certain questions in the draft of this Agreement, taking the south side's position into consideration.

3. The South Side's Stand towards Adoption of Non-Aggression Declaration

"It was the side side that was the first to propose the adoption of a non-aggression declaration between the north and the south.

The south side advocated the north-south non-aggression as early as in 1974 and the person now in the highest authority of south Korea proposed on several occasions to consult the question of a non-aggression.

In October, 1988, he said in his speech at the session of the UN General Assembly "I propose the agreement on non-aggression or non-use of force and its joint declaration in the context of the establishment of framework for the basic mutual confidence and security."

At the second round of the north-south high level talks the south side also said that the question of non-aggression was what they themselves had already proposed and that it had no dissenting opinions on the contents of the north's proposal except the "procedural matters", and they would examine it "positively" at the third round of the talks.

0045

However, the course of the talks shows that the south Korean authorities object to the adoption of a non-aggression declaration, which is their own idea.

"The proposal for political and military confidence-building" put forward by the south side at the first round of the talks envisages mutual visit and exchanges between the military personal and exchange of and public access to the military information, the installation and operation of a hot line between the military authorities of the two sides, and the like. The "direction for the promotion of disarmament between the north and the south" consisted of five points including the conversion of the offensive structure of armed forces into a "defensive" structure.

Seen above, the south side sidestepped the basic issues, ignoring essential ones such as the non-aggression and putting forward only side issues.

At the second round of the talks, too, the south side stressed the priority of the confidence-building efforts, referring to the removal of the political and military confrontation, but never advanced any new proposal in their regard.

The north side proposed, at the contacts of working-level representatives held three times prior to the third round of the talks, the adoption of the two documents such as the "North-South Non-Aggression Declaration" and the "Declaration on North-South Exchange and Cooperation" by respecting the south side's opinions.

The south side, however, insisted at the third round of the talks on the adoption of the "basic agreement for the improvement of north-south relations" only backing away from their position they had expressed at the second round of the talks.

The "basic agreement" put forward by the south side is a sheer replica of the pact concluded in a European country to legalize the division of a country into two states and aims in essence at the fabrication of "two Koreas" by the recognition of "real entities".

Besides, the south side even said that though a non-aggression declaration might have been adopted, there would be no firm guarantee for its strict adherence and its implementability be in question.

This shows clearly that the south Korean authorities conduct themselves incoherently in order to deny even the remarks of the person in highest authority and dodge the adoption of a non-aggression declaration.

In retrospect, the south Korean authorities said at the preliminary contacts for the north-south parliamentary talks that the question of adopting a non-aggression declaration was the responsibility of the "government", not the parliament and at the second round of the north-south high-level talks, they claimed this matter was out of the Prime Minister's terms of reference relegating it again to the parliament and at the third round of the north-south high-level talks they again relegated it to the yet non-existent junior-level sub-committee of the high-level talks.

0046

All these facts cannot be construed but as meaning that the previous calls by the south side for the adoption of a non-aggression declaration are no more than empty words and the "threat of the southward invasion from the north" is just a fiction and that also the south side is not interested in preventing war.

It goes down with nobody that the south side avoids the adoption of a non-aggression declaration while insisting on the priority of the confidence-building process through exchanges and cooperation.

Exchange and cooperation can be successful only when they are carried out on the basis of mutual understanding and trust, national reconciliation and unity. With a knife in the bosom, the talks cannot go in an open-hearted manner and exchanges and cooperation cannot be successful.

This was clearly demonstrated by the previous course of the dialogue, cooperation and exchanges.

Confidence-building process is not a matter to be solved before the adoption of a non-aggression declaration but its adoption constitutes the most solid and reliable confidence-building measure.

The non-aggression declaration, as a document of the highest form for creating confidence, will, if adopted, create a new phase in the north-south relations, activate exchange and cooperation in all fields and establish a reliable foundation for reunification.

It is impossible to talk about confidence-building process while avoiding the adoption of a non-aggression declaration that affirms solemnly at home and abroad that neither side will attack or conquer the other.

If the south side called into question even the views of the north side on the adoption of a non-aggression declaration, there would be nothing, in fact, to be solved between the north and the south.

The south Korean authorities should neither sidestep nor relegate to the background the question of removing the military confrontation in Korea, but unhesitatingly respond to the adoption of a non-aggression declaration.

Ministry of Foreign Affairs

Democratic People's Republic of Korea

Pyongyang, June 1991

南北 유엔대사 잇달아 거부
北韓 독자가입 신청추진

서방 국가들에·로비활동 강화

【뉴욕=朴○○특파원】 유엔 주재北韓대표부가 유엔가입 동시신청을위한 유엔 南北 대사회담을 거부, 결국 南 北韓은 독자적으로 유엔 임신청을 할것으로 보인다.

朴昌○유엔 韓國대사는 26일 南北韓의 유엔가입 동시신청을 위한 韓國의 제의를 위한 韓國의 제의에 대해 北韓이 그럴필요가 없다고 있다고 말해 北韓의 거부통보사실 을 확인했다.

반면 北韓은 최근 유엔 사무국과 中國·蘇聯·루바 는 물론 四方국가·南韓등 이간은 우려때문에 北韓 이 유엔에 대항해 싸우점 과 유엔이 北韓을 침략자 로 규정한 사실이 장애가 될까 염려하고 있는것으 도 알려졌다.

강요하고 있는것으로 알려 해줄 것을 요청하고 있는 졌다.

유엔소식통들은 北韓의 이 같은 움직임은 北韓체제 를 이유로 韓國이 北韓과 의 유엔가입에 거부권을 행사하지 않을까하는 우려 임을 반영한 것으로 풀이하고 있다.

北韓은 또 韓國전쟁때 北 韓이 유엔에 대항해 싸운점 것으로 전해지고 있다.

이에따라 南北韓은 각기 독자적으로 유엔가입신청을 할것이며 유엔은 단 일결의안으로 南北韓의 가 입을 승인할 것으로 보인 다.

화하면서 北韓의 독자적 유 엔가입을 위해 로비 활동을 강화한 韓國대표 들에게 中國등 일부 유엔대표 임신청을 하며라도 안보리 가 단일 결의안으로 처리

長 官 報 告 事 項

報 告 畢

1991. 6. 28.
國際機構條約局
國際聯合課 (40)

題 目 : 不可侵宣言에 관한 北側 報道資料

北韓은 유엔駐在 代表部를 통해 6.26. 南北韓間 不可侵宣言이 早速
採擇되어야 한다는 內容의 外交部 名義 報道資料를 유엔 出入記者에게
配布한 바, 關聯事項을 아래 報告합니다.

1. 報道資料 主要要旨

o 不可侵宣言 採擇이 南北韓間 信賴構築의 出發點이며, 現狀況下에서
   同 宣言 採擇이 時急히 要請됨.

o 北韓側이 提案한 不可侵宣言 內容 상술

o 同 提案에 대한 我側의 立場을 非難 說明   (8 따의 눈비)

2. 評 價

o 北側은 今番 報道資料 配布를 통하여 그들의 不可侵宣言 提議背景 및
   立場에 대해 比較的 詳細하고 論理的으로 記述하고 있는 바, 이는
   不可侵宣言 採擇에 대한 그들의 立場 強化를 기도하고, 同 宣言 採擇의
   時急性을 強調하려는데 있음.

0049

o 駐유엔 北韓大使는 6.26.「케야르」 유엔事務總長을 面談하고, 韓半島 非核地帶化, 不可侵宣言 採擇主張等 從來 主張을 되풀이한 바, 이는 北韓의 유엔加入後 活動도 염두에 둔 사전 움직임으로 보임.

o 또한 北韓은 對南次元에서 6.27. 高位級會談 北側代辯人 聲明을 發表, 不可侵宣言 採擇, 拘束者釋放, 保安法 廢止等 高位級會談 再開를 위한 旣存의 前提條件을 되풀이 主張하였음.

o 上記 北側 行動이 거의 同時期에 이루어진 점을 감안할때, 이는 그간 유엔加入問題에 관한 態度變化로 對南, 對外關係에서 消極的인 態度를 보일 수 밖에 없었으나, 이제는 南北韓 關係에 있어서나, 유엔에서의 韓半島關聯 問題에 대하여 보다 積極的인 (攻勢的인) 立場을 취해 보겠다는 뜻으로 分析됨.

3. 對 策

o 關係部處(統一院)에서 高位級會談 北側代辯人 談話發表 對應問題와 함께, 上記 不可侵宣言關聯 報道資料의 유엔內 配布에 관한 對應方案을 檢討中인 바, 同 方案이 確定되는대로 유엔次元에서의 活用方案 (報道資料 配布等)을 樹立.施行코자함.

- 끝 -

외 무 부

관리 91
번호 -3996

종   별 :

번   호 : UNW-1673   일   시 : 91 0628 1120

수   신 : 장관(국연,해신,정특,기정)

발   신 : 주 유엔 대사

제   목 : 통일원 대변인 논평

대:WUN-1798

1. 북한대표부는 지난 5.28 유엔가입결정 발표후 김일성 KYODO 통신회견, 핵사찰관련 북한 20 개정당, 사회단체 연합성명, 외교부 명의 불가침선언 채택주장 및 북한 반핵평화위원회의 핵위협주장내용등 4 회 보도자료를 배포했으며 향후에도 IAEA 와의 핵안전 협정교섭 과정에서 핵철수등을 주장하는 내용의 프레스릴리스 배포가 예상되고 있음.

2. 이러한 북한보도자료는 유엔과 관련있는 현안문제이거나 뉴스의 관심대상이 아니기때문에 유엔주재 외신기자들뿐만아니라 유엔사무국 및 각국대표부등 유엔외교과와 현지 미국인등에게도 관심을 끌지 못하고 있는실정임.

다만 일부 한국사정에 정통치못한 제 3 세계 외교관들이 동자료를 접했을경우 이들이 다소 현혹될 우려는 없지 않으나 그보다는 오히려 북한의 변함없는 비타협적이고 대결적인 대남및 대미 적대의식을 재확인해주는 면이 크다고 보임.

3. 그러므로 북한보도자료 배포시마다 그내용관련 일일히 반박하거나 대응하는 것은 남북한간 소모적인 선전전에 아측도 똑같이 급급하다는 인상을주고 북측의주장에 불필요한 주의를 환기시키는 역효과가 있을뿐아니라 남북한 유엔동시가입 추진 분위기나 앞으로 유엔에서의 남북한관계등 중장기적 관점에서도 도움이되지않을것으로 판단됨.

4. 따라서 아측은 북한보도자료에 대한 직접대응 차원에서가 아니라 적절한홍보계기 조성시 주요현안문제에 대한 우리입장을 객관적이고 설득력있게 홍보해 나가는것이 바람직하다고 사료됨. 끝

(대사 노창희-차관)

19
의기 엔공전 91 12 31 일반

검토필(1)91. 6. 30.)

국기국   장관   차관   1차보   2차보   미주국   외정실   분석관   안기부
공보처

분류번호	보존기간

발 신 전 보

WUN-1798　　910628 1524 ED

번　　　호 :　　　　　　　　　　　　　　　　종별: *213*

수　　신 :　주　　　유엔　　　대사. ~~총영사~~

　　　　　　　　　　　(국연)

발　　신 :　장　관

제　　목 :　통일원 대변인 논평

연 : AM-0138

대 : UNW-1650(1), 1665(2) ─ P/R. (축난이하목기빠제)

1. 연호 고위급 회담 북측 대변인성명 및 대호(1) 귀지 북한대표부
　배포 보도자료 내용등을 감안, 통일원은 6.27. 대변인 논평을
　발표함.

2. 상기관련 본부는 통일원 대변인 논평을 귀관명의 Press Release로
　우선 배포하는 것이 좋을 것으로 보는 바, 이에 관한 귀견 및
　최근 북한의 유엔내 보도자료 배포등 동향관련 대응방안에 관한
　귀견 지급 보고바람.

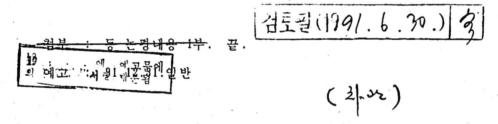

검토필(1991. 6. 30.)

첨부 : 동 논평내용 1부. 끝.

(외.2.)

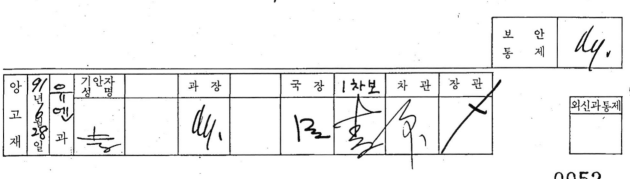

		기안자 성명		과 장		국 장	1차보	차 관	장 관	
앙고재	91년 6월 28일 유엔과									보안통제
										외신과통제

0052

```
관리 91
번호 -3994
```

외   무   부

원 본 √

```
종   별 :
번   호 : NDW-1046
수   신 : 장관(국연,아서)
발   신 : 주 인도 대사
제   목 : 유엔가입 절차
```

일   시 : 91 0628 1850

본직이 금 6.28 주재국 외무부 SREENIVASAN 유엔및 국제기구담당 국장과 면담기회에, 표기관련 동국장 발언요지 아래 참고로 보고함.

1. 주재국인 유엔안보리 이사국임에 비추어 유엔에서 북한측은 인도측에게 남북한의 가입과 관련 별개의 결의안으로 처리할 경우 북한의 가입에 대하여 혹시 장애가 발생할지도 모른다는 것과 총회에서 표결시 각국의 연설과정에서 남북한간 지지도의 차이가 확고히 드러날 것이 예상되며(이경우 북한 열세) 그러면 북한으로 보아 보기가 좋지 않다는등 이유로 한개의 결의안을 선호한다는 내용을교섭해 온 것으로 보고 받고 있으며 북한측은 두개의 독일이 유엔가입시 한개의결의안을 채택되었다는 점등을 예로 들었음. 상기 북한측의 교섭에 대해 인도측은 그와같은 절차문제에 관하여는 남북한간에 우선 협의하여 좋은 방안에 합의해 보라는 입장을 표명함.

2. 유엔가입을 위해 원래 가입희망국은 회원국에 대한 가입희망 표시 내지 지지교섭이 있어야 하는바, 한국측은 그간 가입을 위하여 많은 국가들을 상대로 적극적으로 가입교섭을 해온 것에 비해 북한측은 가입에 부정적인 입장을 취하여온 것이므로 가입하겠다는 입장으로 바꿨으면 그에 알맞는 가입 지지교섭이 각국에 대하여 있어야 할 것임.

(대사 김태지-국장)

```
19    예고:91. 12. 31. 일반     검토필(1991. 6. 30.)
```

국기국	장관	차관	1차보	2차보	아주국	청와대	안기부

관리
번호 91
－4016

외 무 부

종   별 :

번   호 : UNW-1686   일   시 : 91 0701 1740

수   신 : 장 관 (국연,해신,정특,기정)

발   신 : 주 유엔 대사

제   목 : 북한 허종 미언론 접촉

1. 유엔주재 FAR EASTERN ECONOMIC REVIEW 및 CHRISTIAN SCIENCE MONITOR 특파원 TED MORELLO 는 북한대표부 차석대사 허종 요청으로 6.27. 오전 NEW YORKTIMES 유엔지국장 PAUL LEWIS 와 함께 북한대표부에서 면담한 사실이 있다고 7.1. 공보관에게 알려왔음.

2. 동 면담에서 허종은 주로 북한의 유엔가입 결정과 IAEA 의 핵안전협정 체결문제 및 불가침선언 채택등 이미 알려진 종전주장을 되풀이 설명했다하며 유엔가입 신청시기등 질문에 대해서 안보리와 협의 상호 편리한 시기에 제출할것 이라고 답했다함. 동인에 의하면 허종은 유엔가입문제 보다는 대미관계 개선에 더 중점을 두어 설명하는듯한 인상을 받았다면서 허종 설명내용에 특별히 새로운것이 없어 기사화하지 않았다고 부언했음.

3. 북한대표부가 최근 한시해 당지방문시 NYT 등 일부 미언론과 유엔에서 접촉한 사실은 있으나 유엔주재 미언론인을 북한대표부로 직접 초청한것은 이례적인 일인바 향후에도 대미관계 개선 여론조성을 위해 미국 언론접촉을 강화해 나갈것으로 예상, 관련동향 추보할것임.끝.

(대사 노창회-관장)

예고:91.12.31. 일반

배포필(?)91. 6. 30. 조

국기국 공보처	장관	차관	1차보	2차보	외정실	분석관	청와대	안기부

PAGE 1

91.07.02   07:21
외신 2과 통제관 BS
0054

공   란

공   란

공 란

공　　　　　　란

공   란

공 란

공 란

외 무 부

종 별 :

번 호 : UNW-1725

일 시 : 91 0703 1920

수 신 : 장 관(국연,기정)

발 신 : 주 유엔 대사

제 목 : 북한대사의 안보리 의장 면담

　　1. 7.3.(수) 안보리 NORMA CHAN 담당관은 당관 윤참사관에게 전화, 박길연 북한대사가 금일 12:00 안보리의장을 방문, 면담하였음을 우선 알려오면서 면담내용이 추후 파악되는대로 당관에 알려주기로 함.

　　2. 동 담당관은 또한 금일 오후 북한대표부 직원이 안보리 사무국 관계관을방문, 가입신청 절차 관련 문제를 협의한것으로 안다고 하면서 이에관해서도 다시 연락하기로 함. 끝

　　(대사 노창희-국장)

예고:91.12.31교

검토필(1991. 6. 30.)

국기국	장관	차관	1차보	2차보	분석관	청와대	안기부

PAGE 1

91.07.04　08:57

외신 2과 통제관 BS

0062

496　남북한 유엔 가입 북한 유엔 가입 신청 및 대응 2

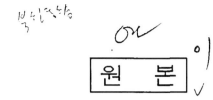

외　무　부

관리 번호	91 ㅡ404

종　별 :

번　호 : UNW-1726　　　　　　　　　　일　시 : 91 0703 1920

수　신 : 장관 (국연,기정)

발　신 : 주 유엔대사

제　목 : 북한.일본대사 접촉

　　1.　7.3. 일본대표부 KAWAKAMI 아주담당관은 윤참사관에게 전화, 박길연 북한대사의 요청에 따라 하타노 일본대사가 박대사를 지난주말 유엔에서 약 10 여분간 아래 요지로 면담하였음을 알려줌.

　　2.　박대사는 그간 미국을 제외한 모든 안보리 상임이사국을 접촉하였는바 북한가입에 대하여 아무도 (특히 영국, 불란서) 반대의사를 표명하지 않았다고 말함.(NO NEGATIVE INDICATION)

　　3.　하타노 대사가 유엔가입 절차 협의를 위한 남북한 대사접촉 문제에 대한입장을 물은데 대하여 박대사는 양측의 가입신청서 제출시기 정도 이외에는 대사급 접촉을 해야할만한 특별한 문제가 없다고 하면서 부정적인 태도를 보임.

　　4.　이와 관련 박대사는 북한으로서는 7 월중 신청서를 제출할 생각이며 남한측은 8 월초 제출할것으로 알고있다고 하면서, 북한의 신청서 제출시기가 특정국가 (쿠바)의 안보리 의장국 수행 여부와는 무관한것이며 (NOT A DOMINANT FACTOR) 의장국이 누가되든 안보리 심의결과는 마찬가지가 아니겠는가 라고함.

　　5.　한편 북한 핵사찰 문제와 관련, 박대사는 최근 한.미.일이 북한에 대해압력을 넣고있는데 북한도 이문제를 해결하기 위해 건설적 노력을 할것이라고 말하면서 북한 핵사찰과 함께 남한에 있는 핵무기도 동시에 사찰을 해야한다고 강한 어조로 말함.

　　6.　동 담당관은 금번 양대사 면담시 일본측은 북한이 가입신청서 제출을 서두르는것 같지는 않으며 안보리 이사국 및 주요 유엔회원국 들과의 일련의 접촉을 통해 북한의 가입 불반대 여론을 조성코자 (GAIN ACCEPTANCE) 하는데 역점을 두고있다는 인상을 받았음. 끝

　　(대사 노창희-국장)

19 예고:91.12.31 일반	검토필(1991. 6 .30.) 호

국기국 안기부	장관	차관	1차보	2차보	아주국	미주국	분석관	청와대

PAGE 1　　　　　　　　　　　　　　　　　　　　91.07.04　　08:57

　　　　　　　　　　　　　　　　　　　　　　외신 2과 통제관 BS

　　　　　　　　　　　　　　　　　　　　　　　　　　0063

외 무 부

종 별 :

번 호 : MSW-0124

일 시 : 91 0704 1400

수 신 : 장관(아프이,국연,정특,정보)

발 신 : 주 모리셔스 대사대리

제 목 : 북한대사 기자회견(자료응신 제 24호)

연:MSW-0123(91.7.1.)

1. 이임인사차 주재국 방문중인 정태화 북한대사(마다가스칼 상주)는 7.3.(수), BALIGADOO 북한-모리셔스 친선협회 (91.2. 조직정비 및 재결성)회장과 공동으로 기자회견을 가짐.

2. 기자회견에서 동 대사는 북한-모리셔스 양국관계증진 노력을 강조하였으며, 유엔문제와 관련하여 북한은 유엔가입을 요구하고 있다고 언급하였음.

3. BALIGADOO 친선협회 회장은 동 협회가 한반도의 봉일을 후원하고 있으며 이를 위하여 다양한 활동을 전개할 것이라고 말함. 또한 동인은 북한 무역대표부가 곧 설치될 계획이며, 협회는 예술공연, 잡지발간등을 구상하고 있다고 언급함.

4. 동 대사는 명 7.5.(금) 당지에서 사진전시회를 개최할 예정임. 전시회 내용 추보 위계임. 끝.

(대사대리 신연성-국장)

중아국 안기부	차관	1차보	2차보	국기국	외정실	외정실	분석관	청와대

PAGE 1

91.07.04 21:17

외신 2과 통제관 DO
0064

외 무 부

종 별 : 지 급

번 호 : CPW-1585 일 시 : 91 0708 1330

수 신 : 장 관(국연,아이,정특,정보,기정) 사본:주유엔대사 중계필

발 신 : 주 북경대표

제 목 : 북한 유엔가입

1. 당관 정상기 서기관이 7.7 헝가리대사관의 PATAKI 2 등서기관으로 부터 청문한바, 북한은 북한의 유엔가입 신청시 미국이 거부권을 행사할 경우 중.쏘가아국 가입안에 대해 거부권을 행사해 주도록 6 월말 중.쏘에 요청했다고 함(중국측에 대해서는 전기침 외교부장 방북시 요청했을 것으로 추정됨)

2. 상기 내용은 주평양 헝가리 대사관이 평양주재 중.쏘 대사관 소식을 인용 당지 허악리 대사관에 알려온 내용이라함. 끝.

(대사 노재원-국장)

예고:91.12.31.끝 마침

검토필(1991. 6. 30.)

국기국 청와대	장관 안기부	차관	1차보	2차보	아주국	외연원	외정실	외정실

PAGE 1

91.07.08 15:32

외신 2과 통제관 FI

0065

원 본

외 무 부

종   별 : 초긴급

번   호 : UNW-1749   일   시 : 91 0708 1710

수   신 : 장관(국연,기정,해기)

발   신 : 주 유엔 대사

제   목 : 북한, 유엔가입 신청서제출

연:UNW-1725

1. 박길연 주유엔 북한대사는 금 7.8(월) 12:00 경 DAYAL 사무총장 비서실장을 방문, 북한의 유엔가입 신청서를 전달한것으로 확인됨.

2. 상기관련, 금 13 시경 CHAN 안보리 담당관은 당관 서참사관에게 전화, 북한이 정오전후 가입신청서를 제출하였다는 소문이 안보리 주변에 나돌고있음을우선 알려준후, 16:10 경 다시 전화하여 상기 소문이 사실임을 확인하여줌.또한 당관 관계관이 15:30 경 QIU 안보리 부국장으로 부터 같은 내용을 확인한바 있음.

3. 북한 가입신청서 사본을 현재 사무국 관계자에게 요청해놓은바, 구득즉시 보고예정임.

4. 한편, 금일 북한측 요청에의거 남북한 양측 대표부 실무자 접촉이 명 7.9(화) 11:00 유엔에서 있을 예정인바, 본건 별전 보고함. 끝

(대사 노창희-국장)

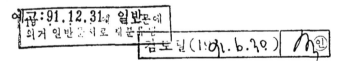

PAGE 1

외 무 부

종   별 : 긴급

번   호 : UNW-1751   일   시 : 91 0708 1800

수   신 : 장 관(국연,기정,해기)

발   신 : 주 유엔 대사

제   목 : 북한의 유엔가입신청서 제출

연:UNW-1749

1. 연호, 사무국 안보리 담당관으로 부터 입수한 북한의 유엔가입 신청서를별첨 FAX 송부함.

2. 동 신청서 및 의무수락서는 정무원 부총리겸 외무장관 김영남 명의로 7.2. 자로 서명, 되었음.

첨부:상기 신청서:UNW(F)-309. 끝.

(대사 노창희-국장)

예고:91.12.31.일반

검토필(1:91.6.20)

국기국   장관   차관   1차보   청와대   안기부   공보처

UNW(F)-309 107번 180
(국연.기정.해기) 총1매

DECLARATION

    On behalf of the Government of the Democratic People's Republic of Korea, I solemnly declare that the Democratic People's Republic of Korea accepts the obligations contained in the Charter of the United Nations and undertakes to fulfil them.

Kim Yong Nam
Vice-Premier of the Administration
Council and Minister of Foreign Affairs,
Democratic People's Republic of Korea

Pyongyang, July 2, 1991

1 — 1

0068

UNW(北)-309 를
처음 1매로 보냈으나
다시 1매 추가 관계로
2매로 정정하여 보냅니다
긴급 처리 부탁드립니다

-별첨

UNW(FI)-309 1078 180
(국면.기정 해기)   총2매

DECLARATION

On behalf of the Government of the Democratic People's Republic of Korea, I solemnly declare that the Democratic People's Republic of Korea accepts the obligations contained in the Charter of the United Nations and undertakes to fulfil them.

Kim Yong Nam
Vice-Premier of the Administration
Council and Minister of Foreign Affairs,
Democratic People's Republic of Korea

Pyongyang, July 2, 1991

2-1

0070

H.E. Mr. Javier PEREZ de CUELLAR
Secretary-General
United Nations

On behalf of the Government of the Democratic
People's Republic of Korea, I have the honour to
inform you that the Democratic People's Republic of
Korea hereby makes application for membership in the
United Nations, in accordance with article 4 of the
Charter of the United Nations.

I attach a declaration made in pursuance of rule
58 of the provisional rules of procedure of the
Security Council.

I would be grateful if this application could be
submitted to the Security Council.

Kim Yong Nam
Vice-Premier of the Administration
Council and Minister of Foreign Affairs,
Democratic People's Republic of Korea

Pyongyang, July 2, 1991

2 — 2

0071

공 란

공   란

외 무 부

종 별 :

번 호 : UNW-1758   일 시 : 91 0708 2030

수 신 : 장 관(국연,기정)

발 신 : 주 유엔 대사

제 목 : 북한 가입신청서제출

연:UNW-1749,1751

연호 북한의 가입신청서 제출과관련 SAFRONCHUK 사무차장실 GORYAYEV 보좌관은
당관 서참사관에게 전화, 북한이 7.17 SAFRONCHUK 사무차장 귀임후 신청서를
제출한다는데 양해한바 있었고 지난주말 까지도 동사실을 확인하였음에도 불구 금일
신청서를 제출한데 대해 매우 실망하고 당황하였다고 하고 자신으로서는북한측이
모종의 정치적 이유에서 조기신청서 제출을 한것으로 추측한다고 하였음. 끝.

(대사 노창희-국장)

예고:91.12.31에 일반
의거 열람 실시요 재분류됨

검토필(1991.6.30)

국가국   장관   차관   1차보   청와대   안기부

北韓 유엔加入申請書 提出

1991. 7. 9.

外 務 部

> 北韓은 7.8(月) 오전 (뉴욕 현지시각) 유엔事務局에
> 그들의 유엔加入申請書를 提出한 바, 同 關聯事項 아래
> 報告드립니다.

1. 北韓加入 申請

    o 駐유엔 北韓大使가 7.8(月) 12:00시경 유엔 事務總長
      秘書室長을 訪問, 申請書 傳達

      - 北韓外交部長 名義 加入申請 書翰 및 유엔憲章
        義務受諾書를 提出

    o 北韓大使는 北側 申請書 審査時期에 있어 伸縮性이
      있다고 하면서, 추후 韓國側의 加入申請書가 提出될때
      함께 東西獨의 경우와 같은 方式으로 處理될 수 있을
      것이라고 言及

      * 北側提議에 따라 7.9(화) 오전 南北韓 유엔代表部
        實務者間 接觸豫定

0075

2. 處理展望

　　o 北韓의 加入申請書는 곧 安保理에 移送될 것이나,
　　　安保理 審議는 우리의 유엔加入 申請書가 提出되고난 後
　　　安保理理事國間의 協議를 거쳐, 一括 處理될 것으로
　　　展望됨.

3. 今後對策

　　o 外務長官은 7.9.(화) 09:30 定例記者 간담회에서
　　　北韓의 加入申請書 提出을 일응 歡迎하고, 北韓이
　　　유엔憲章 義務 受諾書에서 確約한바 대로 國際社會의
　　　責任있는 成員임을 行動으로 보여주길 希望한다고
　　　論評

　　o 我國 加入申請書는 國內節次가 完了되는대로 7月末
　　　또는 8月初 提出 豫定

첨부 :　유엔加入 申請書 處理節次.

　　　　　　　　　　　　　　　　　　　　- 끝 -

0076

北韓 유엔加入申請書 提出

外　務　部

> 北韓은 7.8(月) 오전 (뉴욕 현지시각) 유엔事務局에
> 그들의 유엔加入申請書를 提出한 바, 同 關聯事項 아래
> 報告드립니다.

1.　北韓加入 申請

　　o 駐유엔 北韓大使가 7.8(月) 12:00시경 유엔事務總長
　　　秘書室長을 訪問, 申請書 傳達

　　　- 北韓外交部長 名義 加入申請 書翰 및 유엔憲章
　　　　義務受諾書를 提出

　　o 北韓大使는 北側 申請書 審査時期에 있어 伸縮性이
　　　있다고 하면서 추후 韓國側의 加入申請書가 提出될때
　　　함께 東西獨의 경우와 같은 方式으로 處理될 수 있을
　　　것이라고 言及

　　　* 北側提議에 따라 7.9(화) 오전 南北韓 유엔代表部
　　　　實務者間 接觸豫定

0077

2. 處理展望
   o 北韓의 加入申請書는 곧 安保理에 移送될 것이나,
     安保理 審議는 우리의 유엔加入 申請書가 提出되고난 後
     安保理理事國間의 協議를 거쳐, 一括 處理될 것으로
     展望됨.

3. 今後對策
   o 外務長官은 7.9.(화) 09:30 定例記者 간담회에서
     北韓의 加入申請書 提出을 일응 歡迎하고, 北韓이
     유엔憲章 義務 受諾書에서 確約한바 대로 國際社會의
     責任있는 成員임을 行動으로 보여주길 希望한다고
     論評
   o 我國 加入申請書는 國內節次가 完了되는대로 7月末
     또는 8月初 提出 豫定

첨부 : 유엔加入 申請書 處理節次.

- 끝 -

0078

유엔가입 신청서 처리절차

1. 가입신청서 제출

   o 7월말, 8월초 우리가 가입신청서를 제출하면 사무총장은 이를
      즉시 안보리에 회부

2. 안보리 심의

   o 안보리는 우리의 가입신청서를 이미 제출되어 있는 북한의 가입
      신청서와 함께 안보리 의제로 채택, 이를 안보리 가입심사 위원회에
      회부

   o 가입심사 위원회는 남북한의 가입신청 심사
      * 현재 주요 안보리이사국들의 입장에 비추어, 남북한의 유엔
         가입 신청서는 일괄 처리될 전망

   o 안보리 본회의에서 상기 심사위원회 심사결과를 놓고 심의

   o 안보리 본회의 심의결과, 가입추천시 가입권고 결의를 채택

3. 유엔사무총장, 안보리 가입권고 결의를 총회 문서로 배포

4. 유엔회원국, 남북한의 가입에 관한 결의안을 총회에 제출

5. 총회의장, 개막일(9.17)에 가입문제 처리

0079

공   란

분류번호	보존기간

발 신 전 보

AM-0143   910709 1827 DN 종별 :

번 호 :

수 신 : 주 전재외공관장   대사. 총형차
　　　　　　　　　(국연)

발 신 : 장 관

제 목 : 북한 유엔가입 신청서 제출

1. 북한은 7.8(월) 오전 (뉴욕 현지시각) 유엔사무국에 가입신청서를 제출함.

2. 본직은 7.9(화) 09:30시 기자간담회시 북한의 가입신청서 제출을 일단 환영하고, 북한이 앞으로 유엔에 가입하면 유엔헌장상의 모든 의무를 성실히 이행하여 국제사회의 책임있는 성원으로 행동할 것을 기대한다는 요지로 논평하였음.

(현재 국회 동의안 제출중)

3. 본부는 우리의 가입신청과 관련 국내절차가 완료되는대로 7월말 또는 8월초 가입신청서 제출 예정임. 끝.

예 고   19 의거 1991년 12시31에 영국에 재분류됨

검토필(1991.6.30)

보 안 통 제	

앙 고 재	91 년 7 월 9 일	유 엔 과	기안자 성명		과 장	심의관	국 장	1과	차 관	장 관

외신과통제

0081

공   란

발 신 전 보

	분류번호	보존기간

번 호 : WUN-1873   910709 2035 DA종별 : _____

수 신 : 주 유엔 대사. ~~종웅쓰놈~~

발 신 : 장 관   (국연)

제 목 : 기사 송부

　　　　북한의 유엔가입신청 관련, 국내보도 기사 별첨 FAX 송부하니
참고바람.

　　　　첨부 : 동 기사 1매. 끝.

　　　　　　　　　　　　　　　(국제기구조약국장 문동석)

보 안 통 제	﹀

앙 고 재	91 년 7 월 9 일 유 엔 과	기안자 성명		과 장	심의관	국 장		차 관	장 관		외신과통제
				﹀	전결				﹀		

0083

「韓國主導」배제하려 先手

北韓 유엔가입안 독자제출 배경

解説

쿠바의 安保理 의장국 기간 노린듯
처리할땐 南北韓 단일 결의안으로

H.E. Mr. Javier PEREZ de CUELLAR
Secretary-General
United Nations

On behalf of the Government of the Democratic People's Republic of Korea, I have the honour to inform you that the Democratic People's Republic of Korea hereby makes application for membership in the United Nations, in accordance with article 4 of the Charter of the United Nations.

I attach a declaration made in pursuance of rule 58 of the provisional rules of procedure of the Security Council.

I would be grateful if this application could be submitted to the Security Council.

Kim Yong Nam
Vice-Premier of The Administration
Council and Minister of Foreign Affairs,
Democratic People's Republic of Korea

Pyongyang, July 2, 1991

북한의 유엔가입 신청서

0084

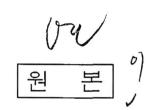

외 무 부

종 별 :

번 호 : UNW-1767

일 시 : 91 0709 1730

수 신 : 장 관 (국연,해기,기정)

발 신 : 주 유엔 대사

제 목 : 유엔 정오 브리핑(북한 가입신청)

1.금 7.9 정오 브리핑시 N.YOUNES사무총장 대변인은 7.8 북한의 유엔가입신청 서한을 접수하였음을 확인하였으며, 동 서한은 안보리측에 송부되었다고 언급함.

2.또한 동 대변인에 의하면 사무총장은 7.9터키에서 프랑스로 향발하며 프랑스에서 사적인 일정을 가진다음 금주말에는 뉴욕귀임 예정이라고함.끝

(대사 노창희-국장)

국기국   1차보   외정실   안기부   공보처

관리
번호 91
-713

원 본 (6)

외 무 부

종 별 :

번 호 : UNW-1769 　　　　　　　일 시 : 91 0709 1800

수 신 : 장 관(국연)

발 신 : 주 유엔 대사

제 목 : 안보리동향(비공식협의)

연:UNW-1716 → 안보리동향 (비공식협의)

1. 안보리는 금월중 작업계획(PROGRAMME OF WORK) 토의를 위해 7.10 16:00 비공식 협의예정인바, 상기협의시 토의 예상문제는 연호참조 바람.

2. 안보리 비공식협의는 공식회의와 달리 정해진 의제없이 진행되는바, 명일 협의시 북한가입신청 처리문제가 제기될지 여부는 예단키 어렵다고 함.(미대표부 J.MANSO 담당관)

3. 관련 동향 추보위계임.끝

(대사 노창희-국장)

예고:91.12.31. 까지 한

검토필(1:91. 6.30)

국기국	장관	차관	1차보	정와대	안기부

외 무 부

관리
번호 91
-4/83

종 별 :

번 호 : UNW-1777

일 시 : 91 0709 2240

수 신 : 장 관(국연,기정)

발 신 : 주 유엔 대사

제 목 : 북한가입 신청서 관련동향

연:UNW-1769 (1),1775 (2)

1. 연호(2) 운참사관의 영국, 불란서 대표부 담당관 접촉시 명 7.10 오후 안보리 비공식협의과정에서 안보리 의장등이 북한의 가입신청서 처리문제를 제기할 가능성에 대하여도 일단 주의를 환기시켜 놓음.(연호 1 참조)

2. 상기 접촉시 영국대표부 PEIRCE 담당관은 박길연 북한대사가 HANNAY 대사와의 면담을 요청해왔다고 하면서 아직 면담일시를 북측에 통보하지 않았으나,금주말경 만나게 될 가능성이 크다고알려옴.동 담당관은 북한의 작 가입신청서제출과 관련, 당초 사무총장등의 희망도 있고하여 남북한의 가입신청서 제출시기에 관하여 사전조정이 이루어질 것으로 알려진바 있는데 북한측이 예상보다 다소 일찍 신청서를 제출한 배경에 대하여 관심을 표명하였음. 끝

(대사 노창희-국장)

예고:91.12.31. 일반
19 . 데 예고 넌
의거 일반문서로 재분류접 노 (.91.6.30)

국기국   장관   차관   청와대   안기부

PAGE 1

91.07.10   12:37
외신 2과 통제관 BS
0087

공보관실
91. 7. 9.

외무부장관 기자회견

1. 일시 및 장소 : 91.7. 9. 화, 09:30-09:55, 외무부 회의실

2. 내   용 :

가. 장관 언급 내용

대통령의 미국, 카나다 국빈방문 수행 관계로 열흘 가까이 자리를
비웠음.

오늘 아침에는 한가지 특별히 말씀드릴 사항이 있음.   일부 외신을
통해 이미 보도된 것으로 압니다만, 북한이 뉴욕 현지 시간으로
7.8(월) 정오경 유엔 가입 신청서를 제출했다고 주유엔대표부가
보고하여 왔음.   북한의 박길연 주유엔대표부 대사가 사무국을
방문, 가입 신청서를 제출했으며, 이에 따라 유엔 사무국은 유엔의
의사 규칙에 따라 북한의 가입 신청서를 곧 안보리에 회부, 처리하게
될 것으로 봄.

우리는, 잘 아시다시피, 임시국회가 어제 개회되어 오는 7.11(목)
외무통일위에서 유엔헌장수락 동의안을 심의하고, 7.13(토)에 본
회의에서 처리할 예정으로 있음.   국회에서 유엔헌장수락 동의안이
가결되면, 필요한 절차를 취해 현재로서는 7월말이나 8월초에 우리의
유엔 가입 신청서를 유엔 사무총장에게 제출할 예정임.

1

0088

북한이 유엔 가입 신청서를 우리보다 먼저 제출하였으나, 안보리의
많은 이사국들의 지배적 의견이 남.북한의 유엔 가입 신청을 일괄
처리하는 것이 좋겠다는 것임. 따라서 7월말 또는 8월초에 우리가
가입 신청서를 제출할 때까지 기다렸다가 안보리가 일괄 처리할
것으로 예상하고 있음.

우리로서는 북한이 종래의 정책을 바꾸어 가입 신청서를 제출하게
된 것을 일응 환영하는 바임. 또한 유엔 가입 신청서에는 유엔
헌장상의 모든 의무를 수락한다는 선언서도 첨부하게 되어 있으므로,
북한이 가입 신청서를 제출하였을때 헌장상의 의무 수락 선언문도
동시에 제출하였을 것으로 알고 있음. 물론 9.17 개최되는 제46차
총회의 첫날 회원국들의 승인을 받아야 하는 과정이 남아 있긴하나,
북한이 앞으로 유엔에 가입하면 유엔 헌장상의 모든 의무를 성실히
이행하여 국제사회의 책임있는 일원으로 행동할 것을 기대함.

나. 질의 응답

문 : 북한이 유엔 가입 결정에서 보여준 태도를 남.북 대화에서도
     보여주기를 희망하는 것이 정부의 입장인 것으로 알고 있는데,
     오늘 북한의 가입안 제출에 대해 남.북 대화와 관련하여 논평해
     주시기 바람. (MBC 최명길 기자)

답 : 현재 남.북 대화가 중단된 상태이고, 특히 북한이 우리의 여러
     차례에 걸친 촉구에도 불구하고 평양에서 개최될 차례인 남.북
     고위급 회담을 재개할 태도를 보이지 않고 있는 것을 매우
     유감스럽게 생각함.

     이번 유엔 가입 신청서 제출을 계기로 북한이 남.북 고위급
     회담등을 비롯하여 남.북 대화에 성의를 갖고 호응해 올 것을
     기대함.

2

0089

문 : 북한의 가입 신청서 제출 시기가 당초 예상보다 빠른 것이
   었는가 ? (국민일보 박인환 기자)

답 : 그렇지는 않음.   북한이 7월중에 제출할 것으로 예상하고
   있었음.   보기에 따라서는 남.북한의 유엔 가입이 합의되어
   있는 상황하에서 북한이 먼저 신청서를 제출한 것은 큰 의미가
   없는 것임.   북한으로서는 그들의 우방국인 큐바가 안보리
   의장국을 맡고 있는 7월중에 신청서를 제출하는 것이 편하다고
   생각하였을 것으로 짐작함.

   유엔 가입 신청서는 유엔 총회 개최일을 기준으로한 안보리의
   심의 일정을 감안 8.9 이전에만 제출하면 되는 것이므로,
   우리는 서두룰 필요 없이 충분한 시간적 여유를 갖고 기존
   방침대로 7월말이나 8월초에 제출할 생각임.

문 : 미.북한간 한반도 핵문제에 관한 협상이 진행중에 있다고 북한
   언론이 보도했는데, 이에 대해 아시는 것을 말씀해 주시기
   바람.   (국민일보 박인환 기자)

답 : 이번 워싱톤을 방문하였을때 미국측과 협의, 북한의 핵개발
   문제에 관한 미측의 입장을 다시 확인하였음.   미국은 북한이
   핵비확산조약(NPT)상의 의무인 국제원자력기구(IAEA)와의
   핵안전협정 체결과 이에 직접 관련이 없는 사항들을 연계시키는
   것은 부당하며, 따라서 이러한 사항들은 결코 북한과의 협상
   대상이 될 수 없다는 입장을 재확인하였음.

   북한은 우리가 누누히 촉구해온대로 핵비확산조약(NPT)의
   당사국으로서 동 조약상의 의무인 핵안전협정을 지체없이 체결
   하여야함.   또한 그들이 보유하고 있거나 개발중인 모든
   핵물질과 핵시설에 대한 국제원자력기구(IAEA) 당국의 사찰을
   받도록 해야함.

3

0090

문 : 이번 한.미 정상회담에서 미국은 한국의 주도적인 통일 노력을
지원하기로 하였다고 우리 대통령께서 강조하였으며, 그러한
회담 성과에 고무되어 벤쿠버 특별지시도 나오게 된 것이라고
보는데, 미국이 약속한 지원은 우리의 전향적 자세에 대한
지원이 아닌지 ?   (한국일보 정광철 기자)

답 : 이미 발표한 바와 같이, 노태우 대통령께서는 이번 정상회담
에서 한.미 관계의 장기적 발전에 관한 비존을 제시하셨음.
노대통령께서는 한국이 앞으로 한반도에서의 평화와 안정을
바탕으로하여 평화통일을 추구해 나가는 과정에서는 물론
통일 이후에도 외교, 안보 및 경제등 모든 분야에서 한.미
간의 긴밀한 우호협력 관계를 계속 발전시켜 나가는 것이
필요하고 바람직하다는 구상을 피력하셨음.

또한 노대통령께서는 앞으로 한반도 문제의 해결은 직접
당사국인 남.북한간의 대화를 통해 해결해야 되며, 통일은
한국의 주도적 노력을 통해 성취되어야 한다는 강한 소신도
아울러 피력하셨음.

이러한 노태우 대통령의 구상과 소신에 대하여 "부쉬" 대통령도
전적인 동감을 표명하였음.

문 : 북한이 시리아에 판매한 스커드 미사일은 Missile Technology
Control Regime (MTCR) 규정에 위배되는 크기임.   안보리
상임이사국들은 어제부터 오늘까지 교전국에 대한 무기판매에
대해 제재를 가할 것에 관해 논의하고 있는데, 북한의 이런
행위로 인해서 유엔 가입때 문제가 제기되지는 않겠는가 ?
(중앙일보 김진국 기자)

답 : 북한이 핵무기 개발뿐만 아니라 분쟁지역 국가들에 대하여
미사일등의 무기를 판매하고 있는데 대해 국제사회의 대부분
국가들이 큰 우려를 표명하고 있음.

4

0091

그러나 그러한 문제들은 북한의 유엔 가입과 연계시킬 사항은
아니라고 봄. 유엔 가입 문제를 우선 처리하고, 핵개발과
무기판매등의 문제는 별개의 차원에서 그 해결을 위한 외교적
노력을 계속 추구해 나갈 것임.

문 : 미.북한 관계등 북한의 대서방 개방 추진에 장애로 제기되지는
    않을 것으로 보는지 ? 이 문제를 미.북한간 관계 개선의 전제
    조건으로 삼을 것인지, 또 이 문제에 관해 미국 또는 다른
    우방국과 협의한 적은 없는지 ? (중앙일보 김진국 기자)

답 : 아시다시피 미국은 그간 북경에서 있었던 16회에 걸친 대북한
    접촉에서 미.북한간의 관계 개선을 위해 북한이 6가지의 상응
    조치를 먼저 취하도록 요구해 왔음.

    미국은 물론 북한의 유엔 가입이 대북한 접촉에 있어 분위기를
    호전시키는 계기가 될 것으로 기대는 하고 있으나, 북한이 대미
    관계의 개선을 진심으로 원한다면 미측이 요구하고 있는 기타
    사항들에 대하여도 성의있는 대응 조치를 취해야 될 것임.
    그래야만 실질적인 관계 증진이 있을 수 있음.

문 : 미국은 핵재처리 시설 폐기를 요구하고 있는데, 우리는 북한의
    핵문제에 대해 구체적인 입장을 정립하지 못한 것으로 알고
    있음. 정부의 입장이 정립된 것이 있는지 ?
    (중앙일보 김진국 기자)

답 : 북한의 핵개발 문제에 대한 우리 정부의 입장은 여러차례
    분명히 밝힌 바 있음. 또 북한이 핵재처리 시설을 건설하고
    있는 사실에 대해서도 우리의 지대한 관심을 이미 표명한
    바 있음.

5

0092

또한 북한이 핵재처리 시설을 포함한 모든 핵물질과 시설에
대한 국제적 사찰에 응해야 한다는 입장도 분명히 밝혀 왔음.
이러한 입장에 한.미 양국이 기본적인 인식을 같이하고 있는
것임.

문 : "월포비츠" 미국방차관은 북한의 핵재처리 시설의 폐기를 요구
하지 않았는가 ?   (중앙일보 김진국 기자)

답 : 우리도 물론 북한의 핵재처리 시설 개발 문제에 대해 지대한
관심을 갖고 있음.   한반도의 평화와 안정은 물론 동북아
지역 전체에 위협이 되는 북한의 모든 핵개발은 즉각 중단
되어야 함.

문 : 주한미군의 핵무기 배치 및 이동 문제에 대해 한.미 정상회담
에서 논의된 것으로 알고 있는데 ?
(서울신문 박정현 기자)

답 : 그렇지 않음.   그 문제와 북한의 조약상의 의무인 핵사찰
및 핵안전협정 체결 문제와는 완전히 별개로서 서로 연계시킬
수 없는 것임.   미국은 아직도 특정지역의 핵무기 유무에
관해 시인도 부인도 하지않는 방침을 견지하고 있음.   이것을
그들의 핵개발 문제와 연계시켜려는 북한측의 입장은 도저히
받아 들일 수 없음.

문 : 서방 7개국 정상회담에서 북한의 핵개발 중단을 촉구하는
결의안이 채택될 것으로 보이는데, 북한은 만일 그럴 경우
핵안전 협정에 서명치 않겠다는 입장을 보이고 있는 것
아닌가 ?   (민주일보 심평보 기자)

답 : 오늘 북한의 "로동신문" 논평을 통해 북한이 그러한 입장을
밝힌 것을 보았음.   런던에서 개최될 7개국 정상회담에서는
국제사회의 큰 관심 사항중 하나인 북한의 핵개발에 관하여
강한 내용의 언급이 있을 것으로 봄.

6

0093

북한은 서방 7개국 정상회담 내용에 대해 언급하는 것 보다는
오히려 자기들이 지켜야할 조약상의 의무를 빨리 이행하는 것이
급선무임.   그렇게 하는 것이 그들에 대한 국제사회의 심각한
우려를 빨리 해소함으로써 북한에도 도움이 될 뿐더러, 이
지역의 안정에도 기여하게 되는 것임.   끝.

7

0094

외 무 부

종 별 :

번 호 : CPW-1616 　　　　　　　　일 시 : 91 0710 1100

수 신 : 장 관(국연,아이,정특) 사본:주 유엔대사,주홍콩총영사 - 중계필

발 신 : 주 북경 대표

제 목 : 북한 유엔 가입 신청

　　금일 7.10(수) 아침 뉴스에 주재국 국제 라디오방송국은 유엔 소스를 인용 북한이
7.2 유엔가입신청서를 공식 제출했다고 보도함.

　　(대사 노재원-국 장)

국기국　　1차보　　아주국　　외정실　　안기부　청와대 분석과 장관 차관

외 무 부

종 별 :

번 호 : GHW-0346   일   시 : 91 0710 1240

수 신 : 장관(국연,정특,아프일,기정)

발 신 : 주 가나 대사

제 목 : 북한 유엔가입 신청

대:AM-0143

대호 당지 일간지 데일리 그라픽지는 금 7.10 자 2 면 3 단 기사로 "DPRK'SDECISION ON UN MEMBERSHIP HAILED"제하 장관님의 논평 및 사진과 함께 DAP 통신을 인용, 아래요지 보도했음.

-대한민국 정부는 북한이 유엔 가입신청을 한데 대해 환영을 표함.

-이 상옥 외무부장관은, 북한이 국제공동체의 책임있는 구성원이 되고, 남북대화가 재개되기를 희망한다고 언급함.

-UN 소식통에 의하면, 북한은 지난주(7 월 첫주) 유엔가입을 신청했음.

-이 장관은 7 월말이나 8 월초에 유엔가입을 신청할 예정이며, 이후 안보리는 남북한 동시가입 결의안을 통과시킬 것이라고 언급함.

-한편 주유엔 노 창희 한국대사는 최초언급에서 북한이 한국과 상의도 없이개별적으로 가입신청서를 제출한데 대해 유감을 표한바 있음.

-북한은 유엔가입에 대한 종래 견지해온 강경노선을 작 5월말에 포기한 바있음. 끝.

(대사 오 정일 - 국장)

국기국   1차보   중아국   외정실   정와대   안기부

91.07.10   23:29
외신 2과 통제관 CE
0096

관리 번호	91 -4104

외 무 부

종 별 :

번 호 : UNW-1780   일 시 : 91 0710 1830

수 신 : 장 관(국연,해신,정특,기정)

발 신 : 주 유엔 대사

제 목 : 북한대사 언론접촉

연:UNW-1686,1749

1. 유엔 외신기자들에 의하면 북한 차석대사 허종은 7.8 유엔가입신청서 제출후 7.9 AP, 로이터, 교또, 7.10 NIPPON TV 등, 대사 박길연은 7.10 F.E.E.R. 등과의 개별회견을 갖고 신청서 제출시기 및 유엔가입 배경등 관련 설명했다고 하는바 당지 외신과의 개별접촉이 계속 될것으로 예상됨.

2. 이와관련 공보관은 아측신청서 제출시기등 문의에 당초 일정대로 7 월말또는 8 월초순경 제출예정이라고 답했으며 , 관련동향 추보할것임.끝

(대사 도장희-국장)
예고:91.12.31. 일반

검토필(1.06. 6.30.)

국기국	장관	차관	1차보	외정실	정와대	안기부	공보처

PAGE 1

91.07.11   08:08
외신 2과 통제관 BS
0097

관리
번호 91
-43ㅂ

원 본

외 무 부

종 별 : 지 급
번 호 : UNW-1784
일 시 : 91 0710 2000
수 신 : 장 관(국연,기정)
발 신 : 주 유엔 대사
제 목 : 안보리 비공식 협의(북한가입 신청서 제출관련)

연:UNW-1769,1777

대:WUN-1872

1. 연호 , 금 7.10 16:00 개최된 안보리 비공식협의시 의장인 쿠바대사는 북한의 가입신청서 제출관련 7.8(월) 북한대사가 자신을 찾아와 언급한 내용을 안보리 회원국에게 알려주고자 한다고하고 아래와같이 언급하였음.(하기 내용은 동 비공식 협의에 배석한 CHAN 담당관이 당관 서참사관에게 알려온것임.)

가. 북한대사 언급요지

0. 북한정부는 금번 가입신청서를 조기에 제출한것이 문제를 야기시키는 것으로 해석되지 않기를 희망함.

0. 남한도 곧 가입신청할 것으로 알고있음.

0. 신청서가 순조롭게(HARMONIOUS AND SIMPLE WAY) 처리될수 있도록 모든 필요한 협조 용의있음.

나. 쿠바대사는 북한의 가입신청서가 안보리및 총회문서로 명 7.11 중 배포될것이라고 알림.

다. 상기 의장발언 이외 여타 국가로부터의 발언은 없었음.

2. 상기내용은 동협의에 참석한 벨지움 COOLS 참사관, 불란서 LACROIX 담당관으로 부터도 각각 확인되었음.

3. 이와관련 본직은 금일 오전 유엔로비에서 영국 HANNAY 대사와 조우한바,동대사는 쿠바대사가 자신에게 금일 오후 비공식협의시 북한의 가입신청서 제출 사실을 거론할 것이라고 말하여, 자신은 쿠바대사에게 북한의 가입신청서 제출관련 안보리에서 이를 거론할경우 공정하게(EVEN-HANDED)처리할것을 요망하고 특히 한국이 7 월말, 8 월초경 가입신청서 제출예정임에 비추어 그후 같이

국기국   장관   차관   1차보   청와대   안기부

처리하는것이 좋을것임을 언급한바, 쿠바대사는 자신은 이를 공정하게 처리할것이며
한국가입 신청서 제출후 자기 후임자(에쿠아돌대사)가 이를 처리하는데 대해 특별한
이견이 없다고 하였다고 본직에게 말하였음. 끝.

(대사 노창희-장관)

예고문 91.12.31.로 일반

검토필(1991.6.30)

16   Section 1   Chicago Tribune, Wednesday, July 10, 1991

Nation/world

N. Korea applies for seat at UN

NEW YORK (AP)—North Korea said Tuesday it has formally applied to join the United Nations, a move diplomats say is a major step in the communist government's effort to end its international isolation.

North Korea announced in May that it was dropping its demand that the north and the south be represented in the UN by a joint seat, and that it would apply for its own UN seat.

Suh Jong Hwan, a spokesman at the South Korean mission, welcomed Tuesday's announcement and said the Seoul government would file its own application for a UN seat soon, probably in early August.

The Security Council is expected to consider both applications in a package and approve both without dissent, allowing the General Assembly to vote on making the two Koreas the organization's 160th and 161st members when it convenes in September.

Both Korean states, which have been bitterly divided for four decades, currently hold non-voting observer status.

Ambassador Ho Jong, North Korea's deputy observer, said his nation was joining separately with reluctance because South Korea had made clear it would press for its own membership.

The two-seat formula is supported by most UN members, including the United States, Britain and France, which have veto power in the Security Council.

China and the Soviet Union, the two North Korean allies that also have veto power in the council, told the Pyongyang government they would not block South Korea's bid for membership.

Both North and South Korea have expressed hope that holding separate UN seats will improve their relations and promote reunification.

0100

THE WALL STREET JOURNAL WEDNESDAY, JULY 10, 1991 **A8**

NORTH KOREA SEEKS U.N. SEAT

North Korea has formally applied to join the United Nations, a move viewed as a major step in Pyongyang's effort to end its international isolation.

The communist state in May dropped its demand that it and South Korea be represented by a joint U.N. seat. Seoul said it would probably file its application early next month.

The U.N. Security Council is expected to approve both applications in a package without dissent, allowing the General Assembly to vote on making the two states the organization's 160th and 161st members when it convenes in September.

Both Korean states, which have been bitterly divided and technically at war since the 1950-53 conflict, hold nonvoting observer status at the U.N. They have expressed hope that holding separate U.N. seats will improve their relations and promote reunification.

2712-3

0101

문 : 　UN(F) -

수 신 : 장 관 ·　　　　　　　　　　　발신 , 두 미 역사

제 목 :

The Washington Times WEDNESDAY, JULY 10, 1991 / PAGE A9

N. Korea asks admission to U.N.

By Evelyn Leopold
REUTERS NEWS AGENCY

NEW YORK — North Korea has for the first time submitted a formal application to join the United Nations, and South Korea is expected to do the same in a few weeks.

The two Koreas, which both have observer status at the United Nations but are not official members, represent more than 64 million people with 21.7 million in the North and 42.7 million in the South.

Ambassador Ho Jong, North Korea's deputy U.N. representative, said his nation's application was signed by Kim Yong Nam, vice premier and foreign minister, July 2 and was submitted to U.N. Secretary-General Javier Perez de Cuellar late Monday.

South Korea, which has been lobbying for admission for years, is expected to hand in its application in late July or August, indicating the two states are not coordinating their moves.

"We made our decision to apply for membership, and my government had made it clear it was unavoidable," the North Korean representative said in reference to failed North-South talks on the issue.

North Korea has long opposed separate U.N. membership for the two Koreas as an obstacle to eventual reunification but announced a reluctanct about-face in May, prompted by South Korea's determination to join the world body.

North Korean diplomats said they would seek membership so the South would not have the advantage of dominating all dialogue concerning the Korean peninsula at the United Nations.

With the end of the Cold War, both the Soviet Union and China were understood to have felt they could no longer oppose South Korean membership.

The 15-nation U.N. Security Council, in which both China and the Soviet Union have veto power, will rule on the Korean applications.

Mr. Ho said his delegation had "talked in an extensive way" with Security Council members and others at the United Nations."

In Seoul, Foreign Minister Lee Sang-ock welcomed the applications, saying, "We hope North Korea will now sincerely carry out duties of the U.N. and become a responsible member of an international society."

2712-4

0102

KOREA
North applies to U.N.; South likely to follow

North Korea has for the first time submitted a formal application to join the United Nations, and South Korea is expected to do the same in a few weeks.

The two Koreas, both of which have observer status at the United Nations but are not official members, represent more than 64 million people — 21.7 million in the North and 42.7 million in the South.

North Korea has long opposed separate U.N. membership for the two Koreas as an obstacle to eventual reunification, but it announced a reluctant about-face in May prompted by South Korea's determination to join the world body later this year.

2712-5

발 신 : US-(P)-

수 신 : 장 관   발 신 : 주미대사

제 목 :

The Washington Post   WEDNESDAY, JULY 10, 1991 A17

North Korea Applies for U.N. Seat

■ UNITED NATIONS—Communist North Korea said it has formally applied to join the United Nations, a move diplomats have called a major step in Pyongyang's effort to end its isolation.

North Korea announced May 28 it was dropping its demand that the north and the south be represented in the United Nations by a joint seat, and planned to apply for its own.

South Korean spokesman Suh Jong Hwan welcomed the announcement and said Seoul would file for a seat soon, probably next month.

2712 -6

0104

THE CHRISTIAN SCIENCE MONITOR   Wednesday, July 10, 1991   **2**

Korea welcomed July 9 North Korea's formal application to join the UN. South Korea is expected to apply in late July or early August...

2712-7 (END)

외 무 부

종 별 :

번 호 : UNW-1798   일 시 : 91 0711 1830

수 신 : 장 관(국연,기정)

발 신 : 주 유엔 대사

제 목 : 북한가입 신청서(안보리및 총회문서)

연:UNW-1751,1784

연호 북한의 유엔가입 신청서가 7.10 자 총회(A/46/295)및 안보리문서(S/22777)로
금 7.11 배포된바, 동문서 별첨 FAX 송부함.

첨부:상기문서:UNW(F)-319

.끝.

(대사 노창희-국장)

예고:91.12.31.에 일반
    의거 일반문서로 재분류

검토필(91.6.30)

국기국   장관   차관   1차보   청와대   안기부

PAGE 1   91.07.12   07:59
            외신 2과 통제관 BS

0106

UNITED
NATIONS

UN/W(F)-319 10711 1830
(국연. 기참)   A S
                          총3매

General Assembly   Security Council

Distr.
GENERAL

A/46/295
S/22777
10 July 1991

ORIGINAL: ENGLISH

GENERAL ASSEMBLY   SECURITY COUNCIL
Forty-sixth session   Forty-sixth year
Item 20 of the preliminary list*
ADMISSION OF NEW MEMBERS TO THE
 UNITED NATIONS

Application of the Democratic People's Republic of Korea
for admission to membership in the United Nations

Note by the Secretary-General

      In accordance with rule 135 of the rules of procedure of the General
Assembly and rule 59 of the provisional rules of procedure of the Security
Council, the Secretary-General has the honour to circulate herewith the
application of the Democratic People's Republic of Korea for admission to
membership in the United Nations, contained in a letter dated 2 July 1991 from
the Vice-Premier of the Administration Council and Minister for Foreign
Affairs of the Democratic People's Republic of Korea to the Secretary-General.

---

* A/46/50.

GE-22381 2677b (E)

3-1

A/46/295
S/22777
English
Page 2

<u>Letter dated 2 July 1991 from the Vice-Premier of the Administration
Council and Minister for Foreign Affairs of the Democratic People's
Republic of Korea to the Secretary-General</u>

On behalf of the Government of the Democratic People's Republic of Korea,
I have the honour to inform you that the Democratic People's Republic of Korea
hereby makes application for membership in the United Nations, in accordance
with Article 4 of the Charter of the United Nations.

I attach a declaration made in pursuance of rule 58 of the provisional
rules of procedure of the Security Council.

I would be grateful if this application could be submitted to the
Security Council.

(<u>Signed</u>) KIM Yong Nam
Vice-Premier of the Administration Council
and
Minister for Foreign Affairs
Democratic People's Republic of Korea

/...

3-2

0108

Declaration

On behalf of the Government of the Democratic People's Republic of Korea, I solemnly declare that the Democratic People's Republic of Korea accepts the obligations contained in the Charter of the United Nations and undertakes to fulfil them.

(Signed) KIM Yong Nam
Vice-Premier of the Administration Council
and
Minister for Foreign Affairs
Democratic People's Republic of Korea

3—3

0109

UNITED NATIONS

General Assembly   Security Council

A S

Distr.
GENERAL

A/46/295
S/22777
10 July 1991

ORIGINAL: ENGLISH

GENERAL ASSEMBLY
Forty-sixth session
Item 20 of the preliminary list*
ADMISSION OF NEW MEMBERS TO THE
    UNITED NATIONS

SECURITY COUNCIL
Forty-sixth year

Application of the Democratic People's Republic of Korea
for admission to membership in the United Nations

Note by the Secretary-General

In accordance with rule 135 of the rules of procedure of the General
Assembly and rule 59 of the provisional rules of procedure of the Security
Council, the Secretary-General has the honour to circulate herewith the
application of the Democratic People's Republic of Korea for admission to
membership in the United Nations, contained in a letter dated 2 July 1991 from
the Vice-Premier of the Administration Council and Minister for Foreign
Affairs of the Democratic People's Republic of Korea to the Secretary-General.

_____

*   A/46/50.

91-22381   2677b (E)

/...

0110

Letter dated 2 July 1991 from the Vice-Premier of the Administration Council and Minister for Foreign Affairs of the Democratic People's Republic of Korea to the Secretary-General

On behalf of the Government of the Democratic People's Republic of Korea, I have the honour to inform you that the Democratic People's Republic of Korea hereby makes application for membership in the United Nations, in accordance with Article 4 of the Charter of the United Nations.

I attach a declaration made in pursuance of rule 58 of the provisional rules of procedure of the Security Council.

I would be grateful if this application could be submitted to the Security Council.

(Signed) KIM Yong Nam
Vice-Premier of the Administration Council
and
Minister for Foreign Affairs
Democratic People's Republic of Korea

/...

0111

Declaration

On behalf of the Government of the Democratic People's Republic of Korea, I solemnly declare that the Democratic People's Republic of Korea accepts the obligations contained in the Charter of the United Nations and undertakes to fulfil them.

(Signed) KIM Yong Nam
Vice-Premier of the Administration Council
and
Minister for Foreign Affairs
Democratic People's Republic of Korea

0112

외 무 부

종 별 :

번 호 : HKW-2488 일 시 : 91 0711 1900

수 신 : 장 관(아이,국연,정북,기정),사본:주북경대표(중계필)

발 신 : 주 홍콩 총영사

제 목 : 유엔가입 신청 배경(중국계 언론보도)

당지 중국계 언론 신만보는 7.11자 사설을 통해 중.북한 우호협약조약 체결 30주년을 기념하는 동일자 인민일보 사설내용을 소개하면 서, 최근 (7.8) 북한의 유엔가입정식 신청과 관련 그의도및 배경에 관해 아래 요지보도함

1. 원래 남북한 별개 유엔가입안은 남한측이 먼저 제출한것인바, 금번 북한이 서둘러 이를 신청한것은 최근 국제정세와 깊은 관련이있음

2. 최근 북한의 핵사찰문제와 관련 미국은 동문제를 다음주 런던에서 개최되는 G7 회의시에 정식거론, 공동성명을 통해 북한이 국제원자력기구 사찰을 접수토록 요구하려는 계산을 하고 있었음

3. 이런 배경하에 북한이 G7 회의전 유엔가입을 정식제출한것은 첫째 G7수뇌들이 토론, 그결과 북한에 대한 압력으로 작용할 가능성을 감소시키고 둘째, 북한은 결코 독단적이아니며 유관 당사자들과의 상호 교류와 화해를 바라고 있다는것을 국제사회에 표시하기 위한 것으로 해석되고 있음.끝

(총영사 정민길-국장)

아주국   1차보   국기국   외정실   분석관   안기부

외 무 부

종 별 :

번 호 : UNW-1807

일 시 : 91 0711 1945

수 신 : 장 관(국연,기정)

발 신 : 주 유엔 대사

제 목 : 일.큐바 접촉

대:WUN-1872 (큐바가입신청, 7.8.)

연:UNW-1784 (큐바에 1804 협의, 7.12.)

　　금 7.11 일본대표부 나가이 참사관은 당관 서참사관에게 금일 ZAMORA 큐바차석대사 접촉결과를 알려온바, 아래보고함.

　　1. 동대사는 연호 북한대사의 언급내용을 되풀이 확인해준후 큐바로서는 아국의 신청서 제출예정시기, 북한의 동시처리 희망입장등에 비추어 안보리에서 가입문제 관련 조치를 취할계획이 없다고함.

　　2. 동인은 큐바로서는 북한의 신청서 제출관련 스스로 한국측에 대해 관련사항(신청시기등)에 대한 문의나 의견을 구할 생각은 없으나 한국측이 큐바와 이에관한 협의를 원한다면 환영한다고 함. 끝.

　　(대사 노창희-국장)

예고:91.12.31. 일반.

검토필(91. 6. 30.)

국기국	장관	차관	1차보	청와대	안기부

91.07.12　09:10
외신 2과　통제관 BS
0114

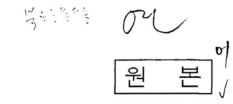

관리
번호 : 91
-416

외 무 부

종 별 :

번 호 : UNW-1808   일 시 : 91 0711 1945

수 신 : 장 관(국연,미일,기정) 사본:주카나다대사:중계필

발 신 : 주 유엔 대사

제 목 : 카.북한접촉

대:WUN-1882

　금 7.11 카나다대표부 PIATELLI 1 등서기관(CG 담당)은 금일오전 박길연 북한대사와의 면담내용을 당관 서참사관에게 알려온바, 아래보고함.

　1. 북한측이 가입신청에 대한 카나다의 지지를 확인코자한데 대해 자신은 북한의 가입신청을 환영하며 보편성원칙에 따라 이를 지지할것이라고 말해주었음.박길연은 이어 북한이 가입신청서를 먼저 제출하였으나 안보리 심의는 한국신청서가 접수된후 함께 처리되기를 원한다고함.

　2. 박길연은 IAEA 문제관련 북한측 기존입장을 되풀이 상세설명하고 G-7 정상회담의 선언문등에서 이문제를 언급하는것등은 불필요하고 좋지않은 발상이라고말함.

　3. 금일면담은 북한측 요청으로 이루어졌으며, 대사, 차석대사 모두 부재중인 관계로 자신이 만나게 되었는바, 카나다가 핵문제관련 북한의 유엔가입에 강경입장을 취할지도 모른다는 소문을 의식한듯한 인상을 받았다함. 끝.

　(대사 노창희-국장)

예고:91.12.31 일반문서로 재분류

검토필(1:91.6.30)

국기국　　장관　　차관　　1차보　　미주국　　청와대　　안기부

PAGE 1

91.07.12　　09:11

외신 2과 통제관 BS

0115

주 우 간 다 대 사 관

1991. 7. 11.

우대(정) 700 - 122

수 신: 외무부장관
참 조: 중동아프리카국장, 국제기구 국장
제 목: 북한의 유엔 가입 신청 기사보고

　　　　북한의 유엔가입 신청과 관련, 당지 영자일간지 The New Vision
신문은 7. 11.자 7면에 관계 기사를 보도하였는 바, 동 기사 사본을
별첨과 같이 보고합니다.

첨 부 : 기사 사본 1부.   끝.

주 　우 　간 　다 　대

0116

FOREIGN NEWS

DPRK submits UN application

UNITED NATIONS, Wednesday — North Korea has for the first time submitted a formal application to join the United Nations and South Korea is expected to do the same in a few weeks.

The two Koreas, which both have observer status at the United Nations but are not official members, represent more than 64 million people with 21.7 million in the North and 42.7 million in the South.

Ambassador Ho Jong, North Korea's deputy UN representative, said his nation's application was signed by Kim Yong Nam, vice premier and foreign minister, on July 2 and was submitted to Secretary-General Javier Perez de Cuellar late on Monday.

South Korea, which has been lobbying for admission for years, is expected to hand in its application in late July or August, indicating the two states did not coordinate their demarche.

"We made our decision to apply for membership and my government had made it clear it was unavoidable," the North Korean representative said in reference to failed North-South talks on the issue.

North Korea has long opposed separate UN membership for the two Koreas as an obstacle to eventual reunification but announced a reluctant about-face in May prompted by South Korea's determination to join the world body later this year.

North Korean diplomats said they would seek membership so the South would not have the advantage of dominating all dialogue concerning the Korean peninsula at the United Nations.

With the end of the Cold War, both the Soviet Union and China, were understood to have felt they could no longer oppose South Korean membership.

The 15-nation Security Council, in which both China and the Soviet Union have veto power, will rule on the Korean applications before the General Assembly opens in September.

In Seoul, Foreign Minister Lee Sang-ock welcomed the applications, saying, "We hope North Korea will now sincerely carry out duties of the UN and become a responsible member of an international society."

0117

北韓 加入申請 關聯 유엔安保理 非公式 協議

1991. 7. 11.

外 務 部

> 7.8. 北韓이 提出한 加入申請書 處理와 關聯,
> 91.7.10(水) 午後(뉴욕現地時刻) 開催된 安保理 非公式
> 協議內容을 아래와 같이 報告드립니다.

1. 安保理 議長인 쿠바大使는 下記와 같은 北韓立場을 說明
   하였고, 餘他國의 發言은 없었음.

   ○ 北韓政府는 今番 加入申請書를 早期에 提出한 것이
     問題를 야기시키는 것으로 解析되지 않기를 希望
   ○ 南韓도 곧 加入申請할 것으로 알고 있음.
   ○ 申請書가 순조롭게 處理될 수 있도록 必要한 協調
     用意 表明

2. 한편, 쿠바大使는 英國大使에게 今後 韓國 加入申請書를
   提出한 後 다음 議長(에쿠아돌大使)이 이를 함께 處理
   하는데 대해 特別한 異見이 없다고 言及함.

                                              - 끝 -

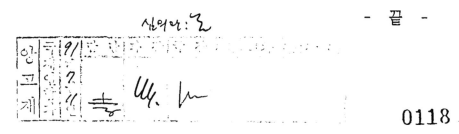

0118

北韓 加入申請 關聯 유엔安保理 非公式 協議

1991. 7. 11.

外　務　部

7.8. 北韓이 提出한 加入申請書 處理와 關聯,
91.7.10(水) 午後(뉴욕現地時刻) 開催된 安保理 非公式
協議內容을 아래와 같이 報告드립니다.

---

1. 安保理 議長인 쿠바大使는 下記와 같은 北韓立場을 說明
   하였고, 餘他國의 發言은 없었음.

   o 北韓政府는 今番 加入申請書를 早期에 提出한 것이
     問題를 야기시키는 것으로 解析되지 않기를 希望
   o 南韓도 곧 加入申請할 것으로 알고 있음.
   o 申請書가 순조롭게 處理될 수 있도록 必要한 協調
     用意 表明

2. 한편, 쿠바大使는 英國大使에게 今後 韓國 加入申請書를
   提出한 後 다음 議長(에쿠아돌大使)이 이를 함께 處理
   하는데 대해 特別한 異見이 없다고 言及함.

                                          - 끝 -

0119

北韓 加入申請 關聯 유엔安保理 非公式 協議

1991. 7. 12.

外　務　部

7.8. 北韓이 提出한 加入申請書 處理와 關聯,
91.7.18(水) 午後(뉴욕現地時刻) 開催된 安保理 非公式
協議內容을 아래와 같이 報告드립니다.

---

1. 安保理 議長인 쿠바大使는 下記와 같은 北韓立場을 說明
   하였고, 餘他國의 發言은 없었음.

   ○ 北韓政府는 今番 加入申請書를 早期에 提出한 것이
      問題를 야기시키는 것으로 解析되지 않기를 希望
   ○ 南韓도 곧 加入申請할 것으로 알고 있음.
   ○ 申請書가 순조롭게 處理될 수 있도록 必要한 協調
      用意 表明

2. 한편, 쿠바大使는 英國大使에게 今後 韓國 加入申請書를
   提出한 後 다음 議長(에쿠아돌大使)이 이를 함께 處理
   하는데 대해 特別한 異見이 없다고 言及함.

                                              - 끝 -

0120

주 국 련 대 표 부

주국련(공) 35260- **566**   1991. 7. 12.

수신 장 관

참조 해외공보관장, 국제기구조약국장, 외교정책기획실장

제목 북한 유엔가입 신청 관련 기사 송부

1.   UNW-1780의 관련입니다.

2.   북한 유엔가입신청 관련 당지 외신기사를 별첨과 같이 송부합니다.

첨 부 : 관련기사 2매 및 안보리 문서 1부.   끝.

주   국   련   대   사

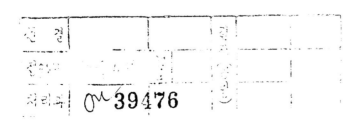

0121

Weather

Today: Mostly cloudy, showers.
High 80. Low 70. Wind 6-12 mph.
Thursday: Clearing.
High 88. Wind 8-16 mph.
Yesterday: Temp. range: 74-88.
QI: 55. Details on Page B2.

The Washington Post

14TH YEAR · No. 217   WEDNESDAY, JULY 10, 1991   U

AROUND THE WORLD

Britain Issues Plan to Reduce Armed Forces by 20 Percent

LONDON—Citing the collapse of the Soviet-led Warsaw Pact, Britain yesterday announced a 20 percent cut in its defense forces over three years.

The cuts envisaged an annual 6 percent reduction in defense spending, and are deeper than those proposed before the Persian Gulf War. Defense spending this year will total $38.88 billion.

"This recognizes the quantum change that has occurred in the European scene with the collapse of the Soviet-led Warsaw Pact," Defense Secretary Tom King told reporters.

The most drastic cut proposed was for the army to be reduced from 147,000 personnel to 116,000, instead of the 120,000 proposed shortly before Iraq invaded Kuwait on Aug. 2.

That will mean disbanding or merging some of Britain's elite regiments, including, according to published reports, the Household Cavalry that provides escorts for Queen Elizabeth II on state occasions.

Kuwaiti National Council Opens

■ KUWAIT CITY—A national council opened in what Kuwaiti officials hailed as the first step toward democracy, but the opposition criticized as a fig leaf concealing the Sabah dynasty's absolute rule.

The opposition said the body—50 members elected in June 1990 and 25 appointed by the ruler—has no legal standing under the constitution and could be ignored. The National Assembly legislature was dissolved in 1986.

The government's agenda emphasizes reconstruction of damaged buildings, ensuring security through international cooperation and getting back missing prisoners of war and property. The council spent its first day electing committee members, breaking at midday for a sumptuous meal that included several whole sheep.

Meanwhile, Kuwait expelled about 300 Iraqis, the largest group since the government reached an agreement with the Red Cross on new guidelines for deportations.

North Korea Applies for U.N. Seat

■ UNITED NATIONS—Communist North Korea said it has formally applied to join the United Nations, a move diplomats have called a major step in Pyongyang's effort to end its isolation.

North Korea announced May 28 it was dropping its demand that the north and the south be represented in the United Nations by a joint seat, and planned to apply for its own.

South Korean spokesman Suh Jong Hwan welcomed the announcement and said Seoul would file for a seat soon, probably next month.

Bulgaria to Shut Down 2 Reactors

■ VIENNA—Bulgaria agreed to shut down two Soviet-built nuclear reactors that experts say are dangerous in return for promises from the West to help it find alternative sources of power.

Deputy Premier Alexander Tomov told an international conference of nuclear experts here that the two oldest reactors at the Kozloduy plant on the Danube River would be switched off in about six weeks. He said two more modern reactors that have been out of service for several months will be put back into operation when safety standards have reached Western levels.

The Kozloduy plant, similar to the Soviet facility at Chernobyl that exploded in 1986, supplies 40 percent of Bulgaria's electricity. German Environment Minister Klaus Toepfer said European Community experts would meet later this week to decide how to help Bulgaria find new sources of power.

From news services

0122

_UN-North Korea Seat, 1st Ld Writethru(
Eds: Updates with more comment from north and sou   background, adds
byline(
By VICTORIA GRAHAM=
Associated Press Writer=

UNITED NATIONS (AP) _ In a move to end its isolation and fully embrace the international community, Communist North Korea announced Tuesday that it formally has applied to join the 159-member United Nations.

Rival South Korea welcomed the move by its hard-line neighbor and said the Seoul government would file its own application for a separate U.N. seat probably in early August.

The Security Council was expected to consider both applications in a package and approve both without dissent. The two nations of the divided Korean Peninsula are expected to take their seats, by acclaim, as the 160th and 161st members of the General Assembly when it convenes in September.

"We submitted our membership application on Monday to the U.N. Secretary-General," said Ambassador Ho Jong, the deputy permanent observer of the Democratic People's Republic of Korea.

"This is an appropriate time for membership," Ambassador Ho said. "My government is ready to sincerely cooperate with Security Council members and the rest of the United Nations."

Both North and South Korea have said that separate-seat U.N. membership will improve relations between the two neighbors and eventually promote reunification of the peninsula. Both Korean states currently hold non-voting observer status.

The United States, Britain, France and most nations support the two-seat formula.

Ambassador Ho told the Associated Press by telephone that the application was signed by North Korean Vice Premier Kim Yong Nam, who also is foreign minister.

In Seoul, the South Korean government welcomed the North Korean membership bid and said it hoped its rival would become a responsible member of the world community.

Ambassador Ho indicated that his nation was joining separately with reluctance and indicated the Pyongyang did not want South Korea to join first and dominate international discourse about the peninsula.

North Korea previously had opposed separate membership for both Korean states, saying that would perpetuate division of the Korean

0123

In Seoul, the South Korean government welcomed the North Korean membership bid and said it hoped its rival would become a responsible member of the world community.

Ambassador Ho indicated that his nation was joining separately with reluctance and indicated the Pyongyang did not want South Korea to join first and dominate international discourse about the peninsula.

North Korea previously had opposed separate membership for both Korean states, saying that would perpetuate division of the Korean Peninsula. But it changed its position after South Korea said it would press ahead and apply for a single seat.

North Korean allies China and the Soviet Union also told the Pyongyang government that they would not block South Korea's bid for membership by casting a veto   the Security Council.

To join the United Nations, a state must commit itself to the peaceful aims of the U.N. Charter, control its territory and be able to enter into treaties. Membership requires approval of the 15-member Security Council and a two-thirds vote of the 159-nation General Assembly.

Ambassador Ho said that his government reluctantly was going ahead with separate membership because of a ''stalemate'' in the current high-level north-south talks which included the question of U.N. membership.

The talks were suspended because of joint U.S.-South Korean military exercises and political instability in South Korea, Ho said. ''We could not agree on the important U.N. membership issue, and the south was stubbornly seeking a single membership for itself.''

If the south entered alone, he said, ''it would create another big obstacle in the way of Korean national reunification.'' He said the North Korean move was unavoidable and necessary ''to overcome a temporary obstacle.''

North Korea, he said, still seeks a single seat for a reunited nation.

But both north and south point to the examples of East Germany and West G ermany, North Yemen and South Yemen, all of which held separate seats for many years and eventually were reunited.

At the South Korean Mission, spokesman Suh Jong-hwan told the AP he expe cted his government to file for U.N. membership in early August.

''I think the Security Council will consider both applications together, after they receive the application from Seoul,'' he said.

0124

(END)

관리번호 91-1685

외 무 부

종 별 : 지 급

번 호 : USW-3495 　　　　　　　　 일 시 : 91 07 1819

수 신 : 장 관(미일,미이,국연,기정) 사본유엔대사-직송필

발 신 : 주 미국 대사

제 목 : 북한 유엔 가입

1. 당지 주재 소련 대사관 AFANASYEV 정무 참사관은 7.11(목)당관 유참사관에게 최근 북한의 동향및 미.북한 관계등에 대해 다음과같이 언급한바, 참고로 보고함.

가. 북한은 최근 소련측에 대해 미국이 최종 단계에 가서 북한의 유엔 가입관려 IAEA 등 핵문제를 거론하여 거부권을 행사할 가능성이 크다고 하면서 그 경우 소련도 한국의 유엔 가입에 대해 거부권을 행사하여 주도록 요청하여온바 있음.

나. 소련은 이와관련, 북한측의 여사한 우려를 해소시켜 주기 위하여 남북한 유엔 가입을 일괄 처리하는 방안을 생각한바 있음.

다. 북한은 최근의 국제 정세 변화에 무척 고립감과 당혹감을 느끼고 있으므로 북한이 IAEA 안전 협정에 서명할 경우 미국도 이에 부응하여 북한의 입장을고려해 주는 조치가 필요하다고 봄.

라. 북한의태도가 비합리적이라는 한국측의 주장이나 미측의 완고한 태도도이해되나 현상의 타파를 위해서는 강한쪽에서 아량을 베풀어야 될것으로 봄.

마. 한. 소 관계 수립이 한반도 안정과 평화 유지에 도움이 되는 방향으로 이끌어 가기위해서는 북한을 더이상 외교적 고립상태로 놔두는것은 바람직하지 않다고봄. 이러한 차원에서 주한 미군 핵무기 문제도 전향적으로 검토할수 있기를기대하며, 금추 유엔에 남북한이 동시 가입하는것을 계기로 하여, 기회를 놓치지 말고, 한국측이 좀더 적극적인 자세를 취할수 있기 바람.

2. 상기에 대해 유참사관은 북한의 국제적 고립은 북한 스스로가 자처한것이며, 잘못하고 있는 일에 보상을 할수는 없는 일이므로 북한이 우선 남북 대화를 성실히 하고 국제적 의무를 조건없이 이행하도록 소련도 적극 북한에게 촉구하는것이 필요하다고 설명하였음.끝.

(대사 현홍주-국장)

미주국　　장관　　차관　　1차보　　미주국　　국기국　　청와대　　안기부

PAGE 1 　　　　　　　　　　　　　　　　　91.07.12　　10:59
　　　　　　　　　　　　　　　　　　　외신 2과 통제관 BS

0125

예고:91.12.31 일반

간문서로 재보 (19 91.(2 5).

0126

외 무 부

종 별 :

번 호 : SFW-0643   일 시 : 91 0712 1755

수 신 : 장관(해신, 문홍)

발 신 : 주 상항 총영사

제 목 : 사설 게재

　　1. 샌프란시스코 크로니클 THOMAS BENET 주필에게 남북한 유엔가입 관련한 배경자료 및 북한 가입신청에 대한 아측 논평 KPS 기사등 자료를 제공한 바, 동지 7.11 일자에 "KOREAS IN THE UN" 제하 간략한 사설에 게재됨.

　　2. 동 사설은 북한 유엔가입이 국제적 고립을 벗어 나려는 중대한 움직임으로써 이는 남북한간 관계개선의 시발점이 될 것이라고 평가하고 남북한 유엔 단일 의석보다 남북한 동시 별도 의석을 주장한 아국 정책을 강조하였음.

　　3. 동 사설은 또 유엔안보리가 남북한의 가입신청을 만장일치로 승인할 것을 촉구함.(원문 FAX 송부). 끝.

　　(공보관)

　　예고 : 91.12.31 일반

검도필(1991. 6. 30)

공보처   문협국

관리 번호	91- 2110

외 무 부

종 별 :

번 호 : UNW-1890

일 시 : 91 0723 1830

수 신 : 장 관(국연,기정)

발 신 : 주 유엔 대사

제 목 : 일.북한관계

1. 7.22 HATANO 일본대사는 본직과 접촉한 기회에 약 2 주전 박길연 북한대사가 자신에게 G-7 회담에서 북한 핵문제가 거론되지 않도록 일본의 협조를 요청하고, 북한으로서는 IAEA 와 필요한 조치를 취할예정인바, G-7 회담에서 동문제가 제기되는 것은 부당(UNFAIR)하다고 하였다함.

2. HATANO 대사는 이어 남북한의 유엔동시가입을 계기로 유엔에서 북한대표부측과 유엔 업무관련 일상적인 외교접촉이 예상되기 때문에 본국정부에 이에대한 허가를 요청한바 있으며 본국에서 허가가 나올것으로 본다고하였음. 끝

(대사 노창희-국장)

| 일반문서예재분류(2.19. 일반 .) | | 검 토 필 (1992. 6 .30.) |

국기국	장관	차관	1차보	2차보	분석관	청와대	안기부 외정실

원 본

외 무 부

종 별 :

번 호 : UNW-1913

일 시 : 91 0724 1700

수 신 : 장 관(국연,해신,정특,기정)

발 신 : 주 유엔 대사

제 목 : 북한 허종 일본 TV 회견

연:UNW-1780

일본 NIPPON TV 특파원 HIROMITSU TOKUNAGA 는 7.24 오전 북한 차석대사 허종과 동사 뉴욕지국 스튜디오에서 회견을 갖고 북한의 유엔가입, 핵사찰, 국제테러등 관련 질의응답이 있었다고 알려왔음. 끝.

(대사 노창희-관장)

예고:91.12.31. 일반

91. 12. 31 예고에따라. 일반

국기국	장관	차관	1차보	외정실	분석관	정와대	안기부	공보처

91.07.25 07:06

외신 2과 통제관 BS

0129

외 무 부

종 별 :

번 호 : DJW-1330   일 시 : 91 0725 1300

수 신 : 장관(국연,아동,정특,기정)

발 신 : 주 인니 대사

제 목 : 북한 유엔가입 문제(자료응신 제65호)

1. 주재국 외무성 관계관에 의하면 당지 북한대사관은 7.19. 북한의 유엔가입에 대한 주재국의 지지를 요청하는 공한을 외무성에 전달하였다 함.

2. 또한 주유엔 북한대표부는 북한 외교부장 김영남 이 9.30-10.4 간 뉴욕 방문 예정임을 인니측에 알리면서 동 기간중 ALATAS 외상과의 면담을 제의하였다함. 끝.

(대사 김재춘-국장)

예고:91.12.31. 일반

국기국	장관	차관	1차보	2차보	아주국	외정실	청와대	안기부

외 무 부

종 별 :

번 호 : JMW-0374

일 시 : 91 0726 1400

수 신 : 장 관(국연,정특,미중)

발 신 : 주 자메이카 대사

제 목 : 유엔가입관련 북한동향

　　1. 주재국 외무부 E.CARR 극동국장이 당관에 알려온바에 의하면 당지 북한대사관은 주재국에 북한의 유엔가입시 주재국의 지지를 공식 요청하였다 함.

　　2. 또한 동 국장에 의하면 북한은 유엔가입후 주재국이 휴전협정의 평화협정으로의 대체및 미군의 철수, 한반도 배핵지대화, 고려연방제 통일방안등 북한정책을 지지하여 줄것을 아울러 요청하였다 하는바 북한은 유엔가입후 자국정책에 대한 국제적 지지확보 시도를 개시하고있는 것으로 보임.끝

　　(대사 김석현-국장)

　　예고:91.12.31 일반

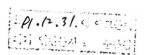

국기국	장관	차관	1차보	미주국	외정실	분석관	정와대	안기부

원 본

외 무 부

종 별 :

번 호 : UNW-2061

일 시 : 91 0806 2100

수 신 : 장 관(국연,기정)

발 신 : 주 유엔 대사

제 목 : 북한대사 사무총장 면담

북한 박길연대사는 금 8.6 오전 11:00 부터 10 분정도 유엔사무총장과 면담한바, V.DAYAL 사무총장 비서실장이 본직에게 알려온 동 면담내용을 아래보고함.

1. 박대사는 면담 모두에서 최근 북한측이 발표한 비핵문제 관련 성명내용을 간략히 설명하였음.

2. 이어 박대사는 가입절차 문제에 대해 다음요지 언급함.

가. 현재 사무국측의 협조로 모든일이 잘 준비되고 사전합의에 따라 순조롭게 진행되고 있는데 대해서 만족하며, 특히 사무총장에 대해 사의를 표시함.

나. 앞으로 총회에서도 안보리에서와같이 불필요한 토론이나 표결없이 처리되기를 기대함. 끝

(대사 노창희-국장)

예고:91.12.31. 일반

국기국	장관	차관	1차보	2차보	분석관	청와대	안기부

원 본

외 무 부

종 별 :

번 호 : UNW-2121

일 시 : 91 0812 1430

수 신 : 장관(국연,기정)

발 신 : 주 유엔 대사

제 목 : 총회개막일 연설(북한)

　　금 8.12 당관 서참사관이 사무총장실 SUKHODRER 특별보좌관 및 SHAWA 담당관측으로 부터 파악한바, 8.9 북한 박길연대사는 46 차 총회개막일 가입결정후 북한측 연설자로 강석주 외교부 제 1 부부장을 봉보하여 왔다함. 끝.

　　(대사 노창희-장관)

예고 1991. 12. 31. 예일반F·····에
의거 일반분서로 ·····

국기국　　장관　　차관　　1차보　　외정실　　분석관　　청와대　　안기부

PAGE 1

91.08.13　07:10
외신 2과　통제관 BS

0133

남북한 유엔가입, 1991.9.17. 전41권 (V.28 북한의 유엔가입 신청서 제출(7.8))　567

공   란

공　　　란

공　　　　　란

공 란

공   란

공   란

공 란

공   란

공 란

0143

CURRENT INTERNATIONAL SITUATION
AND KOREAN ISSUE

BY

KANG SOK JU,
FIRST DEPUTY MINISTER FOR FOREIGN AFFAIRS
OF THE DEMOCRATIC PEOPLE'S REPUBLIC OF KOREA

AT

COLOMBIA UNIVERSITY ON SEPTEMBER 13, 1991

0144

Let me express, first of all, my honour and pleasure to have an opportunity, on the occasion of my sojourn in New York to attend the 46th General Assembly of the United Nations, to visit the Columbia University, one of the most prestigious academic institutions in the United States and meet the Colombia professors and students interested in the Korean issue.

The Colombia University has become famous for its prominent graduates in the American history.

My thanks also go to the Center for Korean Research and Korean Forum for their inviting us to the Columbia campus.

I have the pleasure to brief you on the situation of the Korean peninsula and the foreign policy of the Democratic People's Republic of Korea

-- Lots of changes have taken place in the international relations and the humanity finds itself at a new turning-point in historical progress.

The old age of domination and subjugation that lasted for thousands of years has come to an end and the new age when all countries and all nations shape their destiny independently is being ushered in.

Mankind is now faced with common task of strengthening the historical current and building a free and peaceful new world.

Today, domination and subjugation, aggression and war can benefit nobody and for the peoples of all countries to develop independently and live peacefully together is the correct way for humanity to take.

Historical progress may suffer setbacks but the just cause of creating a new world will triumph without fail.

Under such trends of international situation, the environment of the Korean peninsula has been changed as a whole favourable to the solution of the Korean issue.

0145

2

The aspiration for national unity has been raised higher than ever before, the movement for reunification further strengthened and the contacts, exchange and dialogue between the north and the south of Korea keep elevated.

However, there are still those forces who stand in the way of country's reunification and have the wrong conception of "cold war" and confrontation.

Accordingly, huge armed forces stand opposite each other with the military demarcation line between them on the Korean peninsula, and 40,000 American soldiers have been stationed and a lot of nuclear weapons deployed in south Korea.

We are making every effort to make such international trends as detente and reconciliation serve favorably for peace and unification of the Korean peninsula.

-- Today our people are working hard to build a genuine society for the people in which man's complete independence is realized.

The political philosophy of our state is the Juche idea which requires that all consideration should be centered on man and that everything should be made to serve him.

We have applied the Juche idea in the revolution and construction and thus built a socialism of our own style.

We settled all problems in revolution and construction according to our own independent decision and judgement and in conformity with our own demand and interest.

We have neither looked up to the others nor blindly imitated the others, but undertaken everything in accordance with our actual situation and on our own way with firm reliance on our own strength.

We have never introduced Stalinism nor modelled ourselves after Soviet Union.

0146

This is the very guarantee which keeps our socialist system developing under the changes happened in some socialist countries.

Our people take great pride and self-confidence in their just cause and they will work to the end to build an ideal society for mankind in accordance with their own belief and by their own efforts.

Our country is based on the single-hearted unity of the leader, the party and the masses.

The model of our socialism was chosen by the popular masses themselves and historically deep-rooted. Accordingly, our socialist system enjoys their absolute support and trust.

This is very source which makes our own style socialism ever victorious and indestructible.

Since we have built the firm self-supporting national economy of our own, we are able to ensure steady progress in economy.

There has not been any political unrest or hesitation in our decades-old history of building socialism.

Some people predicted that there will be a disturbance in our country as happened in other countries. It resulted partly from their dark ignorance of our country's realities, and, at the same time, their evil intention to isolate us.

Our socialism will not shake in any circumstances but will advance vigorously. It has been proved in practice.

-- Reunification of Korea is the life and death issue of our nation and it is one of the important issues to be settled in the international politics.

As is well known, our nation was forcibly divided not because of inter-nation's dispute, but entirely by foreign forces.

Korea's reunification fails to be achieved absolutely because of continued interference and obstruction by foreign forces.

0147

As far as the issue of national reunification is concerned we are consistently adhering to the three principles of independence, peaceful reunification and great national unity agreed upon and made public by the north and south and hold that the national reunification should be realized by way of confederation on the basis of one nation, one state, too systems and two governments.

We consider it as the unique and reasonable way for peaceful reunification of the country in the circumstances in which different ideologies and systems exist in the north and south.

The way of reunification with one side conquering the other is not acceptable in Korea where two different ideologies and systems exist in the north and south.

An ideology and system should be chosen by the people themselves of their own accord, not through coercion from outsiders. It could be put off at the present stage, to merge two different systems into one.

For national reunification to be achieved as soon as possible, peaceful preconditions should be arranged for peaceful reunification. For the north and south to adopt a nonaggression declaration is the starting point in removing distrust and confrontation between the north and south and in opening a new phase of peace and peaceful reunification.

Under the situation in which a real danger of war is prevailing in our country, the position of insisting only exchange while avoiding military issues, means that they neither want peace nor regular visit and exchange themselves.

The independent and peaceful reunification of our nation cannot be thinkable apart from the great unity of our nation. The great national unity is the fundamental prerequisite for the independent and peaceful reunification of the country and the essence of it as well.

The subject of the Korea's reunification is the entire Korean nation.

0148

We believe that when the whole nation firmly unite as one and strengthen the subject of the reunification, the decisive guarantee for the independent and peaceful reunification will be created.

Our cause of national reunification will be brilliantly achieved when all the compatriots from all strata in the north and south and abroad join hands in the cause of national reunification; those who have strength should contribute their strength, those who have knowledge their knowledge and those who have money their money.

For the realization of great national unity we should place our common national interest above all else and subordinate everything to national reunification transcending differences in ideologies, social systems and religious beliefs.

Classes and stratum form a part of the nation. Therefore no class or stratum can realize its own interests apart from the common national interests.

No class or stratum, if it belongs to the Korean nation, should hamper the achievement of national reunification, the common cause of our nation by putting its interests to the force.

If the great unity of the nation is to be achieved, contacts and visits should be widely encouraged among the fellow countrymen in the north, south and abroad and dialogue be promoted actively among them.

What is important here is to pull down the barrier of division and remove all the obstacles to free travel, contact and dialogue.

-- Independence, peace and friendship are an underlying idea of our Republic's foreign policies, on which basis we are developing the external relations with other countries.

We are striving to abolish an inequitable old international order and establish a fair new one.

0149

There are big and small countries in the world, but there cannot be major and minor countries. There are developed nations and less developed nations, but there cannot be nations destined to dominate or to be dominated.

No privileges and arbitrariness should be tolerated in international relations, and friendship and cooperation among countries should be developed on the principles of mutual respect, non-interference in the affairs of other countries equality and mutual benefits.

Our people who are constantly under the threat of nuclear weapons, regard it as an important matter related to the destiny of the nation to abolish the nuclear weapons.

We strongly demand that the Korean peninsula be turned into a nuclear-free and peace zone and actively support the peace-loving movement of the various countries to create such zones and reduce armament.

The Government of our Republic maintains good-neighbor relationship with the capitalist countries which respect our sovereignty and promote economic and cultural exchanges with them on the principle of equality and mutual respect.

We believe that the improvement of the relations between the Democratic People's Republic of Korea and the United States is of great importance in ensuring peace on the Korean peninsula and achieving its peaceful reunification and wish for the improved relations between them. Our membership in the United Nations will create conditions favorable to improvement of DPRK-USA relations.

We believe that if the United States respect our sovereignty and freedom of choice, treat the north and the south of Korea equally and abandon conditional position with regard to improvement of relations with my country, then a bright prospect could be opened in the development of relations between the DPRK and the United States.

We hope that all of you who value justice and democracy pay due attention to the question of reunification related to the destiny of the Korean nation and extend an active cooperation to see its fair resolution.

There could be found many similarities in life and perceptions common to the peoples of both countries.

The world famous American writers such as Ernest Hemingway, Mark Twain and Margaret Michell, as well as prominent scientists and inventors are quite well known among our people. They came to understand the progressiveness through them.

At the same time, we are happy to discover the common aspects of both peoples who love peace and justice.

I believe that this meeting will be another significant occasion in deepening mutual understanding between the Korean and American peoples and improving their relations.

Thank you.

0151

북한대표부 요원 현황

1991. 9월 현재

구분	급	성명	출생 년월일·행정구역	담당 업무	부임일자	학력	가족	계	비고
주유엔 북한 대표부	대사	박길연	43.1.26 (강원도)		85.2.27	영어상급	조옥단(처, 44.12.13)	함북출생	1969 광고 여사 복, 1975 성가폴 대사대리 1982.7 외교부 부국장 교부부장
	참사/차석대사	허정	46.3.6 (함북)	정	89.6.16	영·불어상급	박옥화(처, 55.3.2) 최정미(딸, 86.10.20)	평양출생	김정일측근으로 추정
	참사관	김정미	34.1.18 (함남)	노동당 서기	89.8.15		김숙준(처, 38.9.8)		
	참사관	이성직	41.10.12		90.2.7		강상숙(처, 43.12.10)		
	1등서기관	김계관	53.6.9 (평양)	정무, 대외활동 등	85.9.25	영어상급	엄정희(처, 55.2.15)	평양출생	
	1등서기관	이철준	53.3.27 (평양)	총무, 행정, 회계	88.3.14	영어상급		평양출생	
	2등서기관	김만단	57.1.27 (함남)	경제	86.6.27	영어중급	이용희(처, 58.2.27)	평양출생	
	2등서기관	박옥단	52.3.2 (평양)		89.6.16	영어상급	차석대사 차종혀 처		
	3등서기관	이용희	58.2.27 (평양)	사회, 대사의정예우	86.6.27	영어상급	김만단의 처	평양출생	
	아타셰	김정남	45.9.25 (평양)		88.2.7		김명수(처, 46.9.22)	평양출생	
	아타셰	동경철	63.1.22 (평양)		89.8.15		박명숙(처)		
	아타셰	원용일	58.6.7		90.3.7		김용희(처, 59.6.4생)		이철준(1서) 보좌

외교문서 비밀해제: 남북한 유엔 가입 9
남북한 유엔 가입 북한 유엔 가입 신청 및 대응 2

초판인쇄 2024년 03월 15일
초판발행 2024년 03월 15일

지은이 한국학술정보(주)
펴낸이 채종준
펴낸곳 한국학술정보(주)
주 소 경기도 파주시 회동길 230(문발동)
전 화 031-908-3181(대표)
팩 스 031-908-3189
홈페이지 http://ebook.kstudy.com
E-mail 출판사업부 publish@kstudy.com
등 록 제일산-115호(2000. 6. 19)

ISBN 979-11-6983-952-5 94340
      979-11-6983-945-7 94340 (set)